ENFERNITÉ 2

Cet ouvrage a été réalisé par les Éditions Milan,
avec la collaboration d'Ingrid Pelletier.
Mise en pages : Pascale Darrigrand

Titre original : *Everbound*
Copyright © 2013 by Brodi Ashton
First published in the US by Harper Collins Children's Books,
a division of HarperCollins Publishers, 10 East 53rd Street,
New York, NY 10022.
Jacket art © 2013 by Pixelspace and Howard Huang
Jacket design by Ray Shappell

Pour l'édition française :
© 2013, Éditions Milan, pour le texte et l'illustration
300, rue Léon-Joulin, 31101 Toulouse Cedex 9, France
Loi 49-956 du 16 juillet 1949 sur les publications
destinées à la jeunesse
ISBN : 978-2-7459-6166-2
www.editionsmilan.com

BRODI ASHTON

ENFERNITÉ 2

Traduit de l'anglais (États-Unis)
par Emmanuelle Pingault

MILAN

Pour Sam
Merci d'être toujours certain, même quand je ne le suis pas.

C'est en descendant dans les abysses que nous retrouvons les trésors de la vie. Là où tu trébuches se trouve ton trésor.

Joseph CAMPBELL

L'Enfernité

PROLOGUE

Les Grecs anciens les appelaient les Enfers ou l'Hadès. Pour les Égyptiens, c'étaient les champs d'Ialou ou la Poussière. Pour les uns et les autres, c'était la destination de l'âme des morts.

Ils se trompaient tous.

Ceux qui connaissent la vérité l'appellent Enfernité, mais cela n'a rien à voir avec la vie après la mort. C'est le domaine des Enfernautes et des Transfuges.

Les Enfernautes sont des immortels qui se nourrissent des émotions des humains.

Les Transfuges sont des humains pris au piège dans les Tunnels de l'Enfernité, où ils sont privés de leur énergie au bénéfice des Enfernautes. Le seul moyen d'échapper aux Tunnels, c'est la mort.

Jack, celui qui m'a sortie de l'enfer, celui pour qui je suis revenue, celui que j'aime, est dans les Tunnels. C'est un Transfuge.

Je suis lucide. C'est moi qui devrais y être.

I

UNE NUIT
Ma chambre.

Je vois Jack chaque nuit. Dans mes rêves.

Il est étendu près de moi. Deux mondes parallèles se superposent, l'espace d'un instant – la Surface, où je me trouve, et les Tunnels de l'Enfernité, de son côté. Dans ma chambre, pendant que je dors.

Ses cheveux forment toujours des boucles parfaites derrière ses oreilles. Ce soir, la tige d'acier qui traverse son sourcil brille sous la faible lueur de la lune, à travers ma fenêtre. J'ai l'impression qu'il suffirait que je lève la main pour le toucher.

Je dois toutefois me rappeler qu'elle ne brille pas vraiment, car elle n'est qu'une imitation illusoire. Comme Jack.

Il commence à oublier des petites choses. Des choses qu'il n'aurait jamais oubliées avant.

– De quoi parlons-nous, quand je suis là ? me demande-t-il.

– De toutes sortes de sujets, dis-je.

– Par exemple ?

– À chaque fois, tu dis que je te manque.

Il pose la main sur la mienne, et elle me traverse. Il a oublié que, pour moi, il est un fantôme. À moins que le fantôme, ce soit moi.

– *Évidemment*, note-il. *Et puis ?*

– *Tu résumes le jour où Julia t'a appris que je t'aimais bien.*

– *Et ?*

Les mots me viennent sans résister tandis que mes souvenirs s'enroulent autour de mon cœur comme une couverture.

– *Tu me parles du chalet de ton oncle. Du bal de Noël. De mes cheveux qui me cachent les yeux. De mes mains qui s'accordent si bien avec les tiennes. De ton amour pour moi. Et du fait que tu seras toujours là.*

– *Et toi, qu'est-ce que tu me réponds ?*

– *Je te dis que je suis désolée. Et je te demande comment faire pour réussir.* (*Ma voix tremble.*) *Comment faire pour réussir, Jack ?*

– *Réussir quoi ?*

– *À vivre en sursis. Sans toi. En sachant que si tu es là-bas, c'est à cause de moi.*

Il se tait. L'aurore s'infiltre dans la pièce, le matin survient, toujours trop vite, et je ne peux m'empêcher de bouger, toujours endormie.

Il m'observe. Il sait que je suis sur le point de m'éveiller.

– *Comment nous disons-nous au revoir ?*

Je m'efforce de dissimuler ma douleur en entendant ce mot, ma colère envers l'Enfernité, ne serait-ce que parce qu'elle existe, et mon ressentiment envers Cole, qui m'a emmenée au Festin il y a un peu plus d'un an. Mais je dois surtout cacher ma rage envers moi-même. Jack n'aime pas que je me fâche.

Tout en articulant, je veille à parler d'un ton calme.

– *On se dit :* « *À demain.* »

– *À demain, Becks.*

*Il ferme les yeux, les paupières serrées, comme s'il ne sup-
portait pas de me regarder disparaître.*

*Je pose ma main sur la sienne pour ne serrer que de l'air,
hélas.*

*Ses oublis m'inquiètent. La plupart du temps, il est lucide
et ses idées sont claires. Mais il arrive qu'il passe de mauvaises
nuits, comme cette fois, à tel point que j'en viens à me demander s'il finira par m'oublier et ne plus me rejoindre dans
mes rêves.*

Si cela arrivait, serais-je capable de le maintenir en vie ?

Le soleil se lève, j'ouvre les yeux, et Jack est parti. Mon lit
est vide, je me retrouve seule face à ma culpabilité. Je serre
mon oreiller contre moi. Je me demande combien de temps
je survivrai à cette blessure qui brise mon cœur.

Peut-être sera-t-elle un jour assez grave pour que j'y succombe.

Dans ce cas, rejoindrai-je Jack dans l'autre vie ?

MAINTENANT
La Surface. Ma chambre.

Le titre annonçait : « Les Dead surgissent à Austin ».

Je roulai les yeux. On aurait dit que l'apocalypse avait
commencé, alors qu'en vérité il ne s'agissait que d'un concert
improvisé des Dead Elvises à Austin, au Texas.

Deux ou trois mois plus tôt, un journaliste de *Rolling Stone*
les avait baptisés les « Grateful Dead de demain ». Depuis,
ce nom raccourci, « les Dead », leur collait à la peau. J'avais
envie de casser la figure au journaliste.

Mais ces temps-ci, j'avais envie de casser la figure à tout le
monde.

J'imprimai l'article, découpai le titre et le posai sur mon bureau. La plupart des gens auraient enregistré le document, mais quand il s'agissait de ma recherche de Cole – et des autres Dead Elvises –, j'aimais mieux les indices tangibles. Une carte que je pouvais mettre à plat. Des articles que je pouvais plier et déplier.

Si mes mains étaient occupées, alors mon cerveau l'était aussi. Et si mon cerveau était occupé, il devenait presque possible de ne plus penser à mes rêves de Jack.

Presque.

La bonne blague ! Presque tous les matins, je me réveillais en petits morceaux que je devais recoller avant de commencer la journée. Parce que ce qu'il avait fait pour moi – sauter dans les Tunnels pour prendre ma place en enfer – m'avait brisé le cœur.

Je jetai un petit coup d'œil vers l'étagère, au-dessus de mon bureau ; quelques images de nous étaient posées près d'un papier froissé, où il avait griffonné *À toi pour toujours*. Son fantôme flottait partout : sur un jeu de cartes posé sur la table, sur mon couvre-lit, sur le livre qu'il m'avait prêté des années auparavant – mais en particulier sur cette étagère. Je ne savais plus combien de fois j'avais tenté de ranger ces photos, dans un tiroir ou sous mon lit, loin de mon regard. Sans y parvenir.

Je tendis la main vers l'une d'elles, au coin, qui montrait la moitié de mon visage près de celui de Jack. C'était l'un de nos autoportraits. Jack avait tenu l'appareil face à nous, sur la piste de bobsleigh, mais on ne voyait que notre visage, sur un fond de plantes persistantes.

Ce souvenir me serra le cœur et, alors que mes doigts frôlaient le cadre, je repliai le bras, expédiant le portrait par terre. Il éclata sur le parquet. Bien plus qu'un bruit de verre brisé, je perçus la douleur de vieilles plaies mal cicatrisées, au fond de moi. Je plaquai mes mains sur mes oreilles. Parfois, je ne trouvais pas d'autre moyen d'éviter de tomber en morceaux.

C'étaient des idées comme celle-là qui me forçaient à comprendre que les exercices de visualisation du Dr Hill – la thérapeute payée par mon père – ne pourraient rien pour moi.

En entendant des pas dans le couloir, je retins mon souffle. Mon père avait peut-être entendu le cadre se briser. J'attendis qu'il frappe à la porte, en vain. Les doigts dans les cheveux, je tentai de ranger mon bureau et de me concentrer sur la carte. Je ne devais pas laisser mon père constater mon désespoir. Pas seulement le désespoir causé par la soudaine disparition de celui que j'aimais. Mais aussi le désespoir dont j'étais la seule responsable.

Mon père avait assez souffert.

Le fond du premier tiroir de mon bureau, grand et plat, était parfait pour que j'y colle la carte des États-Unis. Je décapsulai mon feutre rouge pour tracer un petit point sur Austin, puis je déposai l'article du journal sur la pile de coupures, près de la carte.

« Les Dead Elvises remercient leurs fans de Chicago en leur offrant un concert surprise »

« Les Dead Elvises à New York : un concert au pied levé »

« Prochaine étape de la tournée mystère : les Dead à Durham »

« À la recherche des Dead : un blog vidéo »

Moi aussi, je cherchais les Dead, mais pas parce que j'étais leur fan. Cole Stockton, première guitare du groupe, m'avait échappé trois semaines plus tôt sans laisser la moindre trace, emportant avec lui ma seule chance d'entrer en Enfernité.

Ma seule chance de rejoindre Jack.

Je fermai les yeux.

Reste avec moi, Becks. Rêve de moi. Je suis À toi pour toujours.

Jack avait prononcé cette phrase deux mois plus tôt. Ce furent ses derniers mots avant d'être avalé par les Tunnels de l'Enfernité. Ils me hantaient, et je savais que je resterais incapable de mener une vie normale tant qu'il ne serait pas près de moi. Il fallait trouver un moyen de le faire revenir.

Tout le monde n'avait pas le droit d'aller en Enfernité. En deux mois de recherches, je n'avais pas croisé un seul humain capable de s'y rendre sans l'aide d'un Enfernaute. Et encore moins s'y rendre, et en revenir, seul.

Donc, tout dépendait de Cole. Je ne connaissais pas d'autres Enfernautes que lui et son groupe.

Cole m'avait rendu visite, un jour, environ un mois après cette terrible nuit. Il était dans la cour, devant chez moi, affichant un air fanfaron. Il voulait que je devienne immortelle, comme lui.

J'ai quatre-vingt-dix-neuf ans devant moi, d'ici au prochain Festin, avait-il dit. *Pourquoi imagines-tu que j'abandonnerais un jour ?*

Quelle vanité ! J'avais posé une main sur son torse.

Si tu as le moindre sentiment, laisse-moi tranquille, avais-je répondu.

Je n'y croyais pas, et pourtant il m'avait obéi. Il s'était éclipsé. Mon seul lien avec l'Enfernité avait ainsi disparu. Et je regrettais de l'avoir prié de me laisser.

J'écrivis la date près d'Austin : 1er juin.

Mes doigts glissèrent vers l'est, où figuraient les étapes précédentes de la tournée : Huston, 29 mai ; La Nouvelle-Orléans, 27 mai ; Tampa, 24 mai.

Les Dead Elvises roulaient vers l'ouest. Pendant un certain temps, j'avais tenté de deviner dans quelle ville aurait lieu leur prochain concert, comptant ensuite faire mes bagages pour partir les rejoindre en voiture. Mais mon père n'aurait pas supporté que je disparaisse une nouvelle fois, et j'étais déjà suivie par une thérapeute.

D'autre part, mes escapades précédentes n'avaient pas fait avancer mes recherches, mon intuition m'ayant trompée à chaque fois. Cela ne rimait à rien. J'avais beau croire connaître Cole, j'étais incapable de le devancer.

Je fis glisser mon doigt à l'ouest d'Austin, en direction des villes où le prochain concert surprise pourrait avoir lieu. Fort Worth ? Albuquerque ? Phoenix ? Je tournai vers le nord, jusqu'à atteindre la ville où je vivais. Pouvais-je me permettre d'espérer le retour des Dead Elvises à Park City ? Aurais-je une chance d'arracher un cheveu à Cole pour aller en Enfernité ?

Je m'adossai et regardai tous les points rouges. Vus de loin, ils formaient un C à l'envers, qui commençait à Chicago et basculait vers l'est, avant de plonger vers le sud et maintenant vers l'ouest. Oui. Il était raisonnable d'espérer les voir revenir.

Si un aspect de ma personnalité avait changé, en quelques mois, c'était celui-là : j'espérais sans cesse.

Toutefois, tant que je n'aurais pas retrouvé Cole, ou l'un de ses cheveux, je resterais coincée à la Surface. J'avais vu une sacrifiée avaler un cheveu d'Enfernaute. Une femme, vêtue d'habits dépenaillés, et dont le visage semblait avoir vu trop de choses, s'était assise dans l'arrière-boutique du magasin Shop'n Go, là où se trouvait le passage entre la Surface et l'Enfernité. Maxwell Bones, second guitariste des Dead Elvises, lui avait donné une pilule. Elle l'avait avalée avant de disparaître à travers le sol.

Sur le moment, cela m'avait rendue malade. Mais j'étais maintenant prête à le faire, si cela me permettait de retrouver Jack.

Pourtant, je ne savais pas précisément comment j'agirais une fois arrivée en Enfernité. Cole m'avait un jour expliqué que je serais incapable de trouver les Tunnels où Jack était emprisonné. Et des êtres avides d'énergie – les Ombres – me trouveraient peut-être avant. Leur mission était de décupler l'énergie volée aux humains pour alimenter l'Enfernité. C'étaient elles qui emmenaient les humains dans les Tunnels. Deux mois plus tôt, je les fuyais ; aujourd'hui, si les Ombres me trouvaient et m'emmenaient dans les Tunnels, j'aurais une chance de revoir Jack...

Mais j'anticipais, en songeant ainsi à tant de choses inconnues. Je devais me concentrer sur ma seule certitude : je ne pourrais pas sauver Jack sans entrer en Enfernité. Et pour cela, j'avais besoin de Cole.

Ou, au moins, d'un échantillon de son ADN.

Car, tant que je resterais coincée à la Surface, Jack resterait coincé dans les Tunnels. Jusqu'au moment où les Tunnels l'auraient vidé de sa dernière goutte d'énergie.

Jusqu'à ce qu'il meure.

Ma main glissa vers mon ventre pour repousser la douleur qui me saisissait à chaque fois que je pensais à la mort de Jack. Je regardai les débris de verre, au sol. Jamais ils ne seraient recollés.

Étais-je définitivement brisée, moi aussi ?

Je secouai la tête, les yeux fermés, et m'adossai sur mon fauteuil pour me concentrer sur le moment où je reverrais Cole. Ses yeux sombres. Ses pommettes, qui semblaient avoir été taillées au burin par un sculpteur, des milliers d'années auparavant. Ses cheveux blonds, et surtout ses petites mèches, qui dansaient à leur guise autour de son visage.

En l'approchant suffisamment, je pourrais lui arracher un cheveu.

Je ne pensais qu'à ça. Alors qu'une autre tâche m'attendait, ce jour-là. J'ouvris les yeux et tendis la main vers mon panier à tricot, posé près de mon bureau. La journée s'annonçait comme l'une de celles où je commençais et achevais un pull, d'un seul élan, pour empêcher mon esprit d'errer dans l'obscurité.

Le temps d'achever le premier rang et de passer le fil rouge par-dessus la pointe de l'aiguille, les mailles du patron devinrent plus nettes et mon estomac se dénoua. Tricoter était une façon de survivre.

Une odeur puissante m'incita à m'arrêter au milieu du rang suivant.

Une odeur de bacon.

Quelque chose ne tournait pas rond. Du bacon en train de griller ? Ma réaction peut paraître excessive, mais je n'avais pas senti ce parfum chez moi depuis presque deux ans.

Depuis la mort de ma mère.

Je plaquai les coupures de journaux dans le tiroir avant de le pousser. À ma connaissance, mon père ne savait rien de ce tiroir, et jamais il n'en apprendrait davantage.

Quand j'ouvris la porte de ma chambre, un tintement de casseroles, en provenance de la cuisine, se joignit à l'odeur de bacon. À cause de l'odeur ou du bruit, je ne sais pas trop, un souvenir me revint soudain : ma mère et moi qui prenions notre petit déjeuner, un dimanche matin. J'adorais le bacon, en ce temps-là. Parfois, son odeur et la promesse d'en manger étaient le seul moyen de m'inciter à faire mes corvées. Ma mère avait employé cette astuce à plusieurs reprises. Mais dans la famille, personne d'autre n'aimait le bacon ; je me demandais qui était en train d'en préparer.

Je m'habillai bien vite et suivis l'odeur jusqu'à la cuisine. Mon père était penché sur la cuisinière, une spatule à la main. Ses cheveux bien peignés semblaient plus gris que d'habitude, dans la lueur du matin qui traversait la fenêtre. Il avait les joues creuses, comme toujours depuis quelques mois.

La honte me pesa sur l'estomac pendant un instant.

– C'est la fête, aujourd'hui ? demandai-je.

– Bonjour, mon rayon de soleil ! répondit-il d'une voix exubérante. Non, pas de fête. Je me suis juste dit que nous n'avions pas mangé de petit déjeuner correct depuis long-temps. Tu aimes toujours le bacon, hein ?

Il était gai comme un pinson.

– Oui, répondis-je avec prudence.

– Parfait !

Il attrapa une assiette, sur le plan de travail en granit, pour la garnir d'œufs brouillés et d'au moins un demi-cochon de bacon.

– Tu trouveras du jus de fruit sur la table.

– D'accord. Euh… merci.

Je m'installai près de Tommy, mon frère âgé de dix ans, qui creusait une montagne d'œufs brouillés. Il brandit sa four-chette en faisant un sourire de nigaud.

– C'est trop bien, le p'tit déj' !

Bon… la dernière fois remontait peut-être encore plus loin que je ne le pensais.

– Oui, c'est super.

Je regardai mon assiette de protéines en me retenant de vomir. Manger du bacon n'est peut-être pas comme faire du vélo. Rien qu'à le voir, mon estomac se soulevait.

Mon père éteignit la cuisinière et nous rejoignit avec sa propre assiette garnie.

– Pas mal, non ?

– C'est génial ! répondit Tommy.

Je me retins de rire. On aurait dit qu'il n'avait jamais déjeuné.

– Tu as veillé tard, hier soir, reprit mon père.

Il avait dû remarquer que ma chambre était éclairée.

– Tu n'arrivais pas à t'endormir ?

– J'ai lu.

J'avais plutôt étudié. Tous les mythes qui me passaient sous la main.

Mon père tira sa mallette vers la table.

– Ça me fait penser… J'ai quelque chose pour toi.

J'observai le bacon d'un œil soupçonneux, devinant que c'était peut-être une façon de m'acheter.

– Quoi donc ?

– Attends un peu.

Il fouillait la sacoche de cuir.

– Ah. Le voilà.

Il tira un gros livre abîmé.

– C'est Sally, une collègue, qui me l'a prêté.

Il me le tendit. La couverture annonçait *Anthologie des mythes grecs*. Je n'aurais pas été plus surprise s'il m'avait tendu une licorne. Je feuilletai les premières pages. Elles racontaient l'histoire de Gaïa, la Terre-mère, qui tombe amoureuse du Ciel. Le texte était accompagné d'une belle iconographie.

– Super, Papa. C'est quoi, ton plan ?

Il détourna le regard.

– Rien. Un père a bien le droit de faire un cadeau à sa fille, non ?

– Oui. Mais pas de lui donner un livre sur la mythologie alors qu'il essaye de la guérir d'une « obsession malsaine » (je rabattis mes doigts levés pour montrer que c'était une citation) portant justement sur la mythologie.

Il ignorait que mon obsession était en réalité une recherche désespérée de l'histoire qui me permettrait de sauver Jack. Que l'Enfernité, où régnait jadis Perséphone, existait toujours. Que les mythes étaient réels. Pour lui, ce n'était qu'un autre signal fort que la psy devait analyser.

– Je n'ai jamais prononcé le mot « malsaine ».

Je levai l'ouvrage pour placer la couverture face à lui.

– Papa. Qu'est-ce qu'il y a ? insistai-je.

Son sourire s'évanouit.

– En fait, j'espérais obtenir quelque chose de ta part.

Je lui adressai un regard suspicieux.

– C'est-à-dire ?

Il était penaud.

– Je me disais que tu pourrais passer ta journée à lire, au lieu de… de faire autre chose.

Nous y étions. Le bacon, c'était pour ça. Le livre aussi.

Je remis l'ouvrage sur la table pour le faire glisser vers lui.

– J'irai à la cérémonie de remise des diplômes.

Loin de la légèreté qu'il avait affichée jusque-là, mon père n'exprimait plus que de l'inquiétude.

– Pour quelle raison ? Ça ne te concerne pas. Pourquoi t'imposer une épreuve pareille ? Cela inquiète beaucoup le Dr Hill.

– Je me fiche de l'opinion du Dr Hill, ripostai-je.

Mon père grimaça. Je ne pouvais plus rien lui dire sans le bouleverser, et cela m'exaspérait. Je baissai le ton.

– J'assisterai à cette cérémonie parce qu'il devrait y être, lui.

– Jack n'est plus là, voyons…

Entendre son nom me fit tressaillir.

– Je sais.

– Et le fait que tu y ailles ne le fera pas revenir.

– Ça aussi, je le sais ! coupai-je, plus méchamment que je ne le voulais.

Le silence s'imposa. On n'entendait que la fourchette de Tommy gratter le fond de son assiette. Il avait l'habitude de ce genre de discussion.

– Je me sentirais mieux si tu acceptais de parler de J… de lui au Dr Hill. Cela resterait confidentiel, tu le sais.

La confidentialité, c'était le cadet de mes soucis. J'étais bien plus inquiète pour la digue fragile que j'avais construite autour de mon cœur, au cours des deux derniers mois. Il m'avait fallu tout ce temps pour me remettre à fonctionner. Pour tenir debout. Inspirer et expirer sans y penser. Parler sans sangloter. Si j'en discutais, ce serait le début d'un épisode sans fin ; une fois ce barrage brisé, tout volerait en éclats autour de moi, et je retomberais au fond du gouffre.

Le Dr Hill ne pouvait pas m'aider à regarder les choses en face, car ma réalité était irréelle aux yeux des humains. Mon père répétait sans cesse que l'honnêteté est toujours récompensée. Mais la seule idée d'expliquer la vérité au Dr Hill me faisait pouffer de rire.

– *Eh bien, Nikki, qu'est-ce que tu as en tête ?* dirait-elle.

– *Vous voyez, docteur Hill, un Enfernaute du nom de Cole – un immortel, donc – se nourrit des émotions des humains. Il s'est nourri de moi, en Enfernité, pendant cent ans ; et, voyant que j'avais survécu au Festin sans vieillir, il s'est convaincu que j'étais destinée à devenir la nouvelle reine. Puis j'ai fait mon retour à la Surface, où j'ai passé six mois*

en famille, à me faire pardonner par mon ex-petit ami, Jack ;
ensuite, les Tunnels de l'Enfernité sont revenus me chercher.

Ah oui, aussi, docteur Hill, Jack et moi, on a essayé de tuer
Cole en brisant sa guitare ; hélas, ça n'a rien donné, à tel
point que Jack s'est jeté dans les Tunnels pour prendre ma
place en enfer, où on le videra peu à peu de son énergie,
comme une pile, jusqu'à ce qu'il s'épuise et meure.

Excusez-moi, docteur Hill, c'était bien ça, votre question ?

Là, des messieurs en blouse blanche viendraient me chercher.
Mais la vérité, c'était que je n'avais plus ma place dans cette
cuisine, ni dans mon lit, ni dans ma voiture. À respirer au
grand air. Libre. Je n'avais plus droit à cette vie à la Surface.
La vie qui aurait dû être la sienne.

J'assisterais à la cérémonie, sans qu'aucun livre de mythologie ne me convainque d'y renoncer. Jack avait pris ma place
en enfer. Pour le moins, je devais prendre sa place sur la Terre.

Mes yeux brillèrent et je m'efforçai de battre des paupières
pour retenir mes larmes. Je repoussai le livre vers mon père.

– J'y vais.

Il m'examina attentivement, puis il passa ses bras autour
de moi. Il n'était pas du genre à faire des câlins, et cela ne
dura pas longtemps. Mais du coup, je devinai l'expression
de mon visage.

– Je sais, dit-il en passant sa main sous ses cheveux, mélan-
geant ses mèches parfaites. Ça ira ?

Je souris à moitié. Jack était parti. J'étais persuadée que je
ne serais jamais plus moi-même.

– Ça ira.

2

MAINTENANT
La Surface. Le jour de la remise des diplômes.

Tandis que je roulais vers le lycée, un orage de début d'été parut au-dessus des montagnes, balayant tout sur son passage, ne laissant dans son sillage que le ciel bleu clair. J'aurais voulu que le vent emporte ainsi mon âme : qu'il balaye toutes les horreurs que j'avais commises, jusqu'à ce que je redevienne pure, sans souvenirs ni culpabilité.

Pour la plupart, ces horreurs résultaient d'une seule décision idiote : accompagner Cole au Festin. Il m'avait emmenée en Enfernité pour passer cent ans à se nourrir de mes émotions. Je revivais cette décision mille fois par jour, jouant sur les éléments afin de voir si je pouvais, au moins mentalement, en modifier le dénouement. Que serait-il arrivé si ma mère n'avait pas été tuée par un conducteur ivre, l'année précédente ? Sa mort m'avait changée. Et si ce chauffard n'avait pas été acquitté ? Jusqu'au moment du verdict, je ne m'étais jamais doutée qu'il y avait en moi une colère si profonde. Et si j'étais restée chez moi, au lieu d'aller au stage de football de Jack ? Et si je n'avais pas vu Lacey Greene quitter la chambre de Jack, au dortoir, à peine vêtue ?

Et si j'avais pris le temps d'écouter les explications de Jack, au lieu de m'enfuir pour me jeter dans les bras de Cole ?

Je secouai la tête. Cette décision était celle que je regrettais le plus. Jack n'avait jamais rien commis qui mérite que je le prive de ma confiance. C'était ma propre stupidité, mon anxiété, qui avaient alimenté mes doutes. Si je n'étais pas partie…

Si seulement je n'étais pas partie.

Mais j'étais partie. J'étais allée directement chez Cole. Je l'avais supplié de me soulager, ce qu'il avait fait. Il m'avait vidée de mes émotions. J'étais son Transfuge. Pendant cent ans, il s'était nourri de mon énergie, ne laissant de moi qu'une coquille vide.

Devant moi, deux feux de stop me ramenèrent à l'instant présent, et je pris le dernier virage vers le lycée. À une demi-heure de la cérémonie, le parking était presque saturé, mais je trouvai une place au bout de la dernière rangée. J'éteignis le moteur et restai un moment sur mon siège.

Malgré ce que j'avais dit à mon père, je n'étais pas certaine d'avoir pris la bonne décision. Dans la salle se trouveraient un certain nombre de personnes qui me jugeaient responsable de la disparition de Jack, même si nul ne savait la vérité sur ce qui était arrivé cette nuit-là. Un point ne faisait aucun doute : j'étais la dernière à avoir vu vivant le héros du club de foot de Park City. Je ne pouvais pas poser le pied dans la rue sans sentir planer au-dessus de moi un certain mépris. Heureusement, depuis que j'avais récupéré toutes mes émotions, je ne ressentais plus celles des autres, comme lors de mon retour à la Surface. Je supposais que ce mépris aurait un goût amer et me piquerait la gorge.

Pourtant, je l'avais bien mérité, car il y avait un fond de vérité là-dedans. J'étais la dernière personne qui avait vu Jack, la nuit où les Tunnels étaient venus me chercher, et il m'avait poussée pour prendre ma place. J'étais la dernière qui avait touché sa main, tandis qu'une marque noire, sur mon bras – l'Ombre noire, qui guidait les Tunnels droit vers moi –, sautait de ma peau vers celle de Jack.

J'étais la dernière personne qui avait crié son nom. Celle qui l'avait pleuré le plus longtemps.

À vrai dire, je n'avais pas encore arrêté.

Je n'avais aucun pouvoir sur mes larmes. Elles coulaient, là, alors que j'étais assise dans ma voiture, et je les essuyais bêtement. Elles ruisselaient alors que j'étais certaine d'être vidée jusqu'à la dernière goutte. Elles tachaient mon oreiller, chaque nuit, et me faisaient face sur le miroir, chaque matin.

Lors de mon retour du Festin, j'étais si profondément épuisée que je m'étais demandé si je ressentirais un jour la moindre émotion.

Depuis, j'avais l'impression d'être faite de débris de verre et de larmes, rien de plus.

Je tirai les deux derniers mouchoirs en papier de la boîte que je rangeais dans ma voiture. Je les roulai en boule, un dans chaque main, et je les passai sur mes yeux. Depuis peu, j'avais pris l'habitude de traiter mes larmes comme le sang autour d'une plaie : par compression, jusqu'à ce que l'écoulement cesse.

Malgré cela, je savais que je finirais par sortir de ma voiture. J'assisterais à la cérémonie, de même que j'avais assisté aux épreuves de sélection de football, assise sur les gradins, et aux matchs de Park City, installée dans le parking. C'était plus fort que moi, j'allais là où Jack aurait dû se trouver.

Mon père avait peut-être raison. Qu'est-ce que cela changeait, que je sois là ou non ? Jack n'en saurait jamais rien. J'avais l'impression d'être hypocrite. Je posai mon front sur

le volant, les yeux fermés. Il aurait peut-être mieux valu repartir.

Un petit coup contre mon carreau me fit sursauter. Je levai
le nez et je vis Will qui me regardait.

Je souris.

J'avais revu le frère aîné de Jack plusieurs fois depuis la nuit
où nous avions tenté de tuer Cole. Will avait les yeux clairs.
S'il fallait trouver un point positif dans ce désastre, c'était
que Will avait cessé de boire dès l'instant où le Tunnel avait
emporté Jack. Peut-être que, comme moi, il avait besoin de
ressentir la douleur – et non de l'endormir – pour rester
proche de son frère.

J'ouvris la fenêtre.

– Salut, Becks, dit-il avec un sourire bienveillant, accoudé
sur la portière. J'étais certain de te trouver ici. Tu n'étais pas
en train de changer d'avis, quand même ?

Je secouai la tête. Je supportais mal que Will soit si agréable
avec moi, parce que je me sentais encore plus coupable face
à lui. Deux mois plus tôt, il avait vu les Tunnels de l'Enfernité,
qui venaient me chercher, repartir avec son frère. Comment
pouvait-il me regarder sans se dire qu'ils avaient pris la mauvaise personne ?

– Je me préparais mentalement, expliquai-je.

Il ouvrit la portière.

– Allez, viens. On s'installera ensemble.

Il pencha la tête sur le côté, juste assez pour qu'un rayon
de soleil m'aveugle. Et, pendant un instant, son profil à
contre-jour, il ressembla à Jack. À tel point que je dus retenir
mon souffle et m'empêcher de tendre le bras pour toucher
son visage.

Ce moment ne dura pas.

Côte à côte et silencieux, nous longeâmes les cinq premières rangées de voitures, le gravier crissant sous nos pieds. Le soleil était particulièrement vif et puissant. Je m'apprêtais à monter sur le trottoir qui débouchait sur le terrain de foot quand Will tendit le bras devant moi pour me faire reculer.

– Qu'y a-t-il ? demandai-je.

Je suivis son regard jusqu'à Mme Caputo – la mère de Jack et de Will –, à quelques mètres de nous.

– Oh.

Will haussa les épaules et m'adressa un regard coupable.

– Désolé, Becks.

– Non, ce n'est rien. (Je me forçai à sourire.) C'est normal qu'elle m'en veuille.

Les joues de Will virèrent au rose, et il secoua la tête.

– Elle ne t'en veut pas vraiment, non. Mais elle ne sait rien de ce qui s'est passé, sinon que la dernière personne qui l'a vu, c'est toi. S'il n'avait pas laissé un mot…

Le mot de Jack… Sa mère l'avait trouvé le lendemain de la disparition. Il y expliquait qu'il comptait se sauver. Et suppliait ses parents de ne pas partir à sa recherche. Je n'avais appris l'existence de ce message qu'après son départ.

– Est-ce que… À ton avis, est-ce qu'il savait déjà ce qu'il allait faire ?

Ma voix se craquela sur les derniers mots, et j'inspirai profondément avant de finir :

– Je veux dire, comment aurait-il pu savoir ? Comment… ?

Pourtant, il avait su. Le message en était la preuve.

Will passa ses bras autour de moi et me serra bien fort, tandis que je me concentrais pour ne pas faire une scène.

– Cela m'a surpris autant que toi. Il n'avait jamais parlé de prendre ta place. S'il avait une idée en tête, je crois que c'était plutôt d'y aller avec toi.

– C'est ma faute.

– Ne dis pas ça. Jack savait ce qu'il faisait. En plus, s'il était resté ici pour te perdre une fois de plus… il serait devenu invivable.

Il fit un petit sourire triste.

– Fais-moi confiance, je sais de quoi je parle. Il ne faisait que broyer du noir, se faire des piercings, rédiger des poèmes lourdingues et se tatouer. Ce n'était pas joli joli.

Je souris en repensant au tatouage, sur le bras de Jack. Il annonçait *À toi pour toujours* en sanskrit. Les mots qu'il m'avait écrits après notre première danse. Ceux qu'il m'avait adressés avant d'être emporté par les Tunnels.

– Rien n'aurait pu le faire changer d'avis, affirma Will.

Je ne répondis pas, et pourtant je savais qu'il se trompait. C'était à cause de moi que Jack se faisait épuiser au point de perdre la vie. Will le devinait, même s'il refusait de le dire.

Je frissonnai malgré la chaleur du soleil. Il me tint sans un mot pendant quelques instants, le temps que je reprenne mon souffle et que sa mère s'éloigne de nous.

Alors nous nous remîmes à marcher.

Ce fut Will qui brisa le silence.

– Ça fait deux mois. Tu crois qu'il est toujours vivant ?

– Il l'est.

C'était la vérité. J'avais parlé de mes rêves à Will en d'innombrables occasions, et je comprenais qu'il ait du mal à y croire. À moins qu'il ne trouve réconfortant de me l'entendre dire et répéter.

– Explique-moi comment tu le sais, me pria-t-il.

Je souris.

– Il m'a expliqué que son tatouage était en sanskrit. Je me suis renseignée, et c'était vrai. Comment mon subconscient aurait-il pu le deviner ?

Il opina.

Je le pris par le bras.

– J'irai le chercher, Will. Tu le sais, n'est-ce pas ?

Il secoua la tête, un maigre sourire aux lèvres.

– Comment, Becks ?

J'hésitai à lui parler de la carte qui décrivait la tournée des Dead Elvises, et de mon hypothèse selon laquelle ils se rapprochaient de Park City. Je ne voulais pas nourrir un espoir démesuré. Puis je songeai à ce que nous avions vécu. Pour certains d'entre nous, l'espoir n'avait pas de limites. Ce n'était pas concevable.

– Cole et son groupe ont joué à Austin, hier soir, révélai-je. Il se rapproche. Je crois qu'il revient.

L'expression de Will changea à peine, à tel point que je faillis ne rien remarquer. Pourtant, c'était visible. Dans les fines lignes autour de ses yeux, l'imperceptible vibration de sa bouche. L'espoir.

Rien à voir avec l'espoir immodéré que l'on entretient quand on n'a pas vécu ce que nous avions vécu. Non, celui de Will était comparable au mien. À peine un grain de sable. Un petit caillou qui nous traversait le corps, laissant des traces que nous seuls pouvions observer.

Je lui serrai le bras.

– Donc, si Cole revient, il ne me faut qu'un fragment de lui. Une mèche de cheveux. Un… disons, un échantillon. Du moment que je peux l'avaler au Shop'n Go.

Nous étions au pied des gradins ; les diplômés et leur famille passaient devant nous à la queue leu leu, mais Will s'arrêta.

– Si Cole revient, déclara-t-il, je le tuerai.

Je pouffai, malgré la gravité de la situation.

– Tu ne peux pas faire ça.

– Pourquoi pas ? Nous savons où est son cœur, désormais. Je casserai son médiator.

– Si tu fais ça, tu nous prives du meilleur moyen de retourner en Enfernité.

Il se tut, le temps de réfléchir.

– Et puis, ajoutai-je, nous ne savons pas précisément ce qui se passerait si nous cassions son médiator.

C'était vrai. Nous avions simplement appliqué une théorie visant à briser le cœur de Cole. Meredith, Transfuge elle aussi, m'avait offert un bracelet ancien, orné de symboles égyptiens. Elle était convaincue qu'il permettait de tuer un Enfernaute, mais les Tunnels l'avaient capturée sans lui laisser le temps de vérifier sa théorie. Jack et moi avions montré une photo du bracelet à un professeur d'anthropologie, M. Spears. Ayant étudié les symboles, il avait émis une théorie : briser le cœur d'un Enfernaute revenait à le détruire.

En effet, les Enfernautes tels que Cole n'avaient pas de véritable cœur dans la poitrine. Leur cœur avait été transformé en un objet qu'ils portaient sur eux. Cela survenait au moment même où ils devenaient immortels. Le creux de leur poitrine symbolisait le lien éternel entre eux et l'Enfernité, et signifiait aussi qu'ils ne pouvaient survivre à la Surface qu'en s'emparant des émotions d'êtres humains. À un moment donné, persuadée que le cœur de Cole était dans sa guitare, j'avais cru qu'il suffirait de la briser pour tuer le garçon. Ou, du moins, le rendre mortel. Mais en vérité, le cœur de Cole était dans son médiator, et les Tunnels avaient réussi à s'emparer de moi.

J'étais donc restée sur mon hypothèse. Nous n'en savions toujours pas plus.

– Personne ne peut vivre sans cœur, affirma William.

Je devinai pourtant qu'il doutait de la mort immédiate de Cole. Je tirai sur sa manche de chemise.

– Viens. Sinon, on va rater le début.

Mais il ne bougea pas.

– Becks.

– Quoi ?

– Je veux que tu saches, ici et maintenant, que si nous ne réussissons pas à faire revenir Jack… tu ne pourras pas m'empêcher de tuer Cole. Même s'il faut lui casser le cœur ou le couper en morceaux.

Je soupirai.

– Si on en arrive là, c'est toi qui ne pourras pas m'en empêcher.

Je n'étais pas sûre d'être capable, physiquement, de tuer Cole. Casser un médiator, pourquoi pas, mais commettre un acte plus violent ? Comme… lui infliger un coup de couteau ? Ou l'étrangler ? C'était tout autre chose.

Et pourtant, dans tous les cas, il s'agissait bien de meurtre ? Je ne savais plus quoi penser. Toutefois, j'eus tout le temps d'y réfléchir car les discours des diplômés furent très ennuyeux. Jennifer Carpenter mentionna l'avenir, qu'elle se promettait de saisir, et Dione Warnick brailla une métaphore où il était question de la pointure d'un diplômé et de son empreinte carbone sur la Terre. Elle avait même apporté un argument visuel : les vieilles bottes de randonnée de son grand-père.

Le proviseur fit son discours de clôture, avec une allusion aux « êtres chers qui ne sont plus parmi nous ». Là, tous les regards se tournèrent vers le siège vide, entre Fatah Cannon et Noni Chatworth, où Jack aurait dû se trouver.

Quelques personnes me jetèrent un coup d'œil, démontrant que je n'étais pas entrée aussi furtivement que je le pensais. Ils semblaient penser : *Tu es la dernière personne qui l'ait vu vivant. Tu devrais savoir où il est.*

L'animateur, lisant la liste des diplômés, arriva à la lettre C et appela Jack. Même si j'avais imaginé cet instant un nombre incalculable de fois, même si je croyais m'y être préparée, entendre son nom me donna un coup au cœur, faisant trembler ma digue protectrice.

Dans le silence qui suivit, une femme assise dans les premiers rangs se leva pour marcher jusqu'au podium. La mère de Jack. Je m'affaissai sur mon siège, m'efforçant de ne pas songer aux nombreuses fois où elle m'avait cuisinée, depuis la disparition de son fils. Je lui racontais toujours la même histoire. Je ne savais ni où il était ni quand il reviendrait.

Mme Caputo monta les marches et prit le diplôme avant de serrer la main du proviseur. Elle se détourna, le temps de s'essuyer les yeux, sous les applaudissements. Quelques footballeurs, dispersés parmi les spectateurs, se levèrent pour l'applaudir, bientôt imités par tout le monde. Noyée dans cet épanchement de sentiments pour Jack, je restai figée sous la honte qui m'écrasait la poitrine. Rivée sur mon siège, je baissai la tête.

La suite de la cérémonie fut plus floue, et pas seulement parce que j'avais les yeux humides.

Ce fut une succession d'étreintes. De chapeaux qui volent. D'albums de souvenirs à signer.

Je vis tout cela, à l'ombre des vieux sycomores, au bout du terrain. Will était un peu en retrait, un bras autour de sa mère en pleurs. Je les observais encore quand je notai quelque chose, du coin de l'œil. Le soleil se reflétait sur de longs cheveux blonds et m'éblouissait.

Julia.

Ma meilleure amie. Mon ex-meilleure amie. Ou toujours-meilleure amie ?

Elle discutait avec Dan Gregson, coordinateur de l'album de fin d'année. Comme moi, Julia ne serait diplômée que l'année suivante, et je me demandai pourquoi elle était venue. Peut-être pour Jack. Après tout, elle avait été son amie, elle aussi. Quand j'étais partie, l'année dernière, elle était même devenue sa meilleure amie. Voire davantage.

Je la dévisageai. Ses joues n'étaient plus aussi rondes que deux mois plus tôt. Elle souriait à Dan, mais ce sourire retenu n'éclairait pas son visage.

J'étais si concentrée que je ne vis pas la mère de Jack s'approcher. Je l'entendis avant de la remarquer.

– Tu as du culot d'être venue !

Je me retournai. Mme Caputo marchait d'un pas bien décidé, accompagnée de Will dont l'expression disait : *Je n'ai pas réussi à l'arrêter.* Les bras ballants, elle tremblait, comme si elle n'osait pas me donner une claque.

– Tu ne décroches pas quand je téléphone, ton père refuse de m'ouvrir la porte, et en plus, tu te montres ici ?

Des appels sans réponse ? Mon père qui la repousse ? Je ne comprenais pas ce qu'elle racontait. Tout ce que je savais, c'était qu'elle me laissait tranquille depuis quelques semaines. Je pensais même qu'elle avait renoncé.

– Que fais-tu ici ? demanda-t-elle.

Elle était devant moi, et je reculai d'un pas.

– Je... Je voulais juste...

– Juste, quoi ? Continuer ton sketch devant tout le monde ?

– Quel sketch ?

– Celui de la fille qui ignore où se trouve mon fils alors que c'est un gros mensonge.

Will lui posa la main sur l'épaule.

– Maman...

Elle se secoua pour l'écarter.

– Elle fait semblant d'être gentille, d'être amoureuse de Jack, et quand on lui demande où il est, elle refuse de parler.

Elle répondait à Will, tout en me regardant. Sa voix devint plus douce, mais resta lourde de colère.

– Tu ne sais rien de l'amour.

Ses mots me blessèrent.

– Je suis désolée, Mme Caputo. Je ne savais pas que vous aviez essayé de me joindre...

– Ne fais pas l'innocente, coupa-t-elle. Je ne supporte même plus de te regarder !

Elle virevolta et s'éloigna. Alors seulement, je m'aperçus que nous étions observées. Plusieurs personnes s'étaient regroupées autour de nous, attirées par les cris. À présent qu'elle était partie, suivie de Will, je me retrouvais seule face à une douzaine de regards accusateurs.

Je cachai mes yeux derrière mes lunettes de soleil et rejoignis le parking. Je n'avais pas joué la comédie. En vérité, j'ignorais qu'elle avait cherché à me parler. Mon père avait-il intercepté ses appels ? Si c'était le cas, j'hésitais entre l'en remercier et le lui reprocher.

Quand la voiture de Mme Caputo tourna au coin de la rue, je me cachai derrière un arbre. Bien sûr, je comprenais sa

40

colère. La seule chose qui l'empêchait de me tuer, c'était sûrement le message de Jack. Jamais elle ne saurait précisément dans quelle mesure j'étais responsable de sa disparition. Je lui fis en silence la même promesse qu'à Will.

Je retrouverai votre fils. Dès que j'aurai retrouvé Cole.

Je formulais cette phrase mentalement quand une curieuse impression m'envahit. C'était déstabilisant, comme si quelqu'un me tirait par le col. Comme un avertissement. Je reculai encore, derrière l'arbre, le temps que la voiture s'éloigne, et soudain je sentis deux mains s'agripper à mes épaules.

Je sursautai. Me retournai. J'étais devant deux yeux sombres. Et puis je tentai d'étouffer un cri strident qui mêlait panique et exaltation.

– Salut, Nik, dit Cole.

3

Cole. Là, devant moi. Même si j'avais imaginé cet instant de nombreuses fois, je n'étais pas pour autant préparée. J'oubliai ce que j'étais censée éprouver. J'étais loin de penser que j'avais devant moi une chance de ramener Jack, alors que c'était justement ce que j'aurais dû ressentir.

Mes émotions étaient bien plus primitives.

La haine et la colère. Tant que Jack était à l'agonie, il m'était facile de haïr.

Un groupe de diplômés en costume passa près de nous, échangeant leurs félicitations à pleine voix. Cole m'attira derrière un bosquet pour nous tenir loin de la foule.

Il fit un pas vers moi et me dévisagea.

– Tu as bonne mine.

J'abaissai les mains, jusqu'alors plaquées sur ma bouche.

– Tu avais disparu.

Sa lèvre trembla.

– J'ai pensé que je n'avais rien de mieux à faire, vu que tu avais tenté de me tuer. Je savais bien que, tôt ou tard, l'envie te reprendrait.

Nous nous tûmes. Comme moi, il ne prêtait aucune attention aux réjouissances des diplômés. Il n'avait pas changé depuis le jour où je l'avais rencontré, chez *Harry O*, pendant le festival de Sundance. Je venais de perdre ma mère et, contrairement aux autres, Cole n'avait pas tenté de me faire oublier ma douleur. Loin de là, il m'avait offert une occasion de la ressentir pleinement.

Désormais, je savais qu'il s'en était probablement nourri.

Comme d'habitude, il portait un jean noir, un tee-shirt noir et un blouson noir. Ses yeux étaient toujours sombres. Ses cheveux, toujours blonds.

Ses cheveux. Ses cheveux ! Mon ticket d'entrée en Enfernité était là, devant moi. Je regardai son visage, incapable d'oublier la dernière fois où je l'avais vu, et sa promesse de ne jamais renoncer à faire de moi une Enfernaute pour que nous montions ensemble sur le trône.

La tête me tournait.

– Nik ? Ça va ?

Je tentai de reculer d'un pas, mais ce fut plutôt un vacillement, à tel point que Cole tendit la main pour me remettre d'aplomb.

D'un geste, je me libérai.

– Ne me touche pas.

Il replia le bras, la paume en l'air.

– D'accord.

Les sourcils levés, il semblait me questionner. J'eus envie de lui arracher les yeux. De quel droit m'interrogeait-il sur ma réaction ?

– Sais-tu ce que j'ai enduré ? demandai-je. J'ai perdu…

Je faillis dire « Jack » mais il me sembla malvenu de prononcer son nom devant Cole. En fait, je ne le prononçais plus jamais. D'ailleurs, pourquoi parler de cela ? Je devais plutôt interroger Cole sur la façon d'entrer dans les Tunnels, non ?

Pourtant, maintenant qu'il était là, je voulais qu'il comprenne ma peine. Qu'il la ressente. Il avait l'air en pleine forme, comme s'il n'avait été confronté à aucune épreuve, alors que moi…

J'étais brisée.

– Oui, dit-il.

– Oui, quoi ?

Les sourcils froncés, il se pencha vers moi.

– Oui, je sais ce que tu as enduré. Le deuil, je connais ça.

Je secouai la tête, le regard détourné.

– Tu ne me crois peut-être pas, mais c'est vrai, insista-t-il d'un ton posé.

Je me remis face à lui.

– Pourquoi es-tu revenu ?

– Pour conclure des affaires.

– Toi ou ton groupe ?

Il sourit à peine.

– Les deux. Peut-être. En fait, j'ai appris deux ou trois choses, en voyageant. Qui pourraient t'intéresser.

– Par exemple ?

– Par exemple, ce qui t'a permis de survivre au Festin.

Mon corps tout entier se tendit.

– Qu'est-ce que tu sous-entends ?

– Grâce à son amour éternel, Jack t'a sauvée tandis que tu étais au Festin.

Je pâlis. Cole savait que Jack était mon pilier, mais savait-il aussi que je le maintenais en vie ? Je ne tenais pas à ce qu'il apprenne que je communiquais avec Jack, ni rien qui puisse lui servir d'arme contre nous.

Cole analysa mon visage.

– Je constate que ce n'est pas une révélation. Tu savais déjà pourquoi tu as survécu, hein ? Tu le savais depuis le début.

– Pas depuis le début, non.

Il avait fallu que Meredith m'aide à associer les éléments.

– Une amie m'a permis de comprendre ce que sont les piliers.

– Oui. Justement, je n'ai pas voulu en rester là. Je voulais en savoir plus, mais je ne trouvais pas de précédent mythologique pour soutenir la théorie du pilier.

Son front était plissé comme s'il devait résoudre un problème de maths.

– C'est étrange, si l'on sait quelle proportion de notre histoire reste cachée derrière les mythes. J'étais frustré, jusqu'à ce que quelques amis m'en signalent l'origine la plus évidente.

– C'est-à-dire ?

– Morphée. Le dieu des Rêves.

Il laissa ses mots flotter un moment avant de reprendre.

– Tu te souviens ce que je t'ai raconté, sur les mortels qui échangent constamment de l'énergie ? Sur le fait qu'un sourire peut être contagieux ? Et que la mauvaise humeur se répand, parfois ? Eh bien, le même principe s'applique aux rêves. Le rêveur procure de l'énergie au...

Il agita la main, comme pour chercher le mot juste.

– À l' « enrêvé » ? suggérai-je.

Il souleva un sourcil.

– Au sujet du rêve. Ça arrive tout le temps. Les Grecs se sont contentés de créer un dieu qui incarnait la connexion entre le rêveur et l'enrêvé.

– Morphée.

– Voilà. La connexion est encore plus puissante quand le mortel est en Enfernité, puisque l'Enfernité est alimentée par les émotions ; elle est donc dans un état plus proche du rêve que tout ce qui se trouve à la Surface. À mon avis, c'est par ce moyen que Jack a sauvegardé ta jeunesse pendant le Festin.

Il avait conclu d'un ton triomphant. Comme je ne répondis pas aussitôt, il souligna, exaspéré :

– Ta-daa…

– Donc, il m'a gardée en vie grâce à ses rêves.

Il hocha la tête.

J'attendis qu'il reprenne mais il resta muet.

– Je suis contente que tu aies trouvé la réponse à tes questions, mais où veux-tu en venir ?

– Eh bien, à supposer que les choses n'aillent pas plus loin, entre toi et moi…

Je ne pus retenir un souffle de mépris, auquel il réagit par un regard faussement offensé.

– Tu permets que je continue ? Si nous n'allons pas plus loin, je devrai trouver une autre Transfuge dans quatre-vingt-dix-neuf ans, à peu près. Et j'aimerais qu'elle ait le même genre d'attachement avec la Surface. Bien sûr, si cette Transfuge est toujours attachée à quelqu'un, il sera infiniment plus difficile de la convaincre de me suivre en Enfernité.

Je plissai les yeux.

– Pourtant, tu sais te montrer persuasif.

– Très juste.

Quand il m'adressa une grimace malicieuse, je songeai à la facilité avec laquelle il m'avait persuadée de renoncer à tout. Je changeai aussitôt de sujet.

– Pourquoi tu me racontes tout ça ?

– Parce que, Nik.

Il sembla choisir soigneusement ses mots.

– Tu n'as donc pas compris ? Désormais, c'est à toi qu'il revient de maintenir Jack en vie.

Je sentis mes yeux s'écarquiller et il sourit, satisfait d'avoir enfin captivé toute mon attention.

– Comment sais-tu qu'il est toujours vivant ?

– Parce que tu es toujours debout. (Il pencha la tête d'un air averti.) Tu rêves de lui, ces temps-ci, pas vrai ?

Je piétinai, gênée.

– Ça ne te regarde pas.

– Non, mais…(Il lissa la manche de son blouson.) L'entre-deux dans lequel vous flottez, tous les deux, ne durera pas éternellement. Et quand ce sera fini, tu le sauras. Parce que…

Il hésita.

– Parce que je ne rêverai plus de lui, complétai-je.

– C'est déjà arrivé ?

– Non, répondis-je, les poings serrés. Il est toujours vivant.

– Plus pour longtemps. Et quand le dernier moment arrivera, tu reviendras peut-être sur ta décision. Ta décision de me tourner le dos.

Il passa d'un pied sur l'autre, détournant le regard.

Je restai un moment la bouche ouverte.

– C'est comme si tu me disais : Au fait, quand l'amour de ta vie sera mort, tu me rappelles ?

Il grimaça et répondit d'une voix douce.

– Jack est pratiquement mort.

Quand je voulus protester, il avança et me saisit la main. Son regard était désespéré, comme si ses mots le faisaient souffrir.

– La douleur que tu éprouves ne fera qu'empirer. Et il n'y a qu'un moyen d'y échapper, tu le sais.

– La mort.

– Non. La vie ! La vie éternelle. Avec moi.

Je fermai les yeux. Cole avait la manie de surgir devant moi à chaque fois que je sombrais dans le désespoir, pour m'offrir une solution.

– Je ne suis pas méchant, Nik. Tu m'as changé.

– En quoi ? demandai-je, sceptique.

– Tu m'as démontré que les relations méritaient des sacrifices. J'étais persuadé qu'elles étaient toujours fugaces, mais j'ai fait un pas en avant.

Il inspira profondément.

– Grâce à toi, je suis devenu meilleur. Je veux dire, un meilleur immortel.

Il acheva sa phrase avec un petit clin d'œil. Même si je n'en croyais pas mes oreilles, je décidai de profiter de la situation.

– Puisque tu es si bon, tu vas m'aider.

Il ouvrit grand les yeux.

– Comment ça ?

– Je veux aller dans les Tunnels.

Il s'immobilisa avant de s'esclaffer :

– Tu plaisantes !

– Il est toujours vivant. Je veux le trouver.

Il se renfrogna.

– Ne sois pas idiote.

– Je sais que je peux aller dans les Tunnels. Tu as dit que cette femme, celle qui a avalé une pilule au Shop'n Go, allait y être emmenée.

– Oui, par les Ombres ! Et pas pour une visite guidée. Elles l'emmenaient pour l'enterrer vivante avant de l'épuiser.

On aurait dit qu'il grondait une fillette.

– Au moins, elle y est allée, elle.

Je sentis que j'avais adopté un ton désespéré. Il se figea et me regarda comme si je venais de jouer ma dernière carte.

– Aide-moi, je t'en prie.

Il me prit par les épaules, en serrant ses doigts très fort.

– Tu ne peux rien pour Jack. Il est comme mort. Et si tu le rejoins, tu mourras aussi.

– Au moins, j'aurais essayé, insistai-je, obstinée. Je ne peux tout de même pas passer ma vie, et encore moins l'éternité que tu réclames, dans l'état où je suis.

Il m'attira plus près de lui, presque nez à nez, et je perçus le rayonnement qui passait entre nous, cet attrait si reconnaissable. L'impression que nous devions rester l'un contre l'autre, la main dans la main. Peau contre peau. Après avoir passé un siècle entrelacés. Nos lèvres se frôlèrent, ma hanche se plaqua contre la sienne. En réaction, mon corps se rétracta, comme s'il s'était enfin reconstruit. Cette impression de compléter Cole atteignait également mon esprit. Soudain, j'eus du mal à réfléchir.

Ses yeux sombres percèrent les miens.

– Descendre dans les Tunnels ne serait pas une tentative. Ce serait un renoncement. Le renoncement à la vie. Cette vie que Jack a sauvée.

Ses mots se dissipèrent car, me voyant tout près de ses lèvres, il ne put se retenir de se nourrir de la couche supérieure de mes émotions, à savoir ma culpabilité. Rien qu'en inspirant, il me soulageait.

Toutefois, il était conscient de ses actes, et il ne tarda pas à me lâcher avant de reculer d'un pas. À le voir, il était étonné que je l'aie laissé faire.

– Jamais je ne t'aiderai à descendre dans les Tunnels.

Il se détourna, le temps de réfléchir. Quand il revint vers moi, ses épaules s'étaient redressées et sa mâchoire était serrée, comme s'il venait de prendre une décision, une décision qu'il n'avait pas prévue.

– Je ne dois pas rester ici. Je n'aurais pas dû venir.

– Quoi ?

Il soupira et secoua la tête.

– Je m'en vais. Je te reverrai quand ce sera terminé.

Il voulait dire *quand Jack sera mort.*

– Attends !

Je ne pouvais pas le laisser s'éclipser à nouveau.

– Où seras-tu ?

Il s'arrêta et regarda par-dessus son épaule.

– Je quitte la ville une nouvelle fois. Pour aller là où je serai seul un moment.

Seul ? Cela signifiait que je ne pourrais même plus pister le groupe, même si cela n'avait pas été très efficace.

– Vous venez d'arriver, protestai-je, affolée.

Il haussa les épaules.

– Je suis venu sans le groupe. J'ai dit aux autres que j'avais besoin de faire un break. Mais de toute évidence, tu n'es pas prête à discuter. Il vaut mieux que j'aille patienter ailleurs ; cela m'épargnera de te regarder souffrir, le jour où Jack disparaîtra. Tu ne me crois peut-être pas, mais je ne supporterai pas de voir ça.

S'il m'abandonnait, je perdais Jack. J'ignorais où étaient les autres membres du groupe, et je ne connaissais pas d'autre Enfernaute.

– Attends !

Il se remit à marcher. Mes chances de sauver Jack s'éloignaient.

– Cole, attends !

Il ne s'arrêta pas.

Je fis donc la seule chose que je maîtrisais encore. Je courus vers lui pour saisir une poignée de ses cheveux, au niveau de la nuque. Et je tirai.

De toutes mes forces.

– Ouille ! Qu'est-ce que tu fais, Nik ?

Puis je partis à toute allure.

* * *

La pluie ruisselait sur mon pare-brise tandis que je fonçais vers le Shop'n Go.

Mon rétroviseur était vide. Cole avait-il seulement deviné ce que je comptais faire ? Et si c'était le cas, allait-il réagir ?

Je repensai à la dernière fois où j'avais tenu l'un de ses cheveux, dans le magasin. J'avais bien failli l'avaler et laisser le sol m'avaler à son tour. Si j'étais allée jusqu'au bout, ce jour-là, Jack serait toujours là. Vivant.

J'avais manqué de courage.

Cette fois, j'avais quelque chose en plus. La vie de Jack était en jeu, et je n'avais rien à perdre. Lors de mon premier Retour à la Surface, j'avais trop attendu, convaincue d'être incapable d'échapper à mon destin. J'avais trop tardé avant d'agir. Il n'était pas question que je répète cette erreur.

Je m'efforçai de repousser l'image de mon père et de mon frère, qui m'aurait convaincue d'agir autrement. Un instant plus tard, je passai devant Ezra, le caissier du Shop'n Go, et atteignis le fond du magasin – le recoin où, quelques mois plus tôt, j'avais vu une femme usée et fatiguée abandonner la vie pour entrer dans la lente désintégration des Tunnels. Là même où le mur entre la Surface et l'Enfernité était le plus fin.

Sans passer une seconde à envisager mon échec, je posai le cheveu de Cole sur ma langue et j'avalai. Très fort.

Tandis que le sol se liquéfiait et que je me couvrais d'une pellicule transparente et glissante, j'entendis quelqu'un crier.

Probablement Ezra. On aurait dit qu'il criait à travers de l'eau.

Il était trop tard. J'étais partie pour l'Enfernité.

4

MAINTENANT
L'Enfernité.

Je ne vois qu'une manière de décrire ce que je ressentis ensuite : j'étais dans une machine à laver. En plein essorage. Je tombais sans atteindre le sol. Dans le noir.

Je tendis les bras, espérant retrouver l'équilibre, mais il n'y avait rien à saisir, aucun moyen de me redresser. Je commençais à me dire que c'était ça, l'Enfernité, et que je passerais le restant de mes jours à tourner et rouler sur moi-même, quand tout s'arrêta soudain. J'atterris sur une surface solide. Je battis des cils et j'inspirai profondément.

J'avais eu tort de croire que l'Enfernité serait aussi obscure que les grottes du Festin. Cole avait toujours prétendu qu'elle était lumineuse, mais je ne m'attendais pas à un éclat si extraordinaire. Toutefois, ce n'était pas une véritable lumière : l'effet était plutôt celui d'une photo surexposée.

Au début, je ne vis rien. J'hésitai à crier le nom de Jack, mais, devant l'agitation qui s'exerçait dans le flou, je ne voulus pas attirer l'attention avant de savoir où j'étais. Mon regard ne s'était pas encore adapté quand un bruit assourdissant retentit. Comme des milliers de cris additionnés. Mon cœur sauta dans ma poitrine et, d'instinct, je reculai au point de buter contre quelque chose.

Je clignai des yeux. Quand ma vision devint nette, je fus prise de panique.

J'étais en ville, au bord d'une place où les gens étaient trop nombreux pour que je songe à les compter. Des centaines ? Pour le moins. Ils se tenaient côte à côte, jouant des coudes afin de garder leur place. Mais je n'avais pas un bon point de vue : j'étais à l'écart, apparemment en retrait, puisque ces gens me tournaient le dos et regardaient au loin.

Ce que je venais de percuter, c'était un large muret qui contournait la place, la séparant des hauts immeubles, apparemment anciens, qui l'entouraient. Plusieurs personnes y étaient montées pour mieux voir.

Que contemplaient-ils donc ?

Je vis un coin libre sur le muret, que j'escaladai à mon tour. L'homme qui se tenait là me jeta un petit coup d'œil, puis se retourna vers ce que tout le monde observait. Un nouveau ban d'acclamations s'éleva au moment où, retrouvant mon équilibre, je me redressais.

La scène me coupa le souffle. Mon estimation était loin de la réalité : il y avait là plusieurs milliers de personnes.

Non, pas de personnes. D'Enfernautes. Des hommes et des femmes. Je m'aperçus soudain que je n'avais encore jamais vu de femme Enfernaute, mais là, la moitié du public était féminin. Des silhouettes obscures dansaient et se balançaient à travers la foule, et je mis un moment à comprendre que ce n'étaient pas des silhouettes normales, puisque aucune source de lumière n'était visible. Aucun rayon de soleil.

C'étaient des Ombres.

Je fus d'abord tentée de sauter pour me dissimuler au pied du mur. La première fois que j'avais aperçu les Ombres, c'était lors du Festin : enroulées autour de Cole et moi, elles nous avaient protégés pendant cent ans. Et la dernière fois, c'était dans mon bras, sous forme d'instrument de pistage, pour que les Tunnels me repèrent.

Je comptais rejoindre les Tunnels et sauver Jack. Je n'avais pas de temps à perdre pour me cacher. Je devais trouver comment m'y prendre et, pour le moment, personne ne semblait prêt à se détourner de ce qui les intéressait tant, même pas pour me donner l'heure. Sans bouger d'un pouce, j'examinai l'autre côté de la place, vers lequel tous les regards convergeaient. Je vis alors la tribune.

Ou plutôt, l'estrade.

Dressés sur la pointe des pieds, les gens levaient le nez et escaladaient tout ce qui se trouvait là. Une vingtaine d'entre eux, une trentaine peut-être, s'étaient perchés sur la grande fontaine, au milieu de la place. Quelques-uns étaient directement exposés aux jets d'eau, sans pour autant s'en écarter.

Je ne comprenais pas où était le spectacle, mais ils étaient tous aussi captivés que s'ils assistaient à une finale de championnat.

C'est alors que je vis une femme, au milieu de la scène. Je compris aussitôt pourquoi personne ne m'avait remarquée. Elle captait l'attention de chaque spectateur, homme ou femme et, même si j'étais plutôt loin, sa beauté me frappa. Je ne pus détourner le regard.

Sa robe blanche brillait comme si elle était constituée de rayons de soleil. Ses cheveux roux ondulaient sur son dos. Je ne voyais pas jusqu'où ils descendaient. Elle ne ressemblait pas à un être humain.

Elle était encadrée par des Ombres. Il m'était impossible de les compter, car leur façon de se déplacer les transformait en volutes. Au pied de l'estrade, des gens étaient alignés. Une dizaine. Des hommes et des femmes. Tout cela n'annonçait rien de bon, et pourtant je n'aurais pas su dire pourquoi.

Ces gens attendaient leur tour pour… quelque chose. La femme leva la main et la foule se tut en un instant. Le premier de la queue monta les marches. Lentement. Comme s'il avait envie d'être ailleurs.

D'un pas hésitant, il s'engagea sur l'estrade et, quand il arriva exactement au milieu, les Ombres qui s'y trouvaient se mirent à tourbillonner. Sa peur, évidente, me fit de la peine mais quand je regardai la femme qui se trouvait à quelques pas de moi, je constatai qu'elle avait un petit sourire, comme si tout était parfaitement normal.

Les Ombres formèrent un cercle tournant. Cela me rappela le nuage conique des Tunnels venant vers moi. À un détail près : celui-ci avait une extrémité pointue. Je n'eus pas le temps de deviner la suite car les Ombres s'élevèrent vers le ciel, s'étirèrent et se confondirent pour devenir un long bâton noir et raide.

C'était ahurissant. J'étais aussi stupéfaite que si l'on venait de me jeter dans le vide au-dessus de l'océan.

La masse noire resta sur place un instant puis elle s'abattit vers l'homme, comme un épieu. Les Ombres lui traversèrent la poitrine et le fichèrent au sol.

J'en perdis mon souffle.

Enfin, les Ombres disparurent dans le corps de l'homme. Et le silence régna pendant une fraction de seconde.

Suivi d'une explosion. Provenant de l'intérieur de l'homme. Il fut réduit en miettes. En millions de morceaux. Peut-être en milliards. Je fus incapable d'en distinguer un seul. Ce n'était qu'un fin brouillard, qui flotta un moment au-dessus de la foule.

La brume s'étira en une fine couche au-dessus de la place. Je sautai du muret, ne sachant trop ce qui m'arriverait si elle me touchait.

Un gong retentit près de l'estrade. C'était un signal. Il y eut un halètement collectif – le bruit de mille personnes qui aspirent – et, tandis que la poitrine de chacun se gonflait, la brume se dissipa. Les Enfernautes avaient littéralement aspiré les restes de l'homme.

Il n'était plus là.

Je glissai vers le sol au moment où la foule reprenait son souffle et hurlait de joie.

Le dos plaqué contre le muret de pierre, je me crispai. La bile au bord des lèvres. Cet homme était forcément un humain. Jamais ils n'auraient traité ainsi l'un des leurs. Si les Ombres me découvraient, m'infligeraient-elles le même sort ?

Pire encore : ces humains qu'ils éviscéraient, les prenaient-ils dans les Tunnels ? Allaient-ils saisir Jack ?

Mon cœur tombait en miettes. Je le sentais, mon torse se fendait. Je plaquai mes mains sur ma poitrine pour l'en empêcher, en vain. Mon cœur brisé glissa entre mes doigts. Je le regardai, sans bien comprendre ce que je voyais. J'émettais une brume blanche dans laquelle j'aperçus des images de Jack, comme si une main invisible feuilletait devant moi un album de photos.

Je tendis la main, mais c'était aussi absurde que tenter d'attraper de l'air. La brume emporta le visage de Jack, qui flotta et s'éloigna vers le ciel. Par-dessus le muret qui me dissimulait.

Alors seulement, je notai que les acclamations de la foule n'étaient plus qu'un murmure. Pourquoi ce silence si soudain ?

Je redressai la tête. Je me retins de crier.

Tous les visages, et les Ombres elles-mêmes, s'étaient tournés vers moi.

Je me figeai sur place.

Leurs yeux se détachèrent de la brume pour me dévisager. Et la voix de la femme, calme et nette, fendit l'air. Elle m'atteignit sans qu'il soit nécessaire de l'amplifier.

– Qui es-tu ?

Était-ce à moi qu'elle parlait ? Je regardai autour de moi, à la recherche d'un visage un tant soit peu sympathique, mais ils exprimaient tous une seule et même sensation.

La faim.

Les Ombres, jusqu'alors rassemblées sur l'estrade, s'approchèrent de moi. Elles se synchronisèrent et se remirent bientôt à tournoyer, comme avant, mais cette fois, c'était moi qu'elles visaient.

Je reculai le plus vite possible. Je n'avais fait que quelques mètres quand je me cognai contre une façade.

Je fermai les yeux.

– Il n'y en aura pas pour longtemps, murmurai-je. Ça sera vite fini.

Les paupières serrées, je sentis un courant de vent froid. Des cris de panique me parvinrent. Au moment où les Ombres allaient me fendre le ventre, je prononçai un dernier mot, celui que je retenais depuis des jours et des jours.

– Jack.

5

MAINTENANT
L'Enfernité.

Une voix isolée retentit au-dessus de moi.
– Nikki ! Ta main !
Je n'avais pas le temps de réfléchir. Je tendis le bras dans cette direction et des doigts chauds s'enroulèrent autour des miens, puis mes pieds quittèrent le sol. L'obscurité m'enveloppa.
Un instant plus tard, mon dos heurtait une surface dure et plate, assez violemment pour me compresser les poumons. Je me retournai en toussant et je sentis des rochers sous ma joue. J'étais allongée sur de l'asphalte. Je n'y voyais pas grand-chose. On aurait dit que le soleil venait de se coucher.
– Bon sang, Nikki !
La voix de Cole avait retenti au-dessus de moi.
– Il faudra te l'expliquer combien de fois ? Tu sais ce que tu viens de faire, là ? Si tu veux te tuer, fais en sorte qu'Ezra ne se sente pas obligé de me téléphoner !
Il me fallut de longues minutes pour comprendre ce qu'il disait. J'étais revenue à la Surface mais pas au Shop'n Go. Sur une route. Les Ombres n'étaient plus là. Jack non plus.
Jack non plus.
Je me tournai sur le dos et fermai les yeux. Cole était venu à la rescousse. Ezra l'avait-il donc appelé ? Sûrement. À moins

que Cole n'ait deviné où j'allais. Entre deux suffocations, je dis :

– Désolée qu'il t'ait dérangé. S'il existait une autre entrée que le fond du magasin, j'y serais allée.

Les chaussures de Cole crissèrent sur l'asphalte tandis qu'il s'approchait de moi. Quand il s'agenouilla, je vis son visage. Il serrait les lèvres au point de les faire blanchir. Il secoua la tête.

– Pour se tuer, il y a d'autres méthodes. La prochaine fois, prends un revolver. Ou un couteau.

C'était peut-être à cause de mon état pitoyable mais, tandis qu'il me regardait, ses traits si durs s'adoucirent.

– Sinon, il y a aussi la corde. La grève de la faim. Et même la vieillesse.

Il s'assit sur le sol et replia les genoux vers sa poitrine. Ses narines se dilatèrent.

– Je n'avais pas l'intention de me suicider.

Je m'appuyai sur la chaussée pour m'asseoir, ce que je regrettai aussitôt. J'avais l'impression que ma tête était envahie de nuages. Je fermai les yeux.

– Ouh là...

Cole tendit le bras pour me maintenir.

– Voilà ce qui arrive lorsqu'on rencontre une armée d'Ombres.

Quand j'eus retrouvé mon équilibre, il me lâcha. Sans tarder. Il souffla par le nez, la mâchoire serrée.

– Qu'est-ce que tu avais en tête ? Si ce n'était pas pour mourir, alors pour quoi ?

– Je voulais retrouver Jack.

Cole grogna. Très fort. Il se redressa et se passa les mains dans les cheveux. Ses lèvres se décollèrent de ses dents et ses yeux se fermèrent. Quand il les rouvrit, son regard était rageur. Je ne l'avais jamais vu si contrarié.

– Alors c'est ça ? Un élan suicidaire alimenté par la culpabilité ? Tu es complètement inconsciente !

– Qu'est-ce que j'ai fait ?

– Tu es différente, Nik ! (Il inspira lentement et baissa la voix.) Tu as survécu au Festin. Tu es une menace pour la reine. Et soudain, tu débarques devant elle, comme un agneau qui se promène devant l'abattoir. Si quelqu'un a compris qui tu étais…

– Eh bien ?

Cole releva la tête pour observer le crépuscule.

– Que se passera-t-il, Cole ?

Il me regarda.

– Alors tu mourras. Ou pire.

Il était inutile de lui demander s'il parlait sérieusement. Ses yeux jetaient des éclairs.

– De toute façon, dis-je, je n'y suis restée que quelques secondes.

– Je suis arrivé vingt minutes plus tard. Tu y as probablement passé des heures.

J'avais oublié que le temps ne s'écoulait pas à la même vitesse en Enfernité et en Surface. Les cent ans du Festin n'avaient duré que six mois à la Surface.

– La prochaine fois, je serai plus prudente, promis-je. Je contournerai la…

Je cherchai le mot juste.

– … la place de la ville.

Il haussa les sourcils et pouffa de rire.

– C'est impossible. Si tu passes par le Shop'n Go, tu débouches forcément au même endroit. Ma parole, pourquoi on discute de la prochaine fois ? Tu as déjà oublié ce que tu as vu, l'homme qui a explosé ?

Je sentis mon sang fuir mon visage.

– Qu'est-ce que c'était ?

Il soupira.

– Le sacrifice hebdomadaire, quand la reine régale la foule en lui servant ceux qui ne sont pas de son côté. C'est elle qui organise tout.

Je me tendis en me rappelant cette belle femme vêtue de blanc. Cole le remarqua.

– Oui. C'était la reine. Charmante, non ?

Mon estomac se tordit tandis que je comprenais.

– C'étaient des humains ? Les gens qui se faisaient tuer ?

Cole haussa les épaules.

– Certains, peut-être. D'autres étaient probablement des Vagabonds.

Devant mon expression, il ajouta :

– Les Vagabonds. Ce sont des Enfernautes de forme squelettique, condamnés à vivre sans se nourrir. Des délinquants. La reine ne se prive pas d'en couper quelques-uns en morceaux pour amuser ses sujets. Or rien ne nous fait plus plaisir que manger.

Je me penchai vers lui.

– Si c'est ça, il faut que j'y retourne.

Une ride lui plissa le front.

– Dans ce que je viens de dire, qu'est-ce qui t'en donne envie ?

– Puisqu'elle sort les humains des Tunnels, je dois y aller avant que Jack ne fasse partie des sacrifiés.

Il se prit la tête entre les mains, exaspéré.

– Les Ombres étaient sur le point de te réduire en miettes !

– Je trouverai une meilleure cachette, la prochaine fois.

Il haussa le ton.

– Tu ne peux pas dissimuler ton énergie !

Il se tut un instant.

– Ils t'ont trouvée à cause de la fuite de ton cœur brisé, et ils ont collecté ton énergie humaine. Si je ne t'avais pas sauvée, ils t'auraient grillée au barbecue.

– Pourtant, tant que je n'avais pas peur, je n'émettais pas d'énergie. Il suffirait que je garde mon calme pour…

– Tu ne cacheras pas ton humanité !

Il se glissa plus près de moi pour parler tout bas.

– Le nœud du problème, c'est qu'ils t'ont trouvée. Ils te trouveront à chaque fois. Et ils t'emmèneront dans les Tunnels. Tu ne trouveras jamais Jack si toi aussi tu es enterrée vivante.

Enterrée vivante. Je fermai les yeux un long moment, m'efforçant de ne pas réagir au ton léger sur lequel Cole venait de parler de Jack. Je compris soudain que j'avais failli passer de son côté.

– Si c'est ça, comment vais-je faire pour le retrouver ?

– J'aurais dû te le dire avant : tu ne retrouveras jamais Jack, quoi que tu fasses. Ce serait dommage que tu finisses enterrée vivante, toi aussi.

Je voulus me détourner, mais il me saisit une main et me tira vers lui.

– Tu le savais, Nik. Tu as vu une dame avaler une pilule au Shop'n Go. Je t'ai expliqué ce qui l'attendait.

Je repensai à cette femme, au fond du magasin, à son regard désespéré tandis qu'elle s'affaissait. Elle avait avalé des cheveux de Max et était alors passée à travers le sol. Tout cela sous forme de sacrifice pour l'Enfernité. Je les avais vus, chez *Harry O*, résumer l'épisode sur leurs Smartphone.

Soudain, il y eut un déclic. Ils suivaient les sacrifiés qu'ils envoyaient dans les Tunnels grâce à des textos.

– Pourtant, les Ombres savaient qu'elle viendrait, non ? Elles attendaient cette femme. Sur la place.

Cole plissa les yeux.

– D'où te vient cette idée ?

– Je vous ai observés, Max et toi, communiquer sur vos sacrifices avec vos portables. Tu l'as même fait lors de notre première soirée, mais sur le moment, je n'ai pas tout compris. (Je souris.) À t'en croire, c'étaient des messages pour votre manager. Dont le surnom était « la reine ».

Je secouai la tête, comprenant comment les pièces du puzzle s'assemblaient. Cole et Max prévenaient des gens, de l'autre côté, de l'arrivée d'un sacrifié.

Il se renfrogna face à mon talent de déduction.

– C'est vrai : les Ombres ne s'attendraient pas à te voir venir. Mais ton énergie finirait par te trahir, comme tout à l'heure. Serais-tu assez stupide pour prendre ce risque ? Stupide, oui…, marmonna-t-il.

Une expression de colère passa sur son visage, mais il la repoussa en inspirant profondément.

– Pourquoi je me fatigue à te convaincre alors que tu as tout vu par toi-même ?

Je lui tournai le dos. L'endroit où nous nous trouvions donnait sur la vallée de Park City. Mais mon cerveau était trop embrouillé pour que je cherche le nom de la montagne.

– Et voilà, Nik. Nous sommes coincés entre un rocher et un autre, encore plus gros. Faut-il toujours en arriver là ?

Je lui jetai un regard furieux.

– Il existe forcément un moyen de contourner le problème. Une manière de se cacher. Une méthode… disons… pour dissimuler mon énergie.

Il plissa les yeux et, pendant un moment, à en juger par son expression, je crus que je tenais ma chance. Hélas, il redevint neutre très vite et j'en fus réduite à me demander si je m'étais fait des idées.

– Laisse tomber, Nik. Tu n'as aucun moyen de te cacher.

Il se releva et frotta son jean. Il s'apprêtait à repartir.

J'attrapai le bas de son pantalon.

– Quelqu'un y est-il déjà parvenu ?

Il ne me regarda pas mais ne s'éloigna pas non plus.

– Que veux-tu dire ?

– Est-ce qu'un humain descendu en Enfernité a pu atteindre les Tunnels sans que les Ombres le sachent ?

Cette fois, il soutint mon regard.

– Peut-être. La question n'est pas là. Ce que tu devrais te demander, c'est si quelqu'un a réussi à en revenir.

La réponse se lisait sur son visage.

Je serrai son ourlet encore plus fort.

– Mais ces gens-là ne t'avaient pas comme allié. Tu connais l'Enfernité. Et tu me connais, moi. Tout à l'heure, tu m'as avoué que je t'avais changé. Prouve-le.

Il se libéra.

– Je suis fatigué, Nik. Ce que je viens de faire, là… te sauver… ça m'a vidé de mon énergie. Je suis crevé.

Il se mit à marcher et soudain, je me rappelai que j'ignorais où j'étais. Dans la montagne, certes, mais je n'avais aucun repère.

– Pourquoi ne sommes-nous pas au Shop'n Go ?

Il me répondit sans s'arrêter.

– Parce que je suis un Enfernaute. Je peux entrer et sortir n'importe où. Si quelqu'un nous avait pistés, il aurait commencé par aller au Shop'n Go, justement. Voilà pourquoi nous sommes remontés ici.

– Ah.

Cole s'arrêta près d'une moto garée au bord de la route. Jusqu'alors, je ne l'avais pas remarquée. Il passa sa jambe par-dessus et la démarra d'un petit coup sec.

– Tu es venu à moto ? criai-je pour être entendue malgré le grondement du moteur. Comment as-tu...

– J'avais expliqué à mes potes où je comptais remonter. En espérant avoir une chance de te retrouver à temps. Ce sont eux qui l'ont déposée là.

– Le groupe est dans le coin ?

Il m'ignora. Ses pneus grincèrent tandis qu'il faisait demi-tour.

– Attends !

– Tu as le sens de l'orientation, riposta-t-il.

– Où sommes-nous ?

– À Deer Valley.

C'était le nom de la petite ville où était aménagée une station de ski, juste au-dessus de Park City.

– Par où dois-je passer ?

Il emballa le moteur.

– À chaque fois que tu auras le choix entre monter et descendre, descends.

Je courus vers la moto.

– Ton groupe est ici, c'est bien ce que tu m'as dit ? Les autres, ils restent ?

Avait-il menti en me disant qu'il était venu seul ?

Il embraya et me regarda.

– Si tu veux discuter, tu sauras où me trouver. Demain soir. Tu tiendras le coup, quand même ? Une journée ? Avant de faire une nouvelle ânerie ?

Il n'attendit pas ma réponse. Il s'en alla, tout simplement.

Je me mis en marche sans cesser de regarder par-dessus mon épaule, au cas où une grande femme aux cheveux roux serait soudain apparue.

Cole a dit que j'étais en sécurité, me répétai-je.

* * *

Le temps d'arriver chez moi, il faisait noir. La lumière était allumée dans le bureau de mon père. Apparemment, je n'avais été absente que pendant quelques heures, en comptant le temps passé à rentrer. Tandis que je montais l'escalier, mes genoux se mirent à trembler, à tel point que je me retins à la rampe.

J'étais à bout mais je savais que je devais faire face à mon père.

Je m'arrêtai devant sa porte. Il leva le nez de l'article qu'il était en train de lire dans *The Economist.*

– Tout s'est bien passé ? demanda-t-il.

Je songeai à ce que je venais d'endurer. J'avais été aspirée par l'Enfernité ; j'avais fait ma première rencontre avec la reine, regardé un homme exploser, affronté des centaines d'Ombres qui comptaient m'infliger le même sort, voire pire ; et j'avais repris le chemin des Tunnels jusqu'à ce que Cole – un immortel – m'en extirpe avant de m'abandonner à Deer Valley.

Donc, est-ce que tout s'était bien passé ?

Il me fallut un moment pour comprendre qu'il faisait allusion à la cérémonie du lycée.

– Pas mal, répondis-je. J'ai croisé Mme Caputo. Il paraît qu'elle a essayé de me joindre.

Mon père ne tourna pas autour du pot.

– Je voulais que tu aies un peu de temps à toi.

– Elle n'est pas près de baisser les bras.

– Je sais. (Il retira ses lunettes de lecture et les posa sur son bureau.) C'est pour ça que j'ai accepté que son détective te rencontre, demain après-midi. Je comptais attendre le matin pour t'en parler, pour que ça ne t'empêche pas de dormir.

– C'est bon.

Je hochai la tête comme pour me convaincre moi-même.

– Il est temps, notai-je.

– Tu veux qu'on en discute, avant ?

– Non. Je suis fatiguée.

– D'accord, Nikki. Du reste, tu n'as aucune raison de t'inquiéter. Tout ce que tu dois faire, c'est dire la vérité.

Je souris, sachant que la vérité était nettement plus compliquée.

– Pas de problème. Bonne nuit, Papa.

– Bonne nuit. Repose-toi bien.

6

MAINTENANT
La Surface. Ma chambre.

Je rêve.
Dans mon rêve, j'explique à Jack que j'ai tenté de le trouver.
– Cela ne s'est pas passé comme je le voulais.
– Pourquoi ?
– J'ai failli me faire prendre. Par des… Ombres.
– Non, dit-il. Pourquoi tu persistes ?
Ses mots me fendent le cœur.
– Je n'abandonnerai jamais, Jack. Tu le sais.
Il rabat ses paupières.
– Dans le temps, tes cheveux tombaient sur tes yeux.
Ce changement de sujet impromptu me surprend.
– Hein ?
Il rouvre les yeux pour regarder les miens, et soudain il redevient conscient. Si proche de moi. Si différent de celui qu'il était la nuit précédente. Il lève une main, la paume vers moi, et je l'imite comme un miroir.
– Tes cheveux tombaient sur tes yeux. Ça me frustrait trop. Je me disais : Pourquoi elle ne réagit pas ? Elle a besoin d'une coupe, ou il y a autre chose ? Pourquoi ça ne l'agace pas autant que moi ? J'étais persuadé de détester ça. Et puis, j'en suis venu à être obsédé par le désir de relever tes mèches à ta

place. *Je me suis convaincu que tu avais besoin de moi, parce que sinon, ils te rendraient aveugle.*

Je souris.

– Je me rappelle la première fois que tu les as dégagées. On était en randonnée à la Fournaise, avec la prof d'histoire. On avait fait étape sur ce rocher, là...

– Oui, la butte de la Causeuse, précisa-t-il.

– Pendant que je déballais le fromage, mes cheveux sont tombés sur mon front et toi, tu les as relevés pour les coincer derrière mon oreille.

Il leur jette un coup d'œil.

– Pour moi, cela a marqué un tournant. Ça faisait un an que j'attendais d'en avoir le courage.

– Contente que tu aies réussi, dis-je, étonnée que le souvenir soit resté gravé en lui comme en moi.

Il hausse les épaules.

– En fait, c'était ça ou t'acheter une pince à cheveux. Et justement, je n'avais pas un rond.

Je ris. Il enroule ses doigts autour de ma main, d'un geste habituel, puis fronce les sourcils en constatant qu'il ne tient que de l'air. Il me regarde d'un œil triste.

– J'essaye de ne pas baisser les bras.

– Ne dis pas ça.

Hélas, il ne répond plus.

Il ne baisse pas les bras. Je me répète en boucle : *Il ne baisse pas les bras. Il ne baissera jamais les bras.* Même si je dois le lui rappeler.

Mais, sans que j'aie le temps de le dire à voix haute, le soleil se lève et Jack disparaît.

* * *

Je me réveillai en sursaut et je tombai du lit. En me relevant péniblement, je titubai vers mon bureau. Je le fouillai, ouvrant tous les tiroirs jusqu'à ce que je trouve ce que je cherchais. Une photo des élèves de première et deuxième année de lycée, lors de notre excursion dans le parc national des Arches. Elle avait été prise au pied d'un bloc rocheux, surnommé la Fournaise parce que les blocs de grès rouge montent droit vers le ciel, comme des flammes.

Je passai un doigt sur le verre. Nous étions là, au coin à droite. Moi et Jack, un bras négligemment passé autour de mon cou.

– Tu ne te laisses pas faire, Jack Caputo, murmurai-je. Et moi non plus.

Je posai le cadre sur l'étagère en repensant à la veille. Même si Cole avait été catégorique, il existait forcément une façon de parvenir à mes fins. Il me cachait quelque chose. Je le sentais.

Au moins, j'étais renseignée sur un point : Cole n'était pas seul à Park City. Tout le groupe était là. Il ne comptait donc aller nulle part, du moins pas dans l'immédiat.

En calant la photo bien droit, près de mon ordinateur, je poussai la souris, ce qui ralluma l'écran.

Le blog « À la recherche des Dead » posait une question : « Où auront lieu les prochains concerts des Dead Elvises ? »

Je connaissais la réponse. À Park City. Probablement chez *Harry O*, dans la rue principale. Je devais revoir Cole. Découvrir ce qu'il me cachait. Mais pas sans me préparer. Il fallait que je parle à Mme Jenkins. De tous les mortels, elle seule connaissait l'existence de l'Enfernité, et je lui avais déjà demandé comment y retourner. À ce moment-là, nous étions si concentrées sur la première étape – retrouver Cole – que nous n'avions pas développé la question. Peut-être saurait-elle ce que Cole me cachait.

À supposer qu'elle sache quelque chose.

Comme il était trop tôt pour aller chez elle, je fermai le tiroir et descendis me faire un café dans la cuisine. Tommy était à table. Il avait école, ce jour-là. Encore trois jours avant les grandes vacances.

Je regardai par-dessus son épaule. En haut de sa feuille était écrit : *Aide Dorothy à rejoindre le magicien.*

– Un labyrinthe ? On appelle ça des devoirs, en primaire ?

Tommy appuya la pointe de son stylo sur le papier pour l'empêcher de glisser et leva la tête vers moi.

– C'est la dernière semaine. J'en ai au moins une tonne. (Il se pencha.) En plus, c'est pas si facile.

– Commence par la fin.

– Pourquoi ?

Je me tus, ne sachant trop quoi répondre. J'avais toujours fait les labyrinthes à l'envers.

– Parce que c'est plus facile.

Il posa son stylo sur le dernier carré.

– Je vais essayer.

Je ne pus m'empêcher d'examiner le dessin. Des lignes tracées au stylo contournaient les coins et repartaient à contresens, là où Tommy était arrivé dans une impasse.

Je n'avais jamais compris le côté pédagogique des labyrinthes. Ils étaient censés démontrer des capacités cognitives. À vrai dire, c'était plutôt un exercice de tâtonnement. Arrivait-il que l'on perde des points à cause d'une erreur lors du premier trajet ?

Non, pas sur le papier. Et pourtant, l'exercice n'avait pas disparu : on faisait toujours glisser une mine sur une feuille afin de sortir d'un dédale. Personne n'était mal noté pour avoir pris d'abord la mauvaise direction. Alors que, dans la vraie vie, si. Le moindre faux pas avait des conséquences. Le plus petit égarement faisait basculer tout le trajet.

Ainsi, mon erreur d'orientation – choisir de suivre Cole en Enfernité – avait coûté la vie à quelqu'un.

Non. Pas encore la vie. Jack n'était pas mort.

Les allées d'un labyrinthe. Pourquoi me concentrais-je à ce point sur elles ? La veille, Cole lui-même avait défini l'Enfernité comme un labyrinthe. Je fermai les yeux en me frottant le front. J'étais sur une piste, là. Comme si l'exercice de Tommy m'avait envoyé un flash. Rien de très puissant, plutôt le négatif d'une photo. Une petite graine qui germerait dans mon esprit et m'aiderait à avancer.

Je saisis le livre de mythologie qui était resté posé sur la table toute la journée, passai la main dans les cheveux de Tommy et remontai dans ma chambre. Je repoussai une pile de livres, près de l'ordinateur, pour faire de la place. Où avais-je donc lu une histoire de dédale ? À moins qu'il ne s'agisse d'un labyrinthe ?

Je fouillai les notes dispersées sur mon bureau, qui résumaient les mythes et légendes où je croyais voir un lien avec l'Enfernité. Cole me répétait souvent que les mythes ont une racine de vérité. Le problème, en l'occurrence, était de découvrir de quelle racine il s'agissait.

Aucune de mes feuilles de note ne portait le mot « dédale ». Je m'adossai à ma chaise pour saisir le gros volume que mon père m'avait fourni et je parcourus l'index.

Voyant qu'il n'y avait rien à la lettre D, je regardai à L, comme « labyrinthe ». Là, je trouvai la mention « Labyrinthe, Minotaure ».

Je me frappai le front. J'aurais dû y penser plus tôt, évidemment : l'histoire du Minotaure, monstre moitié homme moitié taureau, piégé dans un labyrinthe. Tous les neuf ans, quatorze jeunes Athéniens lui étaient sacrifiés pour repousser un fléau qui menaçait. Cela continua jusqu'au jour où quelqu'un, un héros peut-être, entra dans le labyrinthe et tua le Minotaure. Avant d'en sortir. Qui était-ce donc ?

J'avais saisi le livre, que je comptais feuilleter jusqu'à la bonne page, quand j'entendis la porte du garage. Mon père rentrait en avance. Jamais il ne rentrait en avance. Soudain, cela me revint.

– Crotte…, grommelai-je.

J'avais oublié la visite du détective de Mme Caputo.

Je jetai le livre sur mon lit et fermai les yeux. La veille au soir, l'idée de rencontrer un enquêteur privé ne m'avait pas gênée, mais c'était peut-être parce que j'étais fatiguée, affaiblie, après avoir rencontré les Ombres.

Maintenant, c'était tout autre chose.

Tout ira bien, me dis-je.

On frappa à ma porte.

– Entrez !

Mon père vint d'asseoir sur mon lit tandis que je cachais mes papiers sous mes livres. Pourquoi me donner la peine de les dissimuler ? C'était complètement idiot. Mon père savait déjà que la mythologie m'obsédait.

Il n'y prêta pas attention.

– Tu es prête à affronter cette épreuve ?

– Mme Caputo m'en veut, répondis-je en tirant mon couvre-lit. Même si je dis la vérité, elle n'admettra pas qu'un détective, payé de sa poche, délaisse ce qui est à ses yeux l'indice principal.

– Pour ce que j'en sais, M. Jackson, le détective, est un homme sensé. Je me suis renseigné. Le fait qu'il soit au service de Mme Caputo ne veut pas dire qu'il fabriquera des preuves contre une innocente.

Je réfléchis. Des preuves imaginaires. *Un détective qui fourre son nez partout.* Cela semblait si courant, quand un jeune homme disparaissait. Mais là, nous étions face à l'extraordinaire. À un monde souterrain qui n'existait pas officiellement. À des immortels qui flottaient pour l'éternité. Cela dépassait la mission habituelle d'un détective.

M. Jackson sentait la cigarette et cachait son crâne chauve sous une mèche rabattue qui partait du haut d'une oreille et lui traversait la tête, avant de finir glissée derrière l'oreille opposée. On aurait dit que son visage se trouvait sur le côté de son crâne.

Je n'arrivais pas à regarder ailleurs.

– Nikki, intervint mon mère en me tapotant le genou.

– Hein ?

– Allez-vous répondre à ma question ? demanda le détective. Combien de temps étais-je restée fascinée par ses cheveux ?

– Pardon, vous pouvez répéter ?

– Lors de votre dernière soirée avec Jack…

– Le 27 mars, coupai-je.

– Oui, je sais.

Il aurait pu m'attaquer par surprise. Apparemment, ce qu'il savait ne comptait guère. Il me posait toujours les mêmes questions en boucle.

– Ce soir-là, était-il d'humeur normale ou inhabituelle ? Tendu ?

Oh là… Le mot était faible. Il s'agissait du soir où je devais disparaître pour toujours.

– Non. On jouait au poker dehors, avec son frère Will. Jack perdait.

– Au poker dehors, répéta-t-il.

– Oui.

Je le lui avais déjà expliqué plusieurs fois. Mon père intervint.

– Ils jouaient souvent, entre jeunes. Je n'étais…

Le détective leva la main.

– Je vous en prie, monsieur. Laissez-la parler.

– Il a raison, repris-je. On y jouait tout le temps. Les garçons apportaient des jetons offerts par leur grand-père. Des rouges. Des bleus. Et des noirs.

Je me tus, songeant que je rentrais un peu trop dans les détails.

– Bon. Donc, après la partie de cartes, vous êtes rentrée chez vous.

– Oui.

– Ensuite, Will est parti… (Il consulta ses notes comme s'il devait se concentrer pour éviter de se tromper.) … et il a emprunté la voiture de Jack. Jusqu'à chez lui. Ainsi, Jack s'est retrouvé seul dans le parc, sans le moindre ami, privé de voiture.

Je baissai les yeux. Il était plus près de la vérité qu'il ne le croyait. Oui, Jack avait fini la soirée tout seul. Sans le moindre ami.

Mon père, qui avait probablement lut la gêne sur mon visage, intervint :

– Nous avons déjà parlé de ça. On peut aller de l'avant ?

– J'aimerais beaucoup aller de l'avant, répliqua Jackson. Par exemple jusqu'au moment où Jack disparaît… ou « s'enfuit », selon son message… alors qu'il n'a pas de voiture.

Mon père se tourna vers moi. Nous étions muets, l'un comme l'autre.

– Il a peut-être pris le bus, finit-il par suggérer.

Je grimaçai. Cela aurait-il laissé une trace ? Je restai muette.

– J'y ai pensé, mais rien ne montre qu'il ait acheté un ticket.

– C'est normal, s'il a payé en liquide.

Bien vu, Papa !

– Les caméras de sécurité ne montrent rien de tel, révéla Jackson.

– Les caméras ratent plein de choses. Je suis sûr que vous le savez.

Le détective, jusqu'alors très posé, changea de comportement.

– Nous avons également enquêté dans les stations des communes voisines.

Mon père se pencha, les coudes sur les genoux, les mains plaquées l'une contre l'autre. L'atmosphère se tendait.

– Donc, vous avez examiné chacune des lignes de bus qui desservent cette ville ? Le moindre arrêt ? Dans les plus petits patelins ? Partout ? Vous avez des moyens considérables, dites donc.

Il adressa à Jackson le même regard qu'à un conseiller municipal, Fred Graves, qui, lors d'un débat électoral de premier tour, avait plaidé contre la protection de l'environnement au nom du budget gouvernemental.

Le détective se détourna vers moi.

– Qu'en pensez-vous, Nikki ? Est-ce ainsi que les choses se sont déroulées ? Jack est monté dans un bus, il a payé sa place avec les trois sous qu'il avait en poche, et il s'est plié en deux pour éviter les caméras de sécurité…

– Ça suffit, coupa mon père. Vous êtes en train de demander à Nikki d'imaginer les actes et les motivations de Jack, que lui seul pourrait raconter. Vous outrepassez les limites entre entretien et perte de temps.

Je retins un cri de joie. Quand mon père se leva, je l'imitai. Il me posa une main sur l'épaule.

– Nikki, retourne dans ta chambre. Je vais raccompagner monsieur.

Merci, Papa. Parfois, quand je m'y attendais le moins, mon père venait à la rescousse.

– J'ai deux ou trois courses à faire, dis-je.

Il me fit un petit signe, sans détacher son regard du détective.

Je courus dans ma chambre, rassemblai mes notes et filai vers la porte, espérant que Mme Jenkins saurait me renseigner.

En chemin, je téléphonai à Will. J'avais promis de tout lui dire, mais depuis vingt-quatre heures, je n'avais pas tenu parole.

Quand il répondit, j'inspirai profondément et je lui racontai mon voyage en Enfernité, ma rencontre avec la reine, et comment Cole m'avait expliqué que les Ombres me suivraient grâce à mon énergie, si j'y retournais.

Quand j'eus terminé, il resta un moment silencieux.

– Tu es allée en Enfernité. Et tu es revenue.

– Oui.

– Hier soir. Après la remise des diplômes.

– Oui.

Il soupira lourdement.

– Tu es folle ?

– J'avais vu Cole, et je voulais tenter ma chance.

– Bon, et on fait quoi, maintenant ?

– Je vais chez Mme Jenkins. Elle saura peut-être me dire comment cacher mon énergie. Il pourrait exister une astuce pour éviter les Ombres.

J'entendis une porte claquer en arrière-fond. Quand il reprit la parole, il parlait tout bas.

– Tu envisages d'y retourner ?

Je ne répondis pas immédiatement car je quittais la grand-rue pour emprunter la contre-allée.

– Becks, tu es toujours en ligne ? demanda Will.

– Oui. Et oui, je dois y retourner, si on veut sauver Jack.

Il se tut. Je pris le dernier virage devant la maison de Mme Jenkins.

– Bon, je suis arrivée. Je te rappelle en sortant, d'accord ?

– D'accord.

J'entretenais une relation étrange avec Mme Jenkins. Meredith, sa fille, m'avait donné le bracelet ancien qui nous avait révélé la vérité sur le cœur de Cole. Mme Jenkins était membre d'un groupe, « les filles de Perséphone », consacré à la recherche de la prochaine reine de l'Enfernité. Elle avait élevé Meredith pour qu'elle devienne Transfuge lors du Festin, espérant que la puissance tomberait alors sur sa fille. Meredith, Transfuge de Max, n'avait pas survécu, contrairement à moi. Elle était sortie du Festin transformée en vieille folle. Après six mois à la Surface, les Tunnels étaient revenus la chercher.

Et personne n'avait pris sa place, à la façon de Jack.

Même si Mme Jenkins avait paru insensible sur le moment, j'étais persuadée que le destin de Meredith plombait son âme de mère. Le jour où j'avais moi-même perdu Jack, j'étais allée la voir, espérant découvrir un moyen de retourner en Enfernité. Hélas, tout ce qu'elle m'avait dit, je le savais déjà : il me fallait un échantillon de Cole.

Malgré cela, nous nous étions revues plusieurs fois. J'espérais toujours que, d'un coup de génie, elle trouverait une solution. À proprement parler, nous n'étions pas amies. Nous étions plutôt deux individus rapprochés par une perte douloureuse. L'Enfernité m'avait privée d'un être aimé, et elle, d'un être qu'elle ignorait aimer.

Sous cet angle, sa douleur était plus profonde.

Je frappai à la porte. Quand elle l'ouvrit, elle haussa les sourcils.

– Nikki.

– Madame Jenkins. Cole est revenu.

Elle opina et me fit signe d'entrer. Tandis qu'elle préparait du thé – le thé rythmait sa vie –, je la mis au courant de la présence de Cole à Park City et de mon voyage en Enfernité.

Elle quitta la cuisine avec un plateau chargé de deux tasses et d'une théière. À cet instant, sa solitude me frappa. Elle n'avait pas souvent l'occasion de sortir son beau service à thé.

– Ainsi, Jack est toujours vivant ? demanda-t-elle.

La communication par le rêve l'avait toujours fascinée, même si c'était sa fille elle-même qui avait découvert que les Transfuges survivant au Festin étaient ceux qui avaient des piliers en Surface.

– Oui. La théorie de Meredith tient toujours. Je suis le pilier de Jack, comme il l'a été pour moi. Mais j'ignore combien de temps il survivra.

Je lui expliquai qu'il perdait la mémoire. Son regard s'égara tandis qu'elle regardait sa cheminée.

– En comprenant tout ça, Meredith a été très fine. J'étais persuadée qu'elle serait la prochaine survivante.

Elle pencha la tête vers une urne posée sur le chambranle. Je savais ce qu'elle contenait : les cendres d'Adonia, une

Transfuge. La dernière personne de la lignée de Meredith qui ait survécu au Festin.

Adonia n'avait pas tenu longtemps. Apparemment, elle n'avait pas voulu lutter contre la reine de l'époque pour conquérir le trône ; par conséquent, selon Mme Jenkins, son Enfernaute l'avait trahie en la dénonçant. La reine l'avait vidée de toute son énergie, sans rien lui laisser.

Sur ce point, j'avais au moins une raison d'être reconnaissante envers Cole. Il ne m'avait pas livrée à la reine, lui.

– Meredith était protégée par les chiffres, reprit Mme Jenkins. Elle était la trente-troisième descendante de la mère d'Adonia.

Je fronçai les sourcils.

– Quel rapport ?

– Le chiffre trois a une forte valeur pour les Enfernautes. Symboliquement. Je pensais que cela aiderait Meredith. Que ça la rendrait précieuse.

À sa voix, on aurait dit qu'elle rêvait. Selon elle, la reine pouvait immortaliser des lignes ancestrales entières, à sa guise. Si Meredith avait survécu au Festin et pris le trône, Mme Jenkins serait elle-même devenue éternelle.

Elle se plaisait à partir ainsi à la dérive, comme si ses pensées tournaient toujours autour de la chute de Meredith et de ce qu'elle avait elle-même perdu. Je me forçai à me détourner de l'urne pour la regarder.

– Madame Jenkins, je vais retourner en Enfernité. Puisque Cole est revenu, je compte lui voler une mèche et…

– Tu vas y retourner sans escorte ? Tu veux donc mourir ?

Je restai en arrêt. Une escorte ? Jamais encore, au cours de nos discussions, elle n'avait prononcé ce mot. Je n'eus pas le temps d'intervenir, car elle continua :

– Tu ne peux pas y aller seule, voyons. Les Ombres te tomberaient dessus et t'emmèneraient dans les Tunnels.

– Une minute, coupai-je. Vous avez parlé d'escorte...

– Eh bien, oui. Si tu n'es pas escortée, ton énergie attirera...

– Une escorte, c'est un Enfernaute ?

– Bien sûr. Aucun humain attaché à la vie ne voudrait s'aventurer en Enfernité sans un Enfernaute, dont l'absence d'énergie masquera l'énergie émise par l'humain. L'Enfernaute absorbe tout. Ainsi, les Ombres ne sont pas attirées. S'y rendre seule, c'est du suicide. Je croyais que tu le savais. C'est même pour cela que tu devais trouver Cole.

Je soupirai, exaspérée.

– Je croyais que c'était pour ses cheveux !

– Tu ne connais donc rien à la mythologie ? remarqua-t-elle d'un ton de reproche. Un nocher doit t'accompagner. Ton Enfernaute. Sinon, les Ombres te tournent autour comme des requins qui ont flairé du sang.

Je me mordis la joue. Dans un sens, j'avais envie de sauter de joie, ravie d'apprendre que je pourrais me camoufler, mais d'un autre côté, j'en voulais à Cole de me l'avoir caché. Pouvait-il l'ignorer ? Je n'y crus pas une seconde. Cole était centenaire, millénaire peut-être. Il le savait forcément.

Il avait simplement préféré ne rien me dire.

– Donc, il me faut une escorte.

– Oui.

– Cet Enfernaute doit-il être volontaire ?

Elle inclina la tête comme si elle faisait face à une folle.

– Peu importe, conclus-je. Il faut que j'y aille. Je dois parler à quelqu'un.

Elle me raccompagna et, en ouvrant la porte, elle m'avertit :

84

– N'oublie pas : si tu vas en Enfernité, surtout, ne mange rien.

Il était inutile de lui demander pourquoi. Perséphone avait avalé six grenades, ce qui lui avait valu d'être nommée malgré elle « reine du séjour des morts ».

– Ne vous inquiétez pas. Je ne mangerai rien.

Une fois montée dans ma voiture, je claquai la porte bien fort, furieuse. Cole avait prétendu qu'il m'était impossible de cacher mon énergie, persuadé que je n'en saurais jamais plus. Il ignorait que je consulterais Mme Jenkins.

– Tu m'as menti, Cole, dis-je tout haut.

J'allais le tuer. Ensuite, je prendrais son corps sans vie, je le traînerais derrière moi en Enfernité, et j'en ferais mon escorte.

Inspirer profondément.

Vingt minutes plus tard, après avoir appliqué plusieurs fois les méthodes de maîtrise de soi enseignées par le Dr Hill, je me retrouvai dans ma chambre, en train de m'habiller pour aller chez *Harry O*. J'en étais presque certaine, c'était là que joueraient les Dead Elvises ce soir-là. Et, puisque je savais la vérité, je n'allais pas rater cette occasion de défier Cole.

7

MAINTENANT
La Surface. Chez Harry O.

Sur Internet, la rumeur courait : on avait vu les Dead à Park City. Selon quelques témoins locaux, les fans faisaient déjà la queue devant *Harry O*.

Je retirai mon collant de yoga pour mettre un jean foncé. J'allai jusqu'à enfiler mes bottes de cuir noir, qui m'avaient un jour valu un compliment de Cole. J'étais prête à tout pour qu'il me renseigne. Pourtant, après notre rencontre de la veille et mon échec face à la reine, je n'étais pas certaine d'avoir envie de le revoir. Chacune de nos rencontres était une épreuve intense. J'étais toujours sûre de mes décisions lorsque je me trouvais seule... Mais face à lui, je n'étais plus moi-même. Je le savais déjà quand il s'était montré, le soir de la remise des diplômes. J'avais tourné le dos à mon propre raisonnement. J'étais devenue idiote. Non seulement mon cerveau s'était mis en veille, mais mon corps s'était tourné vers lui jusqu'à la moindre cellule. Comme par réflexe.

Je me demandais s'il en était conscient. Pourvu que non. Il fallait qu'il me croie insensible à son influence. S'il apprenait la vérité, sauver Jack deviendrait beaucoup plus difficile.

Après la visite du détective, mon père était reparti au travail. Malgré sa volonté de me protéger, il était probablement tourmenté par certaines contradictions dans le récit de la disparition de Jack. Ce n'était pas le moment d'y penser. C'était très égoïste, j'en étais consciente, mais nos blessures familiales attendraient. Est-ce qu'un jour, la fragile relation entre mon père, mon frère et moi cesserait d'être étouffée par les conséquences de mes erreurs ?

Je l'espérais.

J'arrivai devant *Harry O* quelques minutes avant l'entrée en scène du groupe. Dans le bar, l'air était lourd de sueur et de vapeurs d'alcool. À coup sûr, je rentrerais chez moi chargée d'un parfum de bière. Dès mes premiers pas dans la salle, mes vêtements s'imbibèrent. Des centaines de fans se pressaient sur la piste de danse et occupaient même les plateformes d'observation, au fond, près du bar. On voyait beaucoup plus de peau nue que lors de mon dernier passage, signe de l'arrivée de l'été.

Puisque j'étais seule, je n'eus aucun mal à me faufiler dans la masse pour m'installer sur la première marche. Les Dead Elvises avaient gagné en popularité, depuis quelques mois. Ils avaient produit de nouvelles chansons et on racontait que la soirée commencerait par l'une d'elles. Le concert étant officiellement secret, aucune liste d'invités n'était affichée à l'entrée. Donc, les gens entreraient jusqu'à ce que la salle soit pleine, dans le respect des normes de sécurité.

J'avais du mal à croire que j'étais revenue. C'était là que j'avais rencontré Cole. Julia m'avait convaincue de l'accompagner. Elle se faisait du souci pour moi parce que le procès du chauffard qui avait tué ma mère venait de commencer.

Je croyais cacher ma peine avec un certain talent, mais Cole n'avait pas été dupe.

Viens, tristounette, avait-il dit. *Danser arrange tout.*

Pour la première fois, je m'étais rendu compte qu'il avait quelque chose de spécial... de plus qu'humain. D'irrésistible.

C'était aussi ce soir-là que, pour la première fois, j'avais admis qu'il existait une étrange connexion entre nous.

Cette connexion n'avait fait que croître, au fil des cent ans passés ensemble au Festin. Je l'avais encore ressentie le soir où Jack avait reçu son diplôme, en le devinant derrière moi avant de le voir.

Ce soir encore, je sentais sa présence. Sa proximité. Le groupe n'était pas encore sur scène et pourtant, je savais que Cole n'était pas loin. Je regardai le plateau. Derrière. Il suffirait que le rideau se lève pour que Cole soit dans ma ligne de mire. Ma peau le savait elle aussi, qui picotait. Jamais cette connexion ne se briserait.

La lumière baissa, les MP3 s'éteignirent. L'impatience était palpable. Je devinai un mouvement sur la scène, mais il faisait trop noir pour que j'en sois sûre. Puis, en un instant, la scène fut envahie d'une lumière qui rebondissait sur le chrome des instruments ; le groupe était là.

Max, second guitariste, les cheveux noirs plus longs que dans mes souvenirs. Oliver, bassiste. Gavin, batteur.

Et Cole. Farouche et beau, il attira, d'un simple accord de guitare, toute l'attention de la salle.

Son rayonnement me frappa, comme si, après plusieurs mois de tempête, le soleil avait soudain paru.

Je me demandai si, parmi la foule, quelqu'un d'autre réagissait comme moi lorsqu'il se mettait à jouer, ou si mon attitude reposait sur notre histoire personnelle – notre lien, littéralement. Les visages, autour de moi, me montrèrent qu'ils éprouvaient la même chose. En partie, au moins.

Cela me dépassait. Je dus me détourner. Rester sur place devenait difficile, tant mon instinct naturel m'incitait à monter d'un bond sur la scène.

Quand je sentis les yeux de Cole se poser sur moi, je me risquai à lever la tête. Dans un océan de visages, son regard parvint à croiser le mien. Son visage affichait un mélange de surprise et d'un autre sentiment que je ne parvins pas à identifier. Il ne lui avait pas fallu plus de quelques secondes pour me repérer.

Tandis qu'il jouait, je sentis mon humeur changer. Le gouffre noir de la honte – cette douleur incessante qui me suivait partout depuis la disparition de Jack – se dissipa. Le poids qui écrasait mon âme se leva partiellement.

Pendant une fraction de seconde, je fus heureuse d'être soulagée. J'aurais même voulu que cela dure toujours. Mais quelque chose n'allait pas ; soudain, je devinai confusément que Cole se nourrissait de ma culpabilité.

Il se régalait de mes émotions. Une fois de plus. C'était le grand talent des Enfernautes. Cole était assez doué pour me viser, de l'autre bout de la salle, et saisir les couches supérieures de mes émotions. Les plus malsaines, comme, en cet instant, ma culpabilité, couvraient toujours les autres.

Il épuisait ma honte et pendant un moment, je le laissai faire.

Je tournai les épaules vers lui pour lui faciliter la tâche. La pression, le poids de la douleur – non seulement à cause de Jack, mais aussi parce que ma mère me manquait, que je décevais mon père et que je négligeais mon frère – se dissipèrent lentement, libérant mon cœur de leur étreinte douloureuse. Je fermai les yeux et, pendant un instant, je me permis de croire que plus rien n'avait d'importance.

J'étais seule. Baigné de musique, mon corps se libérait de sa tension sous l'effet de la mélodie, chacun des accords de la guitare de Cole faisant reculer la souffrance. Car c'était là ce dont il était capable : faire disparaître tout ce qui importait. Dans une salle pleine, il pouvait me donner l'impression que j'étais seule et que je n'avais aucune raison de m'inquiéter.

Quand je reçus un coup à l'épaule, je sortis soudain de mon étourdissement.

– Pardon, me dit un garçon qui dansait tout près.

Je battis des paupières une ou deux fois avant de me tourner vers la scène. Cole fit un petit sourire satisfait et leva la tête, comme pour me dire : « Remets les pieds sur terre. »

Honteuse, je m'arrachai à son regard. Et, avec toute la force que je pus rassembler, je me dirigeai vers la sortie, suivie, presque traquée, par sa musique, comme par les Ombres en Enfernité.

Je m'arrêtai juste devant les portes, la main sur le cœur. Mon impression de légèreté se dissipa et ma culpabilité revint de tout son poids. Elle devait être bien puissante pour se manifester si vite. Elle me rappelait Jack, sans cesse. La douleur de son absence était ancrée en moi, à tel point que je me croyais condamnée à disparaître si je ne la retenais pas. Je ne devais laisser personne s'en emparer. La culpabilité était un rappel efficace de ce que je devais faire.

Je me décollai du mur, bousculant quelqu'un qui entrait.

– Pardon…

– Nikki ?

Je levai les yeux. C'était Julia. Jolie et lumineuse. Je me retins de partir en courant.

Partout où elle allait, elle apportait le soleil. Elle était accompagnée de Tara Bolton et de Kaylee… son nom m'échappa. C'étaient des filles de notre classe.

– Salut, dis-je.

Julia s'adressa à ses copines.

– Allez-y, vous deux.

Tara me jeta un petit coup d'œil curieux puis elle entra, suivie de Kaylee. Devant mon silence, Julia reprit :

– Tu sais, je n'ai pas vraiment envie d'aller au concert. Si on se payait un café ? Depuis un petit moment, j'ai envie de te demander quelque chose.

Me demander quelque chose ? L'idée qu'elle avait des questions à me poser me faisait presque aussi peur qu'être interrogée par le détective. Quand je mentais, Julia le devinait toujours.

Nous traversâmes la rue vers le café Grounds & Inc. La moitié de la salle était occupée par des tables de billard, l'autre étant aménagée en petits kiosques avec des sièges confortables. Nous nous installâmes dans l'un de ces recoins, près de l'entrée, d'où je pus garder un œil sur *Harry O*. Nous appelâmes la serveuse.

– Deux cafés, demanda Julia.

La fille hocha la tête et revint un instant plus tard avec deux tasses. Nous bûmes par petites gorgées, en silence. J'avais du mal à regarder Julia. Si je n'étais pas revenue, elle serait probablement restée avec Jack, et ils auraient vécu heureux.

Même si elle était très proche de Jack et de moi, elle n'avait aucune idée de ce qui avait eu lieu en mars. À ses yeux, Jack était revenu vers moi puis il avait disparu. Comment ne pas m'en vouloir ?

Ce fut elle qui brisa le silence.

– Le détective Jackson m'interroge tout le temps sur toi.

– Qu'est-ce qu'il te demande ?

Elle eut un petit sourire.

– Rien de très flatteur. Il se renseigne sur ton équilibre mental. Il veut savoir si tu vas chez le psy. Si tu fais des choses bizarres. Si je sais où tu étais, le jour de ta disparition. Ce genre de trucs.

Je fis la grimace.

– Qu'est-ce que tu lui as dit ?

– Que je ne savais rien. Parce que je ne sais rien, précisément.

Je me penchai vers ma tasse avant de prendre une longue gorgée de café. Je sentais son regard posé sur moi.

– Julia, je suis navrée. Pour tout ça.

– Tu voudrais bien répondre à une question, une seule ?

– Oui.

– Sais-tu où il est ?

J'aurais tant voulu lui dire la vérité. L'année passée, je ne lui aurais rien caché. Mais si je lui disais oui, je serais obligée de tout lui expliquer, à commencer par l'existence d'un monde souterrain nommé Enfernité.

Je la regardai droit dans les yeux et répondis sans hésiter davantage :

– Je ne sais pas où il est.

– Je te crois.

Mes épaules se détendirent.

– C'est vrai ?

Elle sourit.

– J'ai au moins une certitude : tu ne commettras jamais rien qui puisse nuire à Jack. Et si tu savais où il est, tu ferais tout pour le retrouver.

J'eus envie de sauter par-dessus la table pour la serrer dans mes bras. Julia glissa un doigt sur le bord de sa tasse.

– Tu te souviens, quand les fils Caputo et leur petit gang de voyous passaient devant chez nous ?

La sueur perla au bout de mes doigts quand j'entendis ce nom. Nous empruntions un terrain glissant. Les souvenirs. Les plus douloureux étaient ceux où figurait Jack. À mon retour du Festin, j'avais vécu dans ces souvenirs avec lui, sachant qu'il ne risquait rien. C'étaient des lieux sûrs. Désormais, ils ne faisaient que me rappeler que Jack était hors de portée. Que jamais plus il ne serait en sûreté.

Les souvenirs faisaient partie de ce que je maintenais derrière la digue qui encerclait mon cœur.

Julia attendait ma réponse.

– Oui, je me souviens, soufflai-je, espérant clore la discussion.

– Et nous deux, on ramassait des marrons avec leur bogue pour les lancer sur...

Je frappai la table d'un coup qui la fit sursauter.

– Désolée. Je... mes souvenirs se sont un peu évanouis.

Elle secoua la tête.

– Tu mens. Tu refuses d'y penser, c'est tout.

Elle me devinait toujours aussi bien. Pourtant, elle ne partageait pas ma douleur. En lui coupant la parole, j'avais franchi une barrière invisible. Elle fronça les sourcils.

– Je ne vois que deux raisons à cette volonté d'oublier. Soit tu n'admets pas ce qui est arrivé, soit tu te sens coupable.

Face à elle, j'avais l'impression d'être complètement transparente. Je me tournai vers la fenêtre. Le temps avait passé et les gens sortaient déjà du *Harry O*. Je ne pouvais plus la regarder.

– Il faut que j'y aille.

Elle me saisit le bras.

– Becks. Si tu sais où il est… tu dois agir en conséquence.

– Mais…

– Promets-le-moi. Si tu sais ce qui lui est arrivé, même si c'est une mauvaise nouvelle, tu dois le dire à quelqu'un. Tu m'entends ? (Sa voix tremblait sous le coup de l'émotion.) Assez de mensonges.

J'ouvris la bouche sans trouver quoi dire. Inutile de chercher à la convaincre. Julia savait que je cachais la vérité à tout le monde. Elle savait que j'étais responsable de la disparition de Jack. Elle savait que je mentais.

Elle baissa les yeux, plaqua quelques billets sur la table et s'en alla sans ajouter le moindre mot. Tout ce qu'elle m'avait dit me pesait sur la poitrine. Je restai assise un long moment, à examiner le motif quadrillé de la toile cirée sans parvenir à quitter mon siège.

Enfin levée, je traversai la rue alors que les derniers spectateurs sortaient du club. Cole était dans la salle. Lui seul pourrait me permettre de sauver Jack.

Je t'en prie, Cole. Rends-moi espoir.

8

La Surface. Chez Harry O.

Lorsque j'entrai, l'odeur persistante de sueur et de bière me fit l'effet d'un coup de poing. Derrière le bar, un grand type me regardait.

– C'est vous, Nikki ?

Je regardai à droite puis à gauche.

– Euh… Oui.

– Suivez-moi. Cole est là, derrière.

Il avait donc deviné que je reviendrais. Je me dominai et suivis le barman, qui contourna la scène et traversa un petit couloir débouchant sur une vieille porte en bois marquée *Foyer des artistes*.

Il frappa trois fois. Je lus quelques-uns des messages gravés dans le bois.

LB + TK + FR = tiercé gagnant

Je n'eus pas le temps d'en savoir davantage car la porte s'ouvrit et le visage de Gavin apparut. La dernière fois que j'avais vu le batteur des Dead Elvises, c'était quand je rôdais autour du Shop'n Go pour comprendre ce qui s'y passait de si spécial. Il avait bien failli me tomber dessus.

– Qu'est-ce que tu veux ? demanda-t-il.

Puis il me reconnut.

– Oh.

Il ferma la porte avant de la rouvrir quelques secondes plus tard, et de sortir suivi d'Oliver et de Max. Je les regardai sans mot dire. Max s'arrêta un instant devant moi. Quand il se pencha pour me parler, je constatai une fois de plus qu'il était bien plus grand que Cole.

– Nik, sois sympa. Cole allait beaucoup mieux jusqu'à ton petit exploit d'hier soir. Ne va pas le remettre sur les genoux.

Je le regardai, incrédule.

– Moi, je l'ai mis sur les genoux ?

Max se contenta de s'éloigner. Cole avait détruit six mois de ma vie, volé mon âme et enlevé celui que j'aimais, et Max me reprochait de lui nuire ? D'accord, j'étais en partie responsable des événements, mais tout de même...

J'entrai et refermai derrière moi, de plus en plus agacée. Sans avoir le temps de me retourner, j'entendis quelqu'un souffler.

– Nik, dit Cole. Tu as mis tes bottes. Tu m'aimes bien, finalement.

Retourne-toi, Becks. Retourne-toi. Pourquoi était-il si difficile d'être dans la même pièce que lui ? J'inspirai profondément avant de lui faire face. Il était assis sur le coin d'un vieux canapé d'angle en cuir brun. Le siège était usé au milieu, où il manquait un gros carré de cuir. La guitare de Cole était posée près de lui, comme une fidèle et indéfectible compagne. Et il jouait avec un médiator, qu'il retournait pour le faire passer d'un doigt à l'autre, comme d'habitude.

Je regardais probablement le médiator, car Cole le saisit soudain, le plaqua sur sa paume et me le tendit.

– Ce n'est pas ce que tu crois.

– Je crois que c'est un médiator, répondis-je.

Pourtant, je savais ce qu'il voulait dire. Je ne pouvais plus voir un médiator sans me demander si c'était son cœur.

Cela le fit tiquer.

– Tu le regardais d'un air terrible. Tu as la phobie des médiators, ou bien tu me crois assez débile pour me balader avec mon cœur ?

Il observa attentivement ma réaction, tout en portant à sa bouche une bouteille d'eau. Je n'avais aucune envie de parler de ma lamentable tentative de meurtre, juste avant la disparition de Jack.

– Oui, répondis-je.

Il s'adossa, les mains derrière la tête.

– Cette bonne vieille Nik. Pas plus de « comment vas-tu ? » que de bavardage sur la météo. Non, juste un bon coup de pied dans les couilles.

– J'ai donc le droit de te mettre un coup de pied dans les couilles ?

Il grimaça.

– Allons, tu parles mieux que ça, d'habitude.

– On peut changer.

– Pas toi. Pas à ce point-là.

– Tu ne me connais pas.

Il pouffa de rire.

– Là où tu m'épates vraiment, c'est quand tu oublies que nous avons passé une centaine d'années ensemble, littéralement plaqués l'un contre l'autre.

– Je n'ai pas envie de revenir là-dessus, protestai-je, la voix tremblante.

– Je sais. (Il inspira et se remit à jouer avec son médiator.) Moi qui t'ai coursée pendant six mois, voilà que je n'arrive plus à me débarrasser de toi. Assieds-toi, je t'en prie.

Je traversai la pièce pour m'installer à l'autre bout du canapé. Il se tourna vers moi.

– Qu'est-ce que je peux faire pour toi ?

– Tu m'as menti, Cole.

Il fronça les sourcils sans répondre. Ni paraître surpris.

– Pourquoi tu ne m'as pas dit que c'était faisable ? repris-je. Qu'un humain escorté par un Enfernaute parvenait à cacher son énergie ?

Il haussa les épaules.

– Parce que c'était hors sujet.

– Hors sujet ? répétai-je avec un petit rire. Comment ça, hors sujet ?

– En admettant que tu passes inaperçue devant les Ombres, il existe d'autres créatures en Enfernité qui ne rêvent que d'une chose : épuiser un humain. Nous ne savons même pas où se trouvent les Tunnels. D'ailleurs, ce ne serait pas notre problème principal. (Alors que j'étais sur le point de protester, il leva l'index.) Laisse-moi terminer. Selon toi, qu'est-ce qui fait que Jack est encore vivant, en ce moment ?

– Facile. C'est grâce à moi.

– Pas seulement.

Il se pencha pour me toucher le front.

– C'est grâce à ce que tu as dans la tête. Si tu as la force de le maintenir en vie, c'est parce que tu es intacte. Si tu vas en Enfernité, plus le temps passera, plus tu perdras tes facultés mentales. Tu ne rêveras plus, tu oublieras même pourquoi tu es là, et j'aurai beau te raconter toute l'histoire, tu ne t'en rappelleras pas.

– Jamais je n'oublierai Jack. Pendant les cent ans que j'ai passés avec toi, son visage ne m'a pas quitté une seconde.

– Peut-être bien, mais tu avais oublié tout le reste. Je parie que tu ne savais même plus son nom.

Je ne le contestai pas.

– Voilà pourquoi je ne t'ai pas parlé d'escorte. J'aurai beau dire, je n'arriverai pas à te convaincre de la vitesse à laquelle tu perdrais la mémoire.

Je baissai le nez vers la carpette, à nos pieds. Il avait raison. Lors du Festin, ma mémoire n'avait gardé que le visage de Jack. Le reste m'était revenu seulement après mon retour à la Surface.

– Mais cette fois, tu ne te nourriras pas de moi, soulignai-je. J'aurai moins de mal à garder la mémoire.

– Nik, ça ne marche pas comme ça. Je ne me nourrirai pas de toi, admettons, mais tout le reste de l'Enfernité le fera. C'est un lieu où règne le déséquilibre, où l'on épuise sans fin ceux qui ont un cœur (il fit un geste vers moi) pour nourrir sans retenue ceux qui n'en ont pas. Tu n'es pas une Enfernaute, donc mon univers te videra. Et ce que tu perdras en premier, ce sont tes souvenirs.

– Je m'en moque.

À ces mots, il m'interrogea du regard.

– Je m'en moque, Cole. Je veux bien les perdre, mes souvenirs. Au moins, je pourrai dire que j'ai essayé. Au lieu de rester sur ma chaise sans rien faire, à la Surface, à me consoler en examinant mes souvenirs, tandis que celui que j'aime se meurt lentement à cause de moi.

Entendant le verbe *aimer*, Cole se détourna.

– Alors, même si ma mémoire se perd à tout jamais…

– Ne dis pas « tant pis », je t'en prie, grogna-t-il d'une voix d'ours. As-tu compris que si tu oublies complètement Jack, il mourra pour de bon ? Dis-moi que tu le sais.

Je battis des cils pour retenir mes larmes.

– Il est déjà en train de mourir. Je dois aller en Enfernité. Rien ne m'arrêtera.

Il se passa la main dans les cheveux, hérissant quelques mèches.

– N'empêche, Nik, tu négliges un détail très important.

– Lequel ?

– Je ne t'accompagnerai pas.

9

MAINTENANT
La Surface. Chez Harry O.

L'affirmation de Cole me frappa de plein fouet, mais il était absurde d'attendre une autre réaction.

Son visage avait pâli, sans trahir son émotion.

– Je ne ferai jamais ça.

Je me levai.

– Pourquoi ? Pour toi, ça ne compte pas. C'est juste une promenade. Tu n'aurais rien à faire. À part rester avec moi.

– Tu as en partie raison.

– Sur quel point ?

– Quand tu dis que ça ne compte pas.

Je sentis mon visage se décomposer. Je me rassis sur la banquette, muette.

– Jack ne compte pas, à mes yeux. Le sauver ne me rapporterait rien.

– Mais…

– Et ce ne serait pas simplement un petit tour en Enfernité, parce que tu serais une charge pour moi. Ce n'est pas parce que tu as refusé de devenir une Enfernaute que tu n'es plus un danger pour la reine. Tu as survécu au Festin. Tu en es sortie changée, même si tu ne sais pas trop comment. Ce changement est définitif. Si la reine savait que tu existes…

– Elle m'a vue.

– Sans savoir qui tu étais. (Il se pencha pour poser les coudes sur ses genoux.) Elle ignore qu'une Transfuge a survécu au Festin. Si elle l'apprenait, elle ne perdrait pas une minute. Elle te couperait en morceaux.

Je me tendis. Cole le remarqua.

– T'inquiète... Tu ne risques rien ici. Mais il n'est pas question que j'aille parader avec toi juste sous son nez. Pourquoi me mettrais-je à dos les Ombres et la reine ? (Il grimaça.) Quelle serait ma récompense, après avoir tant risqué ? Vous vous retrouveriez, Jack et toi. Je n'ai rien à y gagner, Nik.

J'observai attentivement son visage. Et il se lézarda. À peine, certes, mais je savais qu'il retenait quelque chose. Quelque chose de fort. Pourtant, au moment même où je la remarquai, la faille disparut. Je l'avais peut-être imaginée, mais je rebondis :

– Tu vaux mieux que ça. Tu vaux plus que tu ne le crois. (Je lui saisis la main.) Tu m'as avoué que je t'avais fait changer. Cela ne vient pas que de moi. Tu as aussi du cœur.

Il fronça les sourcils, le regard usé.

– Non, je n'en ai pas.

– Mais si. Il ne bat peut-être pas, mais il porte ton âme. Peut-être qu'il était resté caché jusque-là ? Tu tiens une chance de te réparer.

Il retira sa main et fit rouler son médiator sur ses doigts, évitant mon regard.

– Je te l'ai déjà dit il y a longtemps, je ne suis pas un héros.

– Pourtant...

– Tu devrais t'en aller, Nik.

Il se leva, s'approcha de la porte et l'ouvrit en grand.

– Va je ne sais où et attends que ça passe. C'est tout ce que tu peux faire.

Je restai immobile.

– Nik, je te dis de t'en aller.

– Non.

Soudain, il bondit vers moi, m'attrapa par les épaules et me tira du siège comme pour me jeter à la porte.

– Je ne te demande pas ton avis !

Il ne me laissa pas reprendre pied. Une main serrant ma taille, il me souleva, sans chercher à me faire mal mais en me serrant assez fort pour m'empêcher de me débattre.

Un instant plus tard, il me claqua la porte au nez. Quand je tentai de la rouvrir, elle était déjà verrouillée. Je cognai à coups de poing.

– Cole ! Je t'en prie !

Aucun bruit ne retentit de l'autre côté. Je plaquai l'oreille sur la porte, espérant percevoir un signe. En vain. Et il prétendait que j'avais trop d'influence sur lui ! Au contraire, je ne pesais pas lourd. Je levais le poing une fois encore quand le barman parut soudain dans le couloir. Il croisa les bras sur sa poitrine et s'adossa au mur sans me quitter des yeux.

Mon poing retomba et je m'en allai. Comment la situation avait-elle pu se retourner si vite ? J'avais pisté Cole et voilà qu'il me flanquait dehors. Quelques mois plus tôt, mon comportement m'aurait semblé irresponsable.

Tandis que je traversais la scène, à présent déserte, j'entendis claquer un briquet en métal, dans un coin. Max était là, contre un mur.

Il m'attendait.

Je le rejoignis.

– Qu'est-ce que t'as ? lançai-je.

Il ouvrit son briquet et une flamme s'éleva.

– Laisse-le tranquille.

Je baissai les épaules.

– J'ai besoin de lui. Je ne lui veux pas de mal.

– Ton existence même le fait souffrir. (Il referma son briquet.) Il n'est plus lui-même. Depuis peu, il éprouve un drôle de sentiment… de la sympathie pour les humains.

Il frissonna.

– Si vous craignez tant qu'il me fréquente, pourquoi le groupe est-il revenu à Park City ?

Max se décolla du mur.

– Tu as déjà essayé de le faire changer d'idée ?

Il secoua la tête comme s'il savait la réponse, puis il passa devant moi pour gagner la porte sur rue.

Je regardai le plafond en soupirant. D'abord, Cole m'avait jetée dehors, puis Max – qui, autant que Cole, voulait que je devienne la prochaine reine, du moins je le croyais –, Max, donc, me conseillait de me tenir tranquille.

Décidément, le monde tournait à l'envers.

Je sortis du club, toujours ébranlée par le refus de Cole. Pourquoi diable avais-je espéré une autre réaction de sa part ? À ses yeux, j'avais réduit à néant ses chances de régner sur l'Enfernité. J'étais la quasi-reine providentielle qui l'avait privé de tout ce qu'il désirait depuis toujours. Et j'étais venue le prier de sauver celui que j'aimais.

L'air du soir était mordant. En montagne, même les nuits les plus chaudes me faisaient frissonner. Je parcourus la rue sombre où j'avais laissé ma voiture. Une berline noire était garée derrière. Je ne l'aurais pas remarquée si une faible lueur rouge n'avait rayonné sur le siège du conducteur. On aurait dit une pointe de cigarette.

Tout en démêlant mes clefs, je montai à bord au plus vite et je verrouillai la portière.

Quand je déboîtai, la berline déboîta aussi, tous feux éteints. Étais-je suivie ? Le détective Jackson m'avait paru louche. Conduisait-il une citadine ? Ou est-ce que je sombrais dans la paranoïa ? Je secouai la tête. C'était probablement quelqu'un d'autre. Et, en admettant que ce soit lui, je ne faisais rien de mal.

Je faillis appeler mon père pour protester, mais je ne voulus pas l'inquiéter. D'ailleurs, suivre quelqu'un n'était pas illégal. Me plaindre ou tenter de le semer alimenterait les soupçons de Jackson. S'il me suivait dans le but de retrouver Jack, il faisait fausse route.

Même si je l'avais voulu, je n'aurais pas pu lui ouvrir la voie.

Avant de me coucher, je jetai un œil sur le recueil de mythologie que j'avais fait tomber la veille. Il s'était ouvert en touchant le sol. Un dessin du Minotaure en noir et blanc occupait la page de droite.

Le mythe du Minotaure et du labyrinthe.

C'était un récit de guerre.

Minos, roi de Crête, avait enfermé le Minotaure au cœur d'un labyrinthe impénétrable. Tous les neuf ans, il forçait ses ennemis, les Athéniens, à lui envoyer quatorze jeunes gens dans un bateau à voiles noires, pour nourrir la bête.

Thésée, prince athénien, se porta un jour volontaire pour ce sacrifice. En réalité, il comptait abattre le monstre.

La fille de Minos, Ariane, tomba amoureuse de lui. Elle fit le vœu de l'aider en lui fournissant une pelote de fil grâce à laquelle il trouverait son chemin dans le dédale.

Thésée parvint à abattre le Minotaure puis, grâce au fil, à sortir du labyrinthe.

Une simple ficelle lui avait sauvé la vie. Je pourrais agir comme Ariane. Si seulement je parvenais à reprendre la main de Jack… et à lui donner une pelote dont il se servirait pour se sauver.

En serrant sa main dans la mienne, je pourrais le tirer d'affaire.

J'en revins à l'histoire du Minotaure. La fête qui suivit la mort du monstre fut de courte durée. Thésée abandonna Ariane. Et son père, persuadé qu'il était mort, se suicida.

Satanés mythes.

IO

MAINTENANT
La Surface. Ma chambre.

   Ce soir, dans mon rêve, j'attends longtemps, seule dans mon lit. À côté de moi se trouve un espace vide, habituellement occupé par Jack. Je ne bouge pas. Je ne veux pas briser l'atmosphère ni troubler le silence, car cela pourrait l'empêcher de revenir vers moi.

   J'ignore combien de minutes passent, combien de temps je reste seule. Enfin, Jack apparaît près de moi. Ses yeux sont à peine ouverts.

   – Becks, murmure-t-il. Tu es là ?

   – Chut…, dis-je en serrant l'air où je vois sa main. Je suis là. Ne gaspille pas ton énergie.

   Il s'efforce de soulever les paupières ; cela me rappelle les songes que je fais quand je suis trop fatiguée pour garder les yeux ouverts, même en rêve.

   Son effort l'affaiblit, et il referme les yeux.

   – Je n'y vois rien. Dis-moi que tu es là.

   – Je suis là. Je ne vais nulle part.

   – Je crois que si je pouvais te toucher, je pourrais revenir.

   – Touche-moi donc, alors, dis-je en tendant la main.

   Au lieu de la prendre, il se penche vers moi pour m'embrasser. Je l'imite, comme un miroir, espérant toujours, au-delà du raisonnable, que nos lèvres parviendront à se toucher. Mais, au moment même où nous entrerions en contact dans le réel, le matin arrive. Je me réveille.

Le temps passe trop vite.

PLUS TARD LE MÊME MATIN.
La Surface. Le Java Hut.

C'était à peine si Jack avait paru, cette nuit-là. À peine ! Je savais que les rêves le maintenaient en vie, mais seulement s'il était vraiment présent. Si je le perdais, alors même que j'avais passé des nuits entières à rêver de lui, n'allait-il pas disparaître encore plus vite si nous nous frôlions à peine une minute ?

La serveuse du Java Hut remarqua mon agitation et s'approcha pour verser du café dans ma tasse vide. Comme si la caféine pouvait améliorer la situation. Pourtant je ne la freinai pas. Ce jour-là, il n'y avait pas foule, probablement parce que la température battait des records, et parce que le Java Hut ne servait pas de boissons glacées. Et qu'il n'était pas climatisé.

Je consultai ma montre. Si Will tardait encore, je tomberais dans le coma pour excès de caféine. C'était absurde, je le savais, mais dans ma vie, rien ne tenait debout. Et la nuit précédente… Jack et moi avions partagé quelques instants seulement, sans qu'il parvienne à me voir. Il m'était impossible de le maintenir en vie, compte tenu du délai. Impossible. Les larmes me montèrent aux yeux et roulèrent sur mes joues.

J'étais en train de le perdre. Chaque seconde l'éloignait de moi.

Une douleur sur la peau du crâne me ramena au présent. À force de m'entortiller les mèches, je finirais chauve. J'avalai mon café, les yeux fermés pour mieux en percevoir le parfum. Avec Jack, on se demandait souvent si l'équipe du Java Hut y ajoutait une substance mystérieuse, pour qu'il sente si bon. Dès le premier effluve, on voulait en boire.

Je posai ma tasse, plaquée contre le dossier du banc, et j'attendis. La porte d'entrée grinça tandis que Will entrait, ses lunettes noires au bout du nez. Elles ne suffisaient pas à cacher ses yeux rouges.

– Comment ça s'est passé, avec Cole ? marmonna-t-il en se glissant sur le siège qui me faisait face.

Alors que nous étions à l'intérieur, il n'avait pas ôté ses lunettes. Je tendis la main pour les retirer, jusqu'à ce que paraissent ses yeux injectés de sang. Il se redressa et remonta les branches sur ses oreilles.

– Will...

– Tu ne peux rien me reprocher, compte tenu de la situation.

Je serrai les lèvres, craignant que ma visite impulsive en Enfernité ne soit à l'origine de sa rechute.

– Pourtant... Tu tenais bien.

– Arrête, Becks. Traitons les choses dans l'ordre. Un : tu vas en Enfernité pour sauver mon frère. Deux : tu t'arranges pour ne pas mourir. Trois : tu milites pour le respect de la diversité ethnique parmi les responsables de l'État. Quatre : là, tu pourras peut-être la ramener sur mes abus d'alcool.

Je fronçai les sourcils tandis qu'il se penchait vers moi.

– Merci de te faire du souci pour moi. Seulement on n'a pas le temps. Raconte-moi ta discussion avec Cole.

J'inspirai profondément, me demandant comment résumer cette rencontre alors que c'était tout simple.

– Il a dit qu'il ne m'accompagnerait pas. Et je ne sais pas quoi faire.

En guise de réponse, Will resta muet. Il était difficile de deviner son expression, à cause de ses lunettes. Je les lui retirai d'un geste délicat, et cette fois, il me laissa faire. Il plia les bras pour s'accouder sur la table.

– Il n'y a donc aucun moyen d'agir sans Cole.

Je secouai la tête.

– Sauf si tu me trouves un autre Enfernaute, que je charmerai au point de le convaincre de m'aider à sauver mon petit ami. Non, Cole est le seul que j'aie un tant soit peu influencé, même si cela n'était pas aussi puissant que je le croyais.

– Ne sous-estime pas ton pouvoir sur lui. Pendant six mois, il a voulu te convaincre qu'il était amoureux de toi. Ce n'était quand même pas un mensonge.

– Je n'en suis pas si sûre. Il m'a déjà plaquée deux fois.

La serveuse posa une tasse de café devant Will.

– Réfléchissons, reprit-il. Quelles sont tes armes ? Que désire-t-il par-dessus tout ?

Je restai silencieuse, même si je savais parfaitement ce que Cole désirait. Jack m'avait posé cette question des mois plus tôt. Will aussi le savait, avant même de m'interroger. Cela n'avait jamais été plus vrai.

– Moi, dis-je enfin. Cole veut que je devienne une Enfernaute pour renverser la reine. Mais qu'est-ce que je dois faire ? Lui promettre que je serai sa souveraine, à condition que Jack soit sauvé ?

Will secoua la tête.

– Vous ne pouvez pas passer votre vie à vous sacrifier l'un pour l'autre. Tu sais ce qu'il ressentirait s'il apprenait que tu t'es sacrifiée pour le sauver.

Je baissai le nez vers le cercle que ma tasse avait laissé sur la table. Je savais exactement ce que cela donnerait. Je le ressentais déjà. Cela ne résoudrait rien.

Will se pencha.

– Et si on rangeait la carotte pour sortir le bâton ?

– Hein ?

– Au lieu de lui promettre une récompense – toi – pour l'inciter à bouger, on pourrait le forcer un peu. Le menacer, d'une certaine façon.

– Comment ça ? Il a caché son médiator magique. Nous ne le trouverons jamais. D'ailleurs, nous ne savons même pas si briser le médiator reviendrait à détruire Cole. Qu'est-ce qu'il nous reste ?

Will baissa le nez, penaud.

– Menaçons-le de le priver, pour toujours, de ce qu'il désire plus que tout. (Il se redressa.) Malgré tout ce qui s'est passé, tu restes sa meilleure chance d'accéder au trône. Rien ne nous oblige à te livrer à lui. Il faut juste le convaincre que tu iras en Enfernité, quoi qu'il advienne. S'il se dit que tu es sur le point de disparaître définitivement, il te suivra.

Je songeai à la soirée précédente, au club, et à la manière dont Cole m'avait jetée dehors.

– Je ne pense pas que cela suffirait.

– C'est ce qui s'est passé, avant-hier.

– Il ne savait pas ce que j'avais en tête. Si j'y retournais maintenant, alors que je suis avertie du risque… je crois qu'il dirait « bon débarras ! ».

– Becks, depuis quand cherche-t-il une personne capable de survivre au Festin ?

Je haussai les épaules et répondis :

— Selon lui, des milliers d'années. Mais il ne faut pas prendre l'expression au pied de la lettre.

— En attendant, il t'a enfin rencontrée. Tu t'imagines vraiment qu'il va te laisser disparaître ? S'asseoir pour regarder s'évaporer sa seule chance d'accéder au trône ? (Il secoua la tête.) Impensable. Si on le persuade que tu iras en Enfernité dès ce soir... avec ou sans lui... il cédera.

Je réfléchis.

— Je n'ai rien sous la main, ni cheveux ni ongles.

— Il ne le sait pas. Tu es allée dans sa loge, non ?

— Oui.

— Si tu lui racontais que tu en es repartie avec un cheveu à lui, ce serait crédible ?

Nous nous adossâmes, le temps de réfléchir. Au plafond, les ventilateurs produisaient à peine de quoi nous empêcher de transpirer. En musique de fond, on entendait de l'ukulélé.

Et nous, nous imaginions un moyen de duper un Enfernaute.

— Il m'a assuré qu'il ne me sauverait plus.

— Vérifions s'il parlait sérieusement.

Je m'approchai de Will, rivée sur ses yeux injectés de sang.

— Comment fais-tu pour avoir les idées aussi claires ?

Ses lèvres tremblèrent.

— Je ne suis pas un génie. Mais j'ai réfléchi, cette nuit. Avant de me mettre à boire.

— D'accord.

— D'accord quoi ?

— D'accord, je vais le faire.

Il fronça les sourcils, comme si mon consentement l'incitait à se demander où nous allions. Mais tout ce qu'il ajouta, ce fut :

– D'accord.

L'heure du déjeuner fit venir une foule de clients, surtout des gens du coin qui aimaient le bon café. Will et moi avions passé la matinée devant notre table à discuter.

Nous décidâmes qu'appeler Cole serait le meilleur moyen de démarrer la machine.

– Combien de temps tu lui laisses ? demanda Will.

Mon dernier rêve me revint. Mes yeux croisèrent les siens.

– Six heures de répit.

– Hein ?

– Tu as dit que c'était pour ce soir. Je vais lui accorder six heures de répit. (Je consultai mon téléphone.) Jusqu'à ce soir, à dix-neuf heures.

– Quand je disais ça, c'était juste un exemple. Cela ne te laisse pas beaucoup de temps.

– Pour faire quoi ?

Il me dévisagea comme si l'évidence m'échappait.

– Trouver ce que tu vas dire à ta famille. Te… te préparer.

– Jack est sur la mauvaise pente. Je n'ai pas une minute à perdre. Je le sens. J'ai révisé mes maths. Un jour à la Surface égale six mois en Enfernité.

– Cette règle était valable pendant le Festin. Tu m'as dit toi-même que le temps passait moins vite à ce moment-là.

– N'empêche… Si j'attends un jour de plus, cela vaudra des mois pour lui. Ou au moins des semaines. Et il n'y survivra pas. Imagine qu'un seul jour de plus l'achève ?

Ma voix commença à trembler. Incapable de regarder Will dans les yeux, je me tournai vers la fenêtre.

Il passa sa main autour de la mienne. Une autre larme roula sur ma joue. Will l'essuya avec son pouce.

– Il faut agir ce soir, conclus-je. Les heures filent vite en Enfernité. Si tout va bien, je reviendrai avant que mon père ne remarque ma disparition.

Il me serra la main plus fort.

– Six heures, Becks. On va lui donner six heures. Le reste, je m'en occuperai.

J'opinai et pris une serviette de table en reniflant.

Il patienta un moment sans rien dire, tapotant sur les touches de son portable pour composer le numéro de Cole, attendant que je me reprenne. Enfin, au moment d'appuyer sur le dernier chiffre, il vérifia :

– Tu es prête ?

Je fis signe que oui. Il me tendit l'appareil. Cole répondit à la deuxième sonnerie.

– Allô ?

– Cole, c'est Nikki.

Silence.

– Nik, dit-il.

– ...

– ...

Je levai la tête vers Will, en quête d'encouragement.

– Écoute bien parce que je ne le répéterai pas. Je retourne en Enfernité. Je m'en vais à dix-neuf heures.

– J'en doute fort, Nik, pouffa-t-il.

Je l'ignorai.

– J'arriverai au Shop'n Go à dix-neuf heures. Et puis je partirai.

Il toussa de rire dans l'appareil.

– Et comment comptes-tu t'y rendre ?

– J'ai des cheveux à toi.

À l'autre bout du fil, Cole resta muet. Je croisai le regard de Will, qui hocha la tête pour m'encourager.

– Trois, pour être précise, penchée sur ma paume comme si les cheveux s'y trouvaient.

– Comment as-tu… ?

– À ton avis, pourquoi je suis entrée dans ta loge, hier soir ? demandai-je d'un ton plus ferme. Il y a des cheveux à tout le monde, là-dedans. C'était presque trop facile…

Il reprit alors :

– Puisque tu es si décidée, pourquoi prends-tu la peine de m'en parler ?

Je consultai Will, qui agita la main en boucle pour que je continue.

– Je te donne une dernière chance de m'accompagner. Tu sais bien que sans toi, je cours plus de risques. (Je repris mon souffle.) Voilà, c'est tout. Tu as six heures devant toi, sinon tu ne me reverras jamais.

– Nik…

Sa voix était traînante, mais je refermai l'appareil sans prendre le temps de l'écouter et je le rendis à Will.

– Tu crois qu'il est tombé dans le panneau ? demanda-t-il.

– Aucun doute. En revanche, je ne suis pas certaine qu'il viendra.

Je laissai Will au Java Hut pour aller me préparer, même si je ne savais pas ce que « me préparer » supposait. Qu'emporte-t-on en Enfernité ?

Quand j'arrivai chez moi, mon père était dans son bureau, la porte ouverte.

– Nikki ! Viens ici, s'il te plaît.

À l'entendre, il ne semblait pas content. Je ne voyais pas ce que j'avais pu commettre pour le fâcher ainsi.

Je m'arrêtai à l'entrée de la pièce.

– Quoi, Papa ?

Il consulta sa montre.

– Tu n'as rien oublié, aujourd'hui ?

Je me creusai la tête. Nous étions mercredi, n'est-ce pas ? Treize heures trente, à peu près. Curieusement, mon père était à la maison. Soudain, je me souvins.

– Flûte. Le Dr Hill.

– Oui. Elle m'a téléphoné au bureau pour vérifier que tu allais bien, parce que tu ne t'es pas présentée au rendez-vous. Je suis revenu en vitesse, pour m'apercevoir que tu n'étais pas là.

Je soupirai.

– Je suis désolée. Ce matin, j'ai rencontré un copain et du coup, je n'ai pas vu le temps passer.

– Et tu n'avais pas emporté ton téléphone ?

Je retins mon souffle un instant, pour fouiller mon sac. Mon portable était au fond, complètement déchargé. La veille, j'étais sortie tard, et j'étais repartie de bonne heure le matin sans le brancher.

– Excuse-moi. Il n'y a plus de batterie.

J'agitai l'appareil devant lui pour qu'il constate que je disais la vérité. Mon père s'accouda sur la table et serra les doigts.

– J'ai reporté ton rendez-vous. Demain, même heure.

Le lendemain. Moi qui espérais partir avec Cole le soir même…

– Je ne suis pas sûre que ça puisse marcher…

Je me tus dès que je vis son visage. Il était décomposé. En miettes. En un instant, le maire puissant était devenu un vieux monsieur fatigué.

– Nikki, dit-il doucement. Je t'en prie.

Il ne m'ordonnait rien. Il m'implorait.

– Je ne veux pas te reperdre. Tu sais ce que j'ai enduré, la dernière fois ? Après la disparition de ta mère… te voir disparaître aussi ? Est-ce que tu peux imaginer ?

Je regardai son bureau, les yeux brûlants.

– Je le sais, j'ai commis des erreurs, reprit-il, mais je ne veux pas en repasser par là. Je n'en suis plus capable.

Je ne sus pas quoi dire. Il ne me vint aucune expression de consolation. Aucune promesse qui m'aurait donné bonne conscience. Pendant une seconde, je doutai de mes choix. Comment pouvais-je l'abandonner une fois encore ? Le soumettre à une telle épreuve ?

Heureusement, le temps passait lentement à la Surface. Je rentrerais avant même qu'il ne comprenne.

Sauf si j'échouais.

Existait-il une bonne solution ? Ben voyons… Je n'avais pas vu de bonne solution depuis mon premier départ en Enfernité.

Je contournai son bureau, le pris dans mes bras et l'embrassai sur le front. Puis je lui fis une autre promesse, que je n'étais pas sûre de tenir.

– Je sais que ça n'a pas été facile. Et que ce n'est pas encore terminé. Mais, je te le jure, on s'en sortira.

Il ne répondit pas. Il hocha simplement la tête.

J'allai dans ma chambre. Et j'attendis.

II

MAINTENANT
La Surface. Le Shop'n Go.

À six heures cinquante-six, je passai la porte du Shop'n Go, le cœur battant à tout rompre. Je fis un petite geste à l'intention d'Ezra, au comptoir.

– Ne t'embête pas à l'appeler, lui dis-je. Il sait déjà que je suis là.

Oui, Cole savait où j'étais, mais allait-il venir, lui ? Je rejoignis le fond du magasin, frôlant deux autres clients. Du genre de ceux qui ne voyaient jamais ce qui se passait à deux pas. Je m'assis par terre. Ezra avait déplacé les articles. Des beignets saupoudrés de sucre glace étaient maintenant alignés sur le dernier rayon, à la place des raisins secs chocolatés.

Malgré moi, je revis le jour où Jack m'avait surprise au même endroit, quelques mois plus tôt.

Tu n'aimes pas les raisins secs, m'avait-il dit.

Je les trouve moins mauvais maintenant, avais-je répondu.

– Mais je ne change pas, Jack, murmurai-je alors. Je ne changerai jamais.

Un coup à la fenêtre me tira de ces souvenirs. Will, de l'autre côté, m'expliqua par signes qu'il m'attendrait derrière le magasin.

Je lui souris avec un mouvement de tête, puis je regardai ma montre. Dix-huit heures cinquante-neuf.

Pas de signe de Cole.

Je sortis de ma poche la mèche de cheveux blonds. Will la devait au nouveau barman de chez Mulligan, dans la rue principale. Dans mes connaissances, presque personne n'avait les cheveux blonds, à l'exception de Julia, et je ne m'imaginais pas lui demander, l'air de rien, qu'elle m'en donne une mèche. Jimmy le barman en avait donc fourni une certaine quantité à Will, et même lui avait dû trouver cette demande étonnante.

Je consultai mon téléphone. C'était le moment. Et toujours pas de Cole. Mon cœur ne battait plus si fort. Je secouai la tête. J'avais peut-être tort de croire que je comptais pour lui. Il s'était peut-être lassé au point d'abandonner l'idée d'avoir trouvé sa reine.

Je levai vers mes lèvres la pincée de cheveux, m'efforçant d'oublier que j'allais avaler la mèche d'un barman nommé Jimmy. Will et moi avions décidé que je devais en passer par là, au cas où Cole, caché quelque part, m'aurait regardée procéder.

S'il découvrait ma comédie, je perdrais certainement ma dernière chance de le convaincre. De toute façon, je les avais déjà toutes perdues.

Les cheveux étaient légers, à peu près de la même longueur que ceux de Cole. Ils auraient pu être à lui. J'en vins à me demander, l'espace d'un instant, si j'aurais agi ainsi avec une de ses mèches.

– C'est parti, dis-je tout bas.

Alors que j'ouvrais la bouche, une main me saisit violemment le poignet.

Je me retournai, comptant voir Cole. Ce n'était pas lui. C'était Max. Les doigts serrés, il tira les cheveux entre mes doigts, les porta devant ses yeux et les examina.

– Ça ne vient pas de Cole.

Sous les tubes fluorescents, ses mèches à lui paraissaient noires, et ses yeux, plus noirs encore.

– Comment tu le sais ?

Il secoua la main, ignorant ma question. Grand et maigre, il se tourna vers la fenêtre, fit un geste et m'observa sans un mot, ses manches en cuir croisées sur la poitrine. Autour de sa bouche, ses muscles tendus lui donnaient un air sévère et détaché à la fois. Comme un garde du corps.

Je regardai dehors mais je ne vis rien.

– Quoi, tu as prévenu les autorités, c'est ça ? marmonnai-je. Pour consommation illégale de cheveux au magasin Shop'n Go ?

Peu impressionné, il resta muet. Les portes de la boutique s'ouvrirent et se refermèrent, et un instant plus tard, Cole nous rejoignit.

– Paye, lui ordonna Max, la main tendue.

Avec un soupir, Cole tira de sa poche un billet de dix dollars. Max l'enroula et fila vers la sortie, me laissant seule avec Cole.

– C'était quoi, ça ? demandai-je.

– Ah, Nik.

Il passa les doigts entre ses mèches blondes. Mes yeux suivirent sa main pour voir si un cheveu y était resté plaqué.

– À cause de toi, je perds tous mes paris. Tu vois, Max était persuadé que tu bluffais. Que tu mentais. Et moi, comme toujours, je me suis laissé aveugler par l'estime que je te porte. Je ne t'aurais pas crue capable de monter un plan pareil.

– Avec Jack, j'ai joué au poker toutes les semaines pendant des années. Ça m'a appris à mentir.

– Un talent remarquable, ma foi.

Malgré moi, mes yeux montèrent vers sa tête. Peut-être que si je...

– N'y pense même pas, Nik !

– À quoi ?

Il secoua la tête avec un petit sourire.

– Tu le sais très bien. Tu me regardes comme une accro en manque. Ça suffit. (Il s'approcha d'un pas.) Écoute. Tu m'as fait marcher, admettons, mais je te connais assez pour deviner que tu n'arrêteras pas avant d'avoir un de mes cheveux entre les mains. Et, face au risque de mourir scalpé, je cède.

Ses mots n'étaient pas arrivés jusqu'à mon cerveau.

– Quoi, tu cèdes ?

Il roula les yeux avant d'articuler :

– Je t'accompagne.

– Tu m'accompagnes ? m'étonnai-je.

– Oui. Mais ce n'est pas parce que je tiens à toi, ni par amour ou par amitié. C'est juste parce que je tiens à ma chevelure.

Je ne savais pas quoi répondre.

– Tu vas venir avec moi ?

Il me regarda de travers.

– Bon sang... Ta cervelle a dix secondes de retard, on dirait. Contente-toi de faire ce que tu dois faire, et ensuite on se retrouvera chez moi. Il faut qu'on se prépare.

– Comment ça ?

– Écoute, l'Enfernité n'est pas un lieu de promenade. Si tu débarques au mauvais endroit, si tu te trompes de chemin, tu meurs. Et si tu meurs, tous mes efforts seront réduits à néant.

L'air se chargea soudain d'un silence peu rassurant, jusqu'à ce que Cole claque des mains bien fort.

– C'est bon. À plus tard !

– Qu'est-ce que je prends ?

Ses lèvres remontèrent.

– Voyage léger. Tu ne peux pas emporter grand-chose. Tu as surtout besoin d'un souvenir de Jack.

– Un souvenir ?

Il redevint sérieux.

– Oui. Un souvenir. Nik, en Enfernité, on voit surgir des choses effrayantes, c'est dur de s'y déplacer, mais là, notre plus gros boulet, ce sera toi. (Il me tapota le front, du bout de l'index.) Plus précisément, ta mémoire. Trouve un objet qui te rappelle Jack.

– Quel genre ?

– Vous étiez comme des tourtereaux, tous les deux. Il ne t'a jamais offert, je ne sais pas… un pendentif en forme de cœur ?

– Non.

– Un ours en peluche ? Avec un tee-shirt qui dit « Pour toi, mon doudou ? »

Je roulai des yeux.

– Non ! Ce n'était pas son genre.

– Peu importe. Contente-toi de dénicher un objet qui te fasse penser à Jack et à personne d'autre, et apporte-le.

Il se détourna.

– Alors tu viens avec moi…, répétai-je.

Il s'arrêta un instant, secoua la tête, exaspéré, et repartit vers la sortie du magasin. Max le rejoignit et le suivit de près, non sans m'avoir adressé un regard écœuré, et ils franchirent la porte.

J'entendis deux motos démarrer et s'éloigner. Will arriva en courant.

– Qu'est-ce qui s'est passé ? Il a dit non ?

Il me dévisagea tandis que je le laissais sans réponse.

– Becks, ça va ?

Je secouai la tête.

– Ça ne va pas ?

– Non. Je veux dire si, ça va. Mais non, il n'a pas refusé.

Je passai mes bras autour de lui.

– Je vais aller chercher Jack.

Je savais ce qu'il me fallait. Un objet assez petit pour être emporté. Un objet qui me ferait instantanément penser à Jack, dès le premier regard. Un objet agréable à sentir, que je pourrais plaquer sur ma paume et reconnaître sans même le voir.

Le simple fait de le toucher me reliait à Jack. Je le gardais toujours près de moi, à portée de main. Même après mon retour à la Surface, alors que tout avait changé entre nous, cet objet-là m'avait servi de lien avec la vie que j'avais abandonnée. Ma vie d'avant. C'était un message. Un message de Jack.

À toi pour toujours.

Il me l'avait donné après le bal de Noël, un an plus tôt. Même si l'Enfernité me vidait le cerveau, rien ne pourrait effacer ce qu'exprimaient ces quelques mots, les mêmes que son tatouage. J'en étais certaine.

Je décidai de ne revoir ni mon père ni mon frère. Je ne rédigeai aucun message. Si je n'étais pas de retour le lendemain matin, cela voudrait dire que j'avais passé des semaines en Enfernité. Et que je n'en reviendrais probablement pas.

Will m'emmena chez Cole. Arrivés devant l'appartement, nous restâmes silencieux une ou deux minutes, jusqu'à ce que Will me prenne la main. Pour la serrer bien fort.

– Je veux y aller avec toi, annonça-t-il.

– Pas question.

– Je pourrais t'aider.

Il m'implorait du regard. Je n'arrivais pas à croire qu'il était en train de lancer ce sujet-là, à ce moment-là.

– Will. Tu ne peux pas venir, tu le sais bien.

– Pourquoi pas ?

Je le considérai un instant. Oui, il le savait. Mais il avait probablement besoin de m'entendre dire que c'était impossible. Je dressai la liste des arguments.

– Un : je doute que Cole soit d'accord pour t'emmener. Deux : ta mère a besoin de toi, et je compte sur toi pour assurer ici, en mon absence. Trois, il est hors de question que je sois responsable de la disparition des deux frères Caputo.

Il grimaça et porta ma main à ses lèvres.

– Tu as raison, je le sais, soupira-t-il. Je veux que mon frère revienne. Mais je ne sais pas si c'est la bonne méthode.

– C'est la seule.

– Tu mises sur Cole. Alors qu'il a tout fait pour t'éloigner de Jack.

– Ce qui me rassure sur les intentions de Cole, c'est que Max m'ait mis des bâtons dans les roues. Si Cole avait de mauvaises intentions, Max serait de son côté. Il ne le freinerait pas.

Will regarda au loin, désarmé. J'ouvris ma portière.

– À bientôt. Ce soir, peut-être.

Il hocha la tête.

– Veille sur ma famille, conclus-je.

Je n'étais pas encore en haut du perron quand Will redémarra. Je glissai la main dans ma poche pour serrer, du bout des doigts, le mot de Jack. Je me sentais déjà plus proche de lui.

12

MAINTENANT
La Surface. Chez Cole.

Cole ouvrit la porte d'un coup et me fit signe d'entrer. Un claquement m'incita à me tourner vers le salon, où Max, étalé sur le canapé, jouait avec un briquet en argent.

– Qu'est-ce qu'il fait là, lui ?

– Il vient avec nous.

Devant mon expression, Cole ajouta :

– Plus précisément, il vient pour m'empêcher de déraper. Quand il est question d'agir pour toi, j'ai une fâcheuse tendance à prendre des décisions d'une bêtise abyssale ; or en Enfernité, il ne faut surtout pas faire de bêtises. D'ailleurs, à nous deux, on cachera mieux ton énergie que si j'étais seul.

Je fis oui d'un petit geste. Je n'allais pas chicaner sur les détails, même si j'étais à peu près certaine que Max ferait tout pour m'empêcher de perturber Cole une fois de plus.

Cole retira de son épaule la sangle de sa guitare et posa délicatement l'instrument dans sa caisse, au coin de la pièce.

– Tu vas me manquer, lui dit-il tendrement, avec un demi-sourire.

– Tu ne l'emportes pas ?

Je ne l'avais presque jamais vu voyager sans. Max et Cole me regardèrent d'un œil perplexe.

– Non, répondit Cole. Je n'ai pas envie de mourir.

– Qu'est-ce que tu veux dire ? interrogeai-je, inquiète.

– La musique. C'est interdit là-bas. Du genre interdit-sous-peine-de-mort.

– Pourquoi ?

Max fit claquer son briquet.

– Parce que c'est un puissant moyen de manipuler les émotions, que les Ombres ne contrôlent pas.

– Et elles détestent tout ce qu'elles ne contrôlent pas.

Cole ferma la caisse et se redressa.

– À propos de choses incontrôlables, tu as apporté un souvenir ?

Je lui montrai le papier.

– Oui, même si je crois que je n'en aurai pas besoin.

– C'est parce que tu es à la Surface. Tu as encore les idées claires.

Je soupirai et remis le papier dans ma poche.

– Quand on arrivera là-bas… Comment ferons-nous pour éviter d'être pris ?

Cole s'assombrit et passa la main sur ses cheveux.

– L'autre jour, tu as atterri au cœur de la plus grande ville de l'Enfernité. Cette fois-ci, je t'emmène dans une campagne perdue.

Je dus paraître confuse car il bondit vers la cuisine, d'où il revint avec un carré de papier et un stylo. D'un geste, il débarrassa la table basse, expédiant sur le tapis livres, partitions et tasse à café. Il posa alors le papier.

– Regarde bien.

Il traça un grand cercle, puis un autre, plus petit, à l'intérieur du premier, et recommença ainsi pour obtenir cinq cercles concentriques autour d'un point, au milieu de la feuille.

– L'Enfernité est constituée de cercles élémentaires. Le cercle extérieur (il posa la pointe du stylo sur le plus grand) est le Cercle de la Terre. Les cinq zones communes, les villes, si tu veux, sont réparties régulièrement alentour.

Il traça des cercles plus petits, tout autour du Cercle de la Terre.

– Quand tu es partie avec une de mes mèches, tu as atterri dans l'une de ces Communes. (Il pointa l'un des petits cercles.) Son nom est Ouros. Ça veut dire « montagne » : l'entrée, au Shop'n Go, se trouve en montagne. Chaque Commune a plusieurs entrées, ou « rivières », comme le disent vos livres de mythologie.

J'avais lu l'histoire d'une de ces rivières : le Styx. Le nom des autres m'échappait, mais si chaque Commune avait plus d'une entrée, cela en faisait beaucoup. Plus qu'il n'y en avait dans les recueils de mythes.

Cole fit glisser son doigt vers le deuxième cercle.

– Celui-ci, c'est le Cercle de l'Eau, et ensuite, il y a le Cercle du Vent et le Cercle du Feu. Aucune ville ne s'y trouve.

Je montrai le petit rond, au milieu du croquis.

– Et ici, qu'y a-t-il ?

Il détacha son regard de la carte.

– Deux choses. Les grottes du Festin et la Haute Cour, résidence de la reine.

J'étais allée dans les grottes. Je n'avais pas compris qu'elles étaient si proches de la Haute Cour.

– Qui loge à la Haute Cour, plus précisément ?

– La reine, son compagnon et tous ceux qu'elle fait venir.

Avec le stylo, il traça une croix sur ce dernier cercle.

– On n'a pas intérêt à y aller.

– Pourquoi ?

– Outre le fait que les Ombres et la reine y habitent ? Eh bien, les trois cercles qui séparent la Haute Cour des Communes – l'Eau, le Vent et le Feu – présentent un danger mortel. Ils constituent le système de défense de la reine, pour tenir les Enfernautes à distance.

– Mais alors, où sont les Tunnels ?

Il grimaça.

– Bonne question. Ils sont cachés, pour que personne n'y mette les pieds. Seules les Ombres savent où les trouver. Je viens de passer quelques semaines à interroger de vieux Enfernautes susceptibles d'en savoir plus. Selon l'un d'eux, les Tunnels seraient cachés dans le vide.

Il posa l'index sur l'espace qui entourait le plus grand cercle.

– Nous misons sur cette théorie. Le vide rassemble toutes les zones instables, où se trouve l'énergie informe. Donc, il est relativement inhabité. Cela m'incite à croire que les Tunnels y sont dissimulés. Mon plan consiste à déboucher dans le cercle extérieur, entre deux Communes (il mit le doigt au milieu, entre Ouros et la Commune voisine), puis de voir où ta longe nous mènera.

– Ma longe ?

Il se dressa et pointa son index sur mon cœur.

– Tu es en relation avec lui, par un lien puissant. C'est même ça qui le maintient en vie. Et quand on sera là-bas, cette force nous indiquera la bonne direction.

Pour une raison mystérieuse, cela me fit penser au fil qu'Ariane avait donné à Thésée pour lui permettre de re-trouver son chemin dans le labyrinthe. J'inspirai profondément deux ou trois fois, me demandant si ma connexion avec Jack prendrait une forme si matérielle.

– Tu en es sûr ?

– Oui. (Il retira son doigt.) Du moins, c'est ce que mes recherches m'ont appris. J'espère que c'est vrai. Sinon, on finira par se perdre, les Ombres te pourchasseront et nous mourrons empalés.

Je plissai les yeux.

Il m'adressa un regard innocent, comme s'il n'avait pas prononcé le mot « empalés ».

– Ne t'en fais pas. Je ne crois pas qu'on en arrivera là. Tu es prête ?

Quand il s'approcha, je tressaillis. Je m'étais trop bien entraînée à me protéger de lui. Ses lèvres tremblèrent.

– Bon, Nikki, si tu veux qu'on y aille, il va falloir que je te touche.

– Je sais. Désolée. C'était un réflexe.

– Je vais essayer de ne pas me vexer.

Il fit encore un pas en avant pour me prendre la main. Il ne put retenir un petit sourire narquois.

– Ta main est moite.

– Pas du tout.

C'était pourtant vrai, et je savais pourquoi. J'étais obligée de faire confiance à celui dont je me méfiais le plus. Je n'avais pas le choix.

Il me serra les doigts.

– Prête ?

Max se leva pour nous rejoindre et nous suivre.

Je fermai les yeux un instant.

– Cole ?

– Oui ?

– Est-ce réellement… (je désignai mes pieds) … en dessous ?

Un léger sourire fit remonter ses lèvres.

– Pas plus que l'enfer. Mais pour arriver là-bas, nous devons…

Il acheva d'un mouvement de tête vers le sol.

– Tu es prête ?

– Prête.

J'arrive, Jack.

Les murs se mirent à tournoyer sous mes yeux et, avant que tout vire au noir, Cole reprit :

– L'arrivée sera peut-être un peu plus rude que la dernière fois car nous visons une zone située hors des Communes.

Une fois de plus, j'étais dans l'essoreuse mais, pour le coup, la main de Cole me retenait.

L'atterrissage fut violent. Je me retrouvai la tête en bas et, tandis que je luttais pour respirer, j'inhalai la matière qui m'entourait, suffoquant aussitôt. En toussant, je vis de la sciure me tomber sur la main. Cole était près de moi, à bout de souffle.

– Ça va, Nik ?

Je hochai la tête. Il m'aida à m'asseoir et je jetai un premier regard sur les environs. J'en restai bouche bée.

Nous étions sur de la terre ferme – une terre couverte de poudre brune qui s'étirait à perte de vue, dans toutes les directions. Les lieux étaient d'un blanc aveuglant, comme une photo surexposée. Je fis un tour complet, et la perspective ne changea pas. Au-dessus, le ciel était bleu, sans la moindre source de lumière, pourtant. Pas de soleil. Au loin, l'air miroitait comme si le sol émettait assez de chaleur pour déformer l'image.

Max se leva, frotta ses vêtements et tira de sa poche un petit objet métallique, qu'il posa à plat dans sa main.

– Apparemment, Ouros est par là…

Il montrait le lointain derrière moi, et je me tournai pour observer l'horizon. À présent que je visais un point précis, je distinguai une fine ligne grise. S'agissait-il du mur limitrophe de la Commune ?

– … logiquement, Limnéo est par ici.

Maxwell montra la direction opposée.

– Limnéo ? demandai-je.

Max m'ignora mais Cole répondit :

– C'est une autre Commune. Son nom vient du mot grec qui signifie *étang*.

Max se repencha sur l'objet qu'il tenait.

– Nous sommes entre Ouros et Limnéo. Donc, le vide est dans cette direction.

Faisant face à Limnéo, il montra la gauche.

– Et la Haute Cour, ainsi que les trois autres cercles, sont par là.

Il leva le menton vers la droite.

J'examinai l'horizon. Tout ce que je voyais, c'étaient les lignes grises qui débouchaient sur Ouros et Limnéo. L'Enfernité était-elle donc si vaste ? Au point qu'il était impossible de repérer le périmètre du cercle voisin ?

J'allais interroger Cole quand il reprit la parole.

– Il nous faut la longe de Nikki pour choisir la bonne direction.

J'avais oublié cette histoire de longe. Je baissai le regard vers ma poitrine, connectée à Jack, selon Cole.

– Je devrais donc voir quelque chose ? demandai-je.

– Nous devons l'extraire. Pour l'heure, cette énergie t'échappe par fuites momentanées, généralement quand on s'y attend le moins, comme ton cœur l'a fait le jour où tu étais à Ouros. Tu dois apprendre à la contrôler en te concentrant sur ta connexion avec Jack. À ce moment-là, une longe se formera entre toi et lui. Une sorte de harnais, ou de boussole si tu préfères.

– Comment donc ?

Il posa ses mains sur mes épaules et m'invita à m'asseoir par terre.

– Ferme les yeux. (J'obéis.) Maintenant, fais remonter un souvenir de Jack.

Je battis des cils, le cœur affolé.

– Un souvenir ?

C'était un terrain dangereux. Sachant que j'avais du mal à parler de lui avec mon père ou Julia, ce serait pratiquement impossible devant Cole.

– Il faut que je te dise… J'ai construit une digue…

D'un geste, je dessinai un cercle devant ma poitrine, comme si cela pouvait éclairer Cole. Il haussa un sourcil.

– Un rempart ?

– Oui, un rempart…

Je n'osai pas ajouter « autour de mon cœur » car l'expression me semblait ridicule. Comment expliquer que, depuis un certain temps, je me tenais derrière une digue car c'était mon seul moyen de rester entière ? Pourtant, la question n'était pas là. Nous étions là pour Jack.

– Rien, rien…

Le coin de sa bouche trembla.

– Non, je veux savoir ce que c'est.

– Laisse tomber.

Je refermai les yeux.

– À quoi dois-je penser ?

– Ce qu'on veut, c'est capter votre connexion. Donc, tu pourrais me préciser ce qui t'attire vers lui.

Il parlait d'une voix tendue, car la situation était sûrement cruelle. S'il éprouvait bel et bien des sentiments pour moi, cela ne devait pas être facile. Ces sentiments étaient-ils sincères ? Je n'en savais toujours rien.

Pourtant, il était à côté de moi, n'est-ce pas ?

– Son sourire, avouai-je.

Cole resta silencieux.

– Euh… Il va nous en falloir un peu plus, Nik.

J'ouvris les yeux.

– Je n'ai pas parlé de lui depuis un moment.

Dans ma poitrine, la digue commençait à se fendre. Je n'étais pas certaine de vouloir la démolir.

– Il le faut. Nous avons besoin de ta longe.

– Et s'il n'y en a pas ?

– Nous n'avons qu'un moyen de le savoir.

Je refermai les yeux, forçant une larme fraîche à rouler sur ma joue. Je revis Jack devant chez moi, en train de jouer au basket avec Will. L'image remonta sans difficulté : ils l'avaient fait si souvent !

– Jack parvenait à saisir la balle d'une seule main. Ses paumes étaient sèches, couvertes de durillons.

Je m'essuyai le visage.

– Pourtant, quand il me tenait la main, il était très doux, comme si j'étais en porcelaine.

Je me tus.

– Continue, Nik. Tu vas y arriver.

La digue trembla.

– Aux obsèques de ma mère, il n'a pas parlé, mais il a passé la journée près de moi. Je sentais sa présence. Même quand je ne me tenais pas face à lui, je savais qu'il était là. Quand le cercueil a été mis en terre…

Je repris mon souffle, tremblante, et soudain il me sembla que tout, autour de moi – Cole, Max, l'Enfernité –, sombrait dans l'obscurité.

– … il m'a retenue. Littéralement. Il m'a empêchée de sauter pour être enterrée avec elle. Je sais, c'est fou, mais j'étais folle. Je pensais que je connaîtrais un bonheur infini si je restais avec elle, et je ne comprenais pas qu'on ne me laisse pas faire.

Soudain, la digue s'effondra. Ce que je maintenais au fond de moi, ce que je ressentais pour Jack mais craignais de revoir, tout cela explosa. Des sons sourds s'élevèrent mais je ne les écoutai pas. Je continuai de parler, de plus en plus vite, comme si un flot de mots déferlait par-dessus les débris de la digue.

– Jack a passé ses bras autour de moi pour me tirer en arrière, loin du trou, alors qu'à l'époque nous ne sortions même pas ensemble. Il m'a soulevée ; mes pieds ne touchaient plus le sol, je savais que j'étais en sécurité. Il m'a vue sous tous les aspects – le bon et le moins bon – et jamais il n'a reculé. Mon père m'a tourné le dos, mon frère était trop jeune pour comprendre ce qui se passait, alors que Jack était comme un repère. Une boussole. Il était ce qui m'enracinait. Et maintenant…

Je sentis mon visage tomber en miettes.

Les voix étouffées étaient devenues des hurlements, on me secouait par les épaules. Je tentai de m'écarter et soudain, je pensai à Cole. À Max. À l'Enfernité.

J'ouvris les yeux et leurs voix redevinrent perceptibles.

– Arrête, Nik ! criait Cole.

– Quoi ? Ça n'a pas marché ?

Les sourcils froncés, il fit un geste.

– Regarde donc.

Tout autour, des masses de brique rouge, dressées vers le ciel, avaient surgi. Sous nos pieds, le chemin s'était divisé en dix voies, au moins, la plupart disparaissant en épingles à cheveux dans des canyons. Plusieurs arches s'étaient formées sous les murs, surtout près des sommets, laissant passer la lumière du ciel bleu.

Je touchai la roche la plus proche, sa surface rude sous mes doigts. Un filet de sable rouge tomba alors jusqu'au sol, suivant le passage de ma main.

Cela me rappelait quelque chose.

– Bon. Sang. De. Bon. Sang.

C'était la voix de Max, littéralement stupéfait. Le son résonna, rebondissant entre les flancs du canyon.

Max et Cole tournaient en rond, la bouche ouverte.

– Bon sang de bon sang, Cole ! reprit Max. Tu disais que ça ressemblerait à une corde. C'est quoi, ce truc ?

Quand il baissa la tête, il aperçut sur son épaule du sable rouge, qu'il se mit à frotter fébrilement comme si c'était du poison. Sa frénésie incita Cole à regarder lui-même dans l'autre sens, comme pour voir si quelqu'un s'apprêtait à nous attaquer.

J'observai le sable, sur mes doigts. Il était rouge, ainsi que la poudre sur l'épaule de Max. Soudain je compris.

– C'est la Fournaise.

Ils réagirent comme si j'avais dit : « J'ai vu un lapin conduire un tracteur. »

– Je sais, c'est invraisemblable... pourtant, on dirait la Fournaise, un site du parc national des Arches. Regardez.

Je tendis le doigt vers la plus grande arche, qui couronnait l'un des murs. Elle était très reconnaissable, percée au milieu comme si elle avait de gros yeux.

– C'est le Crâne de pierre.

Cole s'approcha pour me prendre le bras.

– Tu connais cet endroit ?

– J'y suis allée en randonnée.

– Toute seule ?

– Personne ne s'aventure dans la Fournaise sans accompagnateur. C'est un vrai labyrinthe. Une série de canyons étroits, en grès. Pleins d'impasses. Non, c'était une sortie scolaire.

Ce rappel était tout frais car je venais d'observer ma photo-souvenir encadrée. C'était là que Jack avait relevé la mèche qui me tombait sur les yeux. Je me tus tandis que l'expression de Cole durcissait. Pour ma part, je réagissais tout autrement. Depuis que j'avais libéré mes sentiments, je me sentais plus légère jusqu'au plus profond de mon crâne.

– Nous suivions un guide, repris-je. Mais comment la Fournaise s'est-elle retrouvée ici ? Nous sommes toujours en Enfernité, pas vrai ?

Cole serra les lèvres et regarda Max.

– Ça vient d'elle.

– De moi ? intervins-je en secouant la tête. C'est impossible.

– Non. C'est tout à fait possible, pour quelqu'un qui a survécu au Festin.

Cole l'avait toujours dit : le fait que je n'aie pas vieilli pendant les cent ans du Festin démontrait que j'étais différente. Que j'abritais une certaine force. Suffisante pour démettre une reine, selon lui. Mais quel genre de don s'exprimait par la matérialisation d'une image comme celle de la Fournaise ?

Cole se rembrunit.

– Ça nous pose un problème.

– Sans déconner, railla Max.

– Qu'est-ce qui ne va pas ? demandai-je.

– Quand je t'ai demandé de libérer tes sentiments envers Jack, je ne me doutais pas que tu en avais refoulé autant. Le problème, c'est qu'une telle quantité d'énergie va attirer l'attention sur nous. Je n'y tiens pas.

Je m'apprêtais à lui demander de préciser quand j'aperçus quelqu'un. À peine un éclair de cheveux bruns, tandis qu'une forme disparaissait derrière un rocher en pente. Il était inutile que j'en voie davantage.

Jack.

– Jack ! m'écriai-je.

Il me semblait que je ne l'avais pas vu depuis une éternité.

– Jack !

Je sautai vers l'endroit où il avait disparu. Derrière moi, des voix faibles m'appelèrent sans que je les comprenne. J'étais comme sourde. Sans cesser de courir, je regardai le ciel pour que le soleil me réchauffe le visage.

Pourtant le soleil n'était pas là. Nulle part.

Je m'arrêtai. Mon ombre s'étirait devant moi, plus grande que mon corps. Le soleil était donc derrière. Mais quand je me retournai, il n'y était pas.

Pourquoi chercher le soleil ? Ce n'était pas lui que je voulais. Mais quoi, alors ?

Je me serrai le crâne, essayant désespérément de réveiller ma mémoire. Ma tête fuyait comme un ballon crevé. Tout m'échappait.

Tournant en rond comme une folle, je haletai puis j'aperçus soudain un visage. De grands yeux bruns. Des cheveux tombants. Un large sourire. Je connaissais ce visage.

– Jack ! criai-je avant de repartir en courant.

Je trébuchai dans un virage, escaladai un rocher assez gros pour bloquer le passage et, arrivée en haut, je le vis. Allongé par terre. Je sautai du rocher pour arriver près de sa tête. Je m'agenouillai, les mains sur ses joues.

– Jack…

Ma voix arrivait à peine jusqu'à mes oreilles.

– Nik !

La voix provenait du haut de la butte. Ce n'était pas celle de Jack.

– Chut !

Je levai la main, sans regarder qui était là.

– Jack est là. Je l'ai retrouvé.

– Non, Nik. Tu te trompes.

Cole était donc aveugle ?

– Qu'est-ce que tu racontes ? Il est juste devant moi !

– Regarde-toi. Tu es par terre.

– Je suis par terre parce que Jack lui-même est par terre, ripostai-je avec rage.

Puis je réfléchis un instant. Jack était par terre.

Je lui saisis la joue ; ma main se remplit de sable rouge.

– Qu'est-ce que…

Lorsque j'ouvris la main, les grains roulèrent entre mes doigts. Je me penchai. Jack était toujours là, mais cette fois, il semblait âgé de douze ans et il jouait au base-ball.

J'avais l'impression de regarder sa vie en vidéo, projetée sur le sol.

– Qu'est-ce que c'est ? Qu'est-ce qui se passe ?

Je tendis à Cole ma poignée de terre. Il s'accroupit devant moi et serra ses mains autour des miennes.

Max apparut en haut des rochers.

– On est dans la merde.

I3

MAINTENANT
L'Enfernité. Le Cercle de la Terre.

Cole me glissa la main sous le menton pour me forcer à détacher mon regard des images et des films de Jack, plaqués un peu partout.

– Nik, tu es en Enfernité. C'est toi qui projettes cette scène. Elle n'a rien de réel. Je te l'ai déjà expliqué : tes sentiments, tes souvenirs, tes émotions jouent sur le milieu qui nous entoure. Tout cela provient de toi.

Je me penchai vers le film de Jack. Il souriait devant la caméra, brandissant une brochette de marshmallow. La guimauve était en flammes, et il souffla dessus. Je détestais le marshmallow grillé.

Comment pouvais-je diffuser cela ? Je tentai de comprendre mais mon cerveau n'avait plus toutes ses capacités. Je le savais, tout était faux – cette version de la Fournaise, les images de Jack en mouvement ; pourtant, je restais embrouillée.

– Vous aussi, vous le voyez ? demandai-je.

Cole hocha la tête.

– Oui. Normalement, je ne devrais pas. Tes souvenirs sont très intenses. D'habitude, ces projections ressemblent à... à un halo, disons, qui rayonne autour de la personne émettrice.

Je me doutais que ton aura serait forte, puisque tu as survécu au Festin, mais au point de projeter seulement un objet, comme une corde. Mais non, toi, tu nous reconstitues un parc national grandeur nature !

Max donna un coup de talon dans la poussière.

– On devrait partir.

– Si on remonte maintenant pour revenir plus tard, on se retrouvera dans la même impasse, grogna Cole, tout aussi frustré.

– Pourquoi est-ce si risqué ?

– Il y a des Enfernautes, dans le coin : les Vagabonds. Ils ont une telle faim d'énergie qu'ils en perçoivent la présence de très loin, et tout ça, là… (il tendit le bras) c'est aussi visible qu'une enseigne clignotante.

Sa voix devint rageuse.

– Contrairement aux êtres humains normaux, ta projection subconsciente est tangible, matérielle, et comme par hasard, elle prend la forme d'un labyrinthe !

Il bondit et cogna la roche en grommelant. Sa voix résonna, rebondit sur les parois pendant un long moment inimaginable. Sa colère retentissait autour de nous.

Quand les derniers échos s'évanouirent, il secoua la main. Une petite goutte de sang tomba sur le sable, à ses pieds. Ma projection était assez puissante pour lui râper la peau. Comment le fruit de mon imagination pouvait-il être assez réel pour le blesser ? Que serait-il arrivé si j'avais pensé aux cavernes de la Fournaise ? Aurions-nous fini piégés ? Au point de suffoquer ? Les rochers qui couronnaient le précipice pouvaient-ils rouler vers le canyon et nous écraser ?

Cole et Max ne devaient pas savoir que j'étais terrorisée. Max déclara qu'il fallait laisser tomber. Cole eut l'air d'y songer lui aussi. Je ne voulais surtout pas alimenter leur panique, car si nous retournions à la Surface, je n'aurais plus la moindre chance de sauver Jack.

En somme, si nous partions, Jack mourrait. Je le savais.

Il y eut un silence pesant. Je repris deux fois mon souffle avant de rejoindre lentement Cole. Le long de son cou, ses veines avaient gonflé. Je ne devais pas le laisser changer d'avis. Même si je me méfiais de Cole, lui seul, à cet instant, pouvait faire quelque chose pour moi. C'était dérangeant. Je pris sa main écorchée pour l'examiner. Autour de ses yeux, ses rides s'adoucirent et prirent une expression d'animal blessé. Presque apeuré. Non pas à cause d'une vilaine coupure, mais parce que je lui tenais la main. Il était vulnérable. Je le voyais.

À la Surface, il aurait tout fait pour le cacher. Oui, il avait déclaré qu'il me voulait à ses côtés, mais ce n'étaient que des mots. En cet instant, j'étais témoin d'une réaction physique involontaire. C'était parce que j'étais tout près que les muscles de ses bras se tendaient. Et que ses joues rougissaient.

Je tirai sur ma manche pour essuyer le reste de sang sur ses doigts. Puis je le regardai dans les yeux.

– Ça ira.

Je ne parlais pas de sa main, et je crus qu'il avait compris l'allusion. Son visage se tendit.

– Je vais arranger ça, assurai-je. Quand je suis arrivée, je n'émettais rien. Il doit y avoir un moyen de contrôler ça. Un juste milieu entre le tout et le rien.

Cole inspira et reprit sa main. Il hocha la tête en fronçant les sourcils d'un air déterminé. Max et lui se mirent à tourner en rond autour de moi et, pour la première fois, je remarquai que le décor devant lequel ils évoluaient se froissait comme une huile sur toile qui sèche trop vite.

Je devinai qu'ils absorbaient une partie de l'énergie projetée, mais aussi qu'ils ne parviendraient pas à me cacher complètement. Le paysage flouté se reconstituait derrière eux dès leur passage.

Cole finit par s'arrêter devant moi et me saisir les mains.

– C'est bon, Nik. Concentre-toi. Imagine une sangle tendue entre toi et Jack. Ou la pointe d'une boussole.

– D'accord.

Je serrai les yeux pour former l'image mentale : les murailles rocheuses, le Crâne de pierre, le ciel bleu. Je ravalai tout. Et je retins mon souffle.

J'entendis Max s'esclaffer, puis il y eut un bruit étrange, comme si Cole lui avait cogné le bras.

– Ça marche ? demandai-je.

Personne ne me répondit. J'ouvris les yeux. Tout ce qui avait changé, c'était le sentier : il était plus étroit. Le site tout entier semblait avoir rétréci. Mais, tandis que je le regardais en reprenant un souffle régulier, il gagna en largeur et reprit sa forme.

Je compris pourquoi Max avait failli éclater de rire.

– Pas grave, assura Cole avec une patience étonnante.

Là encore, à la Surface, il n'aurait pas manqué de me lancer une pique, mais il était bien décidé à m'aider. Peut-être parce que nous n'étions pas rivaux, pour une fois.

– Bon, Nik. Recommence pour le faire rétrécir. Et pas qu'un peu.

Je me remis en position pour tout revoir mentalement, puis j'imaginai l'image en train de rétrécir. Hélas, plus j'essayais, plus j'avais l'impression d'aplatir un ballon qui n'éclatait pas, une baudruche qui ne voulait pas se percer.

Les yeux fermés, les dents serrées, j'interrogeai :

– Qu'est-ce que ça donne ?

– Continue.

Je pressai encore plus fort le ballon, c'est-à-dire ma projection… en vain. Je me concentrai davantage, allant jusqu'à écraser l'image dans ma tête. Un filet de sueur froide roula sur mon front.

– Laisse tomber, Nik.

– Mais j'y arrive, là !

– Non, tu n'y arrives pas. Tu vas suer à grosses gouttes, voilà tout.

Je rouvris les yeux. Il avait raison.

– Bon… Voyons les choses sous un autre angle. À mon avis, ça s'est mal déroulé parce que tu as exprimé d'un coup tous tes sentiments envers Jack.

Il considéra les portraits de Jack plaqués sur la roche. Il tendit le bras vers un gros galet sur lequel une image animée tournait en boucle : deux mains, l'une, petite et délicate, l'autre, plus grande et masculine, se plaquaient l'une contre l'autre pour comparer leur taille. Ensuite, elles claquaient. Et là, le court-métrage repartait du début.

– Cette histoire de mains, là, ça en dit long, affirma Cole. Tu voudrais te concentrer là-dessus ? Assieds-toi, ferme les yeux et parle-moi du souvenir qui se trouve derrière.

Le souvenir qui se trouvait derrière. Le soir où je m'étais demandé si Jack verrait en moi autre chose qu'une petite sœur. Le soir où un autre garçon nous avait barré le passage.

– Allons-y.

PREMIÈRE ANNÉE DE LYCÉE
La Surface. La maison.

— Qu'est-ce que tu vas dire à Boze ? me demanda Jack.

Nous étions assis devant chez moi, après un footing nocturne que Jack était venu faire dans mon quartier. Il s'était arrêté en plein milieu pour venir me demander s'il était vrai que j'avais été invitée au bal. Il l'avait entendu dire.

Je roulai des yeux.

— Je ne suis pas sûre d'y aller. Mon père s'habitue lentement à l'idée qu'un certain Bozeman a invité sa seule et unique fille à son premier bal.

Je haussai les épaules avant de compléter :

— À mon avis, ma mère s'efforce de le convaincre.

Jack me donna un coup d'épaule.

— C'est peut-être la différence d'âge qui l'inquiète.

Cela me fit sourire, mais Jack avait marqué un point. À coup sûr, je figurais parmi les plus jeunes invitées.

— Le problème, ce n'est pas que Boze soit plus âgé. Ça irait mieux s'il n'était pas si grand.

— Il est de la bonne taille quand je suis sur le terrain.

Pour Jack, qui était quart-arrière, Bozeman était souvent le seul obstacle entre lui et un plaquage.

— Je sais, mais tu as vu ses mains ?

Je levai un bras. Par rapport aux autres filles de mon âge, j'étais de taille moyenne, et pourtant j'avais de petites mains. Ma mère pestait toujours sur ce point, pendant mes leçons de piano.

Jack leva la main à son tour et plaqua sa paume contre la mienne. Là où mes doigts finissaient, les siens commençaient.

Il rit et les rabattit.

– Tu as tout compris ! m'exclamai-je. Et celles de Bozeman sont encore plus grandes que les tiennes. Tu imagines, s'il me tient par la main, à la soirée ?

Je secouai la tête. Jack ne disait plus rien. Je m'aperçus qu'il me tenait toujours la main. Quand je relevai les yeux vers lui, il avait les sourcils froncés. Peut-être essayait-il de trouver un moyen de me lâcher. Je décidai de tirer mon bras vers moi.

– Bref…, soufflai-je. Tu veux bien m'aider à lui répondre ?

Enfin, un sourire détendu.

À l'épicerie, devant le rayon des sucreries, nous imaginâmes mille façons ridicules d'accepter l'invitation.

Jack tendit un doigt vers l'étagère des barres chocolatées.

– « J'ai reçu ton invitation tendre et fondante. »

– Pas mal. Ou bien : « D'accord pour une soirée croquante. »

Il eut un petit sourire sarcastique.

– Je ne suis pas sûr que cela exprime toute la solennité de l'événement. Pas autant que… voyons…

Saisi d'une poussée d'inspiration, il me tendit une boîte de bonbons multicolores.

– « De tous les garçons, toi seul me fais rougir, Boze. »

Je pouffai de rire.

– On pourrait aussi faire dans le simple, le direct : un geste qui n'aurait pas besoin de mots. La réponse est là !

Je brandis une boîte de biscuits « Mention bien », jusqu'alors cachée derrière mon dos. Jack lut mais n'éclata pas de rire, contrairement à ce que j'attendais. Il rougit et se détourna.

Surprise par sa réaction, je crus en deviner la cause. Depuis toujours, il me considérait comme une fillette. Au lieu de me regarder, il me montra un paquet de barres à la réglisse rouge dont il étudiait la liste d'ingrédients comme une carte au trésor.

– Je n'ai que six mois de moins que toi, tu sais, avançai-je.

Il haussa les épaules, posa le paquet et prit une barre de cacahouètes « Bébé crok ».

– « Même si j'ai gardé une âme d'enfant, j'accepte cette soirée », lança-t-il sans le moindre humour.

Ce fut mon tour de rougir. Il plaisantait toujours sur notre différence d'âge, parce qu'il était deux fois plus grand et qu'il avait un an d'avance. Cela n'aurait pas dû me vexer.

Je me vexai pourtant.

Je lui jetai une barre chocolatée à la figure, un peu plus fort que je ne le voulais.

– Aïe.

– Au moins, je vise mieux qu'un bébé. (Je fis un pas vers lui.) Je ne suis plus une petite fille, Jack Caputo.

Je virevoltai pour emprunter le couloir, plus puérile que jamais. Jack me répondit doucement.

– Je sais, Becks. Je sais.

Pour finir, notre choix se porta sur une bouteille de deux litres de Coca à laquelle j'attachai un petit message : « Une soirée avec toi, ça promet d'être pétillant ! »

De toutes nos idées, c'était la moins spirituelle, mais selon Jack, si Boze ne comprenait pas, alors il ne méritait pas de passer une soirée avec moi. Il m'emmena dans le quartier de Bozeman. Quand il s'engagea dans la dernière rue, il éteignit ses phares et se gara.

Il se pencha vers moi. Je me figeai mais il voulait juste ouvrir la boîte à gants. Mes joues rougirent. Heureusement, nous étions dans le noir.

– Tiens.

Il avait jeté sur mes genoux un objet sombre. Je le levai vers la fenêtre pour mieux le voir. C'était une cagoule de ski en tricot noir.

– C'est un peu excessif, non ?

Je le regardai, pouffant de rire. Jack avait passé sur son visage un bas en Nylon qui écrasait et fondait tous ses traits. Quand il sourit, les fils trop tendus lui donnèrent une expression de malade mental.

– Je l'ai piqué à ma mère.

Je m'efforçai de rester calme.

– Ça te va très bien.

Il était impossible que j'aie l'air plus ridicule que lui. J'enfilai donc la cagoule avant de quitter la voiture. Jack tenait la bouteille de Coca.

Nous nous approchâmes du portail de Bozeman, Jack à quelques pas devant moi. Il posa la bouteille. Quand la lampe extérieure s'alluma, nous nous figeâmes. La porte ne s'ouvrit pas, et nous comprîmes qu'il y avait un détecteur automatique.

Jack me regarda et hocha la tête comme pour demander : *Prête ?*

Je fis signe que oui.

Il appuya sur la sonnette et nous détalâmes aussitôt comme si notre vie en dépendait. Jack contourna la voiture pour m'ouvrir la portière.

– Ce n'est pas le moment de faire de la galanterie ! protestai-je tout bas.

Il retourna de son côté, monta et tourna la clé avant d'écraser le champignon. Il attendit le coin de la rue pour ralentir et allumer les phares. À cet instant, je remarquai un petit papier sur son siège, à côté de lui. C'était celui qui devait accompagner la bouteille.

– Tu as oublié le message ! m'écriai-je.

Jack baissa la tête, sans paraître étonné.

– Tu sais quoi ? Si Boze ne comprend pas tout seul, il ne mérite pas d'y aller.

– Comprendre ? Il va ouvrir la porte et trouver une bouteille de Coca posée là, sans le moindre indice !

– Il n'aura qu'à faire preuve d'imagination pour deviner que tu acceptes…

Je le frappai d'un petit coup de poing dans le bras et nous éclatâmes de rire.

Le lendemain matin, au lycée, je glissai le papier dans le casier de Bozeman.

Il comprit.

14

MAINTENANT
L'Enfernité. Le Cercle de la Terre.

— C'est touchant, commenta Max.

— La ferme ! Ça a marché, répondit Cole.

— Ça a marché ? m'étonnai-je.

Je rouvris les yeux. À mes pieds, à quelques centimètres du sol, flottait une longue barre. L'extrémité qui se trouvait près de moi était plus épaisse, et la barre s'effilait jusqu'à la pointe, au loin ; j'étais pour ainsi dire au milieu d'un cadran.

Quand j'avançai d'un pas, l'aiguille avança avec moi. Je reculai, et elle se remit en position. Je m'accroupis à côté, le doigt tendu.

— C'est réel ?

Cole s'agenouilla près de moi.

— Tu veux dire tangible, comme la Fournaise ? J'espère que non. Ça pourrait faire mal, si on se prenait les pieds dedans.

Mon doigt traversa la ligne comme s'il s'agissait d'une image projetée.

— Bon, dit Cole d'un air ironique. Prenons-en de la graine. Il n'est plus question de t'épancher de cette façon, d'accord ? Reste concentrée. Je n'ai pas envie de voir ta longe se transformer d'un coup en un autre souvenir d'enfance, comme le Grand Canyon ou les falaises de Douvres.

— Je reste concentrée, promis.

– Tant que tu tiendras, elle restera là.

– Est-ce qu'elle est orientée vers Jack ?

Cole se redressa et Max sortit l'accessoire dont il s'était déjà servi une fois pour savoir où nous étions. Il échangea un regard avec Cole, qui dit :

– Je crois, oui. Mais il y a un problème.

– Lequel ? demandai-je.

Cole soupira.

– L'aiguille ne désigne pas le vide. Elle est tournée vers le point mort des cercles. Vers la Haute Cour.

Droit vers la Haute Cour ?

– Pourtant, tu as dit que les Tunnels étaient cachés dans le vide, rappelai-je.

Il grimaça et précisa, d'une voix rude et fatiguée :

– Non, j'ai dit que je l'espérais.

Max tenait le petit objet rond que je vis enfin de face, gravé d'un plan miniature de l'Enfernité.

– Nous sommes ici, annonça-t-il en montrant le bord du cercle le plus large, entre deux Communes. Ta longe montre ce point-là.

Il traça une petite ligne vers le centre. Je pris la parole :

– Admettons que les Tunnels soient dans le vide, pile de l'autre côté du cercle le plus lointain…

Un doigt posé sur le point qui se trouvait le plus loin de nous, sur la carte circulaire, j'ajoutai :

– Si ça se trouve, la longe n'indique la Haute Cour que parce que celle-ci se situe entre nous et les Tunnels.

Max ne put se retenir de rouler des yeux.

– Oui, sur les millions d'endroits que nous aurions pu choisir, il se trouve, comme par hasard, que nous sommes arrivés à l'exact opposé des Tunnels…

– Il n'y a qu'une façon de le savoir, dit Cole.

Nous nous tournâmes vers lui.

– Allons à Ouros. Là-bas, si ta longe désigne toujours le centre précis…

Son visage était sombre.

– Pourquoi Ouros ? demandai-je.

– J'ai un ami là-bas. Un ami qui me doit une faveur. S'il se confirme que ta longe montre réellement le centre du labyrinthe, nous aurons besoin d'aide.

Bien avant d'arriver à Ouros, je savais que j'indiquerais toujours le même point. Alors que nous ne parlions pas, je sentis que nous changions de direction, un tant soit peu, comme si nous suivions une corde dont l'extrémité était attachée au cœur de l'Enfernité. J'avais demandé à Cole ce qui l'empêchait de nous faire arriver là-bas en une seconde, et il avait répondu qu'effectuer ainsi plus d'un voyage lui coûterait trop cher en énergie. Entre deux déplacements, il devait reprendre des forces.

Alors que nous approchions le grand mur gris qui encerclait Ouros, mon cœur se mit à battre. Lors de ma précédente visite, la reine et ses Ombres avaient réduit un homme en vapeur, et pourtant, j'y retournais. Je me demandais comment nous traverserions le rempart, quand je vis une voûte sombre. Elle était d'une épaisseur incroyable, car aucune lumière n'en révélait l'extrémité.

– Les lieux sont gardés ?

Cole sourit.

– D'une certaine façon. Seuls ceux qui ont un cœur peuvent passer la porte. Comme ça, les Vagabonds restent dehors. Puisqu'ils n'ont plus de cœur.

Quand il ne resta plus que quelques mètres entre nous et le passage, Cole sortit un objet de sa poche. Un médiator noir. Je savais que son cœur y était rangé. C'était la première fois que je le revoyais, depuis le soir où nous avions tenté en vain de comprendre où se cachait le cœur de Cole.

Quant à Max, il tira un bout de fil noir, noué à plusieurs endroits.

– Qu'est-ce que c'est ?

– Une corde de ma première guitare.

Il me regarda comme si cela allait de soi. Nous approchions de l'entrée. Mon cœur serait-il détecté, puisqu'il se trouvait dans mon corps et non dans un objet indépendant ? Quel système de défense était installé ? Des surveillants étaient-ils prêts à tomber du plafond ? À chaque pas dans le tunnel, mon imagination devenait plus folle. Je ne dis pas un mot, de peur que cela déclenche le système d'alarme.

Nous en sortîmes sans le moindre souci. Je lâchai un soupir de soulagement, mais mon répit ne dura pas. Nous nous trouvions dans les faubourgs. Les bâtiments étaient plus modestes que ceux que j'avais vus autour de la place. De plain-pied. Des auvents épais et poussiéreux surplombaient les portes. En dessous étaient installés des étals garnis de rangées et de rangées de bocaux en verre.

On aurait dit un marché à l'ancienne, complété par des boutiques et des échoppes. Je m'approchai de la table la plus proche pour regarder ce qui était en vente, et ce que je vis n'avait aucun sens. Les bocaux alignés étaient vides. Chacun portait une étiquette marquée d'un nombre et d'une lettre – 8 h, 3 j, 24 h – mais je n'eus pas le temps de comprendre ce que cela signifiait car une affiche, placardée devant la boutique voisine, attira mon regard au point de m'immobiliser.

Cole la vit lui aussi.

– Bon sang.

C'était le signalement, illustré en noir et blanc, d'une jeune fille aux cheveux noirs et au teint pâle.

Moi.

En dessous était écrit : *Connaissez-vous cet être humain ?*

Je relevai ma capuche. Cole et Max me serrèrent de plus près, de chaque côté. Cole me prit par l'épaule pour me guider, d'un pas maîtrisé, vers une rue adjacente puis une allée. Ainsi entourée, je vis ma longe disparaître presque complètement, comme absorbée. J'en sentais encore la présence en moi. J'avais l'impression qu'un rayonnement allait m'échapper, filant devant mon cœur ou ma poitrine. Ce ne fut pas le cas, heureusement. Sur le sol, les rayons étaient moins visibles. Mais je savais qu'ils venaient du plus profond de mon être, et qu'ils ne pouvaient être absorbés par Cole et Max qu'après être sortis de mon corps.

Je me demandai quel goût avait mon énergie. Était-elle parfumée de mon amour pour Jack ? Ou était-ce un concentré d'émotions négatives, comme la honte et le chagrin – celles qui, selon Cole, flottaient toujours à la surface ?

Je ne comptais pas poser la question.

Cole et Max étaient muets. Je devinai qu'ils choisissaient des petites rues. Nous croisâmes néanmoins plusieurs Enfernautes, dont certains nous regardèrent avec une certaine insistance.

Les bâtiments paraissaient anciens, sans que je prenne la peine de les examiner pour en savoir plus. Cole trottait assez vite, comme si nous étions poursuivis. Pourtant, je ne pensais pas avoir été identifiée par un passant. Au pied d'un immeuble dont l'entrée était soulignée de deux colonnes très travaillées, Cole s'approcha de la porte. Nous avions tant tourné et bifurqué que j'étais complètement perdue.

Cole frappa.

– Qui habite ici ? chuchotai-je.

– Ashe. L'Enfernaute le plus âgé que je connaisse. Et la seule personne qui, à ma connaissance, ait vu le labyrinthe.

Il frappa une seconde fois, plus fort. Un homme étrange ouvrit la porte. Quand je le vis, le premier mot qui me vint à l'esprit fut *fumée*. Sa peau gris pâle, un peu spongieuse, semblait saturée de brume. Ses cheveux, gris, étaient dressés sur sa tête. Ses iris eux-mêmes étaient gris.

Cole fut pris de court.

– Ashe ?

Un éclair parut sur le visage de l'homme.

– Cole !

Même s'il semblait surpris, Cole ne lui laissa pas le temps de poser des questions.

– On peut entrer ? demanda-t-il en jetant un bref coup d'œil derrière nous.

Aussitôt, Ashe nous laissa passer et referma la porte. Quand nous fûmes en sécurité, Cole et Ashe se serrèrent l'un contre l'autre, échangeant une tape dans le dos. Puis, Cole dévisagea son ami.

– Qu'est-ce qui t'est arrivé ?

Donc, Ashe n'avait pas toujours ressemblé à une masse de fumée. Il était prêt à répondre quand il aperçut quelque chose, à mes pieds. Ma longe. Max et Cole s'étaient à peine écartés, juste assez pour qu'elle réapparaisse.

Le regard d'Ashe remonta vers mon visage et il se figea. Il m'examina de la tête aux pieds, à tel point que je me sentis rougir.

– Eh bien, voilà ce qu'on appelle émettre de l'énergie ! Qui avons-nous là ?

Les sourcils haussés, il attendait d'en savoir plus. Cole lui répondit.

– Une survivante du Festin.

Ashe recula de quelques pas.

– Alors que tu complotes pour prendre le trône, tu débarques chez moi ?

– Mais non, mais non !

Cold tendit les mains, les paumes tournées vers le sol, pour le rassurer. Comme il songeait à la manière dont Ashe allait interpréter la suite, un sourire incrédule lui vint.

– Nous voulons rejoindre les Tunnels.

Nous nous rassemblâmes autour de la table, au milieu de la pièce, et Cole prit le temps de tout expliquer : j'avais été son Transfuge, j'avais survécu au Festin. Et Jack avait pris ma place dans les Tunnels, où je tentais de le maintenir en vie lors de mes rêves.

Quand il eut fini, il y eut un moment de silence. Ashe s'accouda sur la table, les mains serrées.

– Donc, vous allez dans les Tunnels. Pour sauver ce garçon, résuma-t-il, incrédule.

Cole hocha la tête.

– Tu as toujours adoré les défis impossibles, railla Ashe.

Cole refit un mouvement de tête, confirmant l'allusion.

– Pourquoi es-tu venu ici ?

Cole lui montra ma longe.

– Sa projection nous indique où est Jack. Si tu regardes bien, tu verras...

La réponse apparut sur le visage d'Ashe. Après avoir observé la longe, il se redressa vers Cole.

– Punaise…

Cole s'appuya sur la table.

– On a besoin de ton aide.

Ashe l'imita.

– Vous avez besoin de plus que cela. J'ai entendu dire que cet endroit grouillait de Vagabonds.

– Alors il nous faudra aussi des armes.

Le coin de la bouche d'Ashe remonta tandis qu'il analysait l'expression froide de Cole. Apparemment, ces deux-là avaient le goût du risque.

15

Cole décréta que Max et lui devaient se procurer de l'énergie – c'était le produit principal du marché que nous avions traversé. Mon portrait étant affiché partout, ils décidèrent de me laisser chez Ashe, sous sa garde. Cole traversa la pièce pour fermer les volets en bois.

– Ne sors pas, surtout, me conseilla-t-il.

– Je n'en ai pas l'intention. Mais tu as vraiment besoin d'énergie ?

– Juste un petit coup de fouet. Puisqu'il y en a ici, on va profiter de l'occasion.

Max s'approcha de lui.

– Allons-y.

Cole tendit le doigt vers Ashe et ordonna :

– Que personne ne mette un pied ici.

Ashe hocha la tête, puis les garçons sortirent, me laissant seule avec lui.

Il s'assit sur un tabouret en bois, près d'une fenêtre à peine entrouverte, et me fit signe de prendre l'autre tabouret. Je m'installai, et il commença à regarder la rue.

– Personne ne m'a vraiment remarquée, n'est-ce pas ? demandai-je.

Il haussa les épaules.

– Au-delà de votre énergie, vous, les humains, vous êtes un peu différents. Ça ne se remarque pas dès le premier coup d'œil, mais au bout d'un moment, on perçoit un petit rien… un rayonnement. Peut-être la lumière de la mortalité.

Il avait dit cela d'un ton très posé, sans reproche. Il ajouta, sans cesser de regarder la rue :

– Quand même, pour s'en rendre compte, il faut le chercher.

– Si quelqu'un voyait mon… rayonnement, est-ce que je serais livrée aux autorités ?

– La reine promet une belle récompense.

– De l'argent ?

Enfin, il se tourna vers moi.

– Mieux que ça. Un séjour dans les Champs élyséens.

Les Champs élyséens. Cole m'en avait parlé. Je revis le moment que nous avions passé dans ma chambre : il avait pris mon visage entre ses mains et, comme dans un rêve, je m'étais trouvée au milieu d'un champ, envahie d'une inoubliable sensation de légèreté, persuadée que j'allais m'envoler pour ne jamais remettre les pieds sur terre.

Je songeai aux bocaux que j'avais aperçus au marché, et les nombres qui figuraient dessus prirent soudain leur sens.

– C'est donc ça qu'ils vendent, dehors ? Ces bocaux où il est écrit 8 j, 24 h ? Les étiquettes indiquent le temps passé dans les Champs ?

Ashe confirma d'un mouvement de tête.

– Les Champs nous offrent une sorte de léthargie psychédélique. Ils nous font planer. S'ils étaient accessibles, on irait tous s'y droguer. Mais seule la reine a le droit de s'y rendre. Ou de nous en vendre l'accès. Ou encore de nous l'offrir en guise de récompense.

Il se remit à regarder par la fenêtre.

Je jetai un coup d'œil sur son logement, puisque j'en avais enfin l'occasion. Ce n'était qu'une grande salle rectangulaire dont les murs donnaient l'un sur la rue et l'autre, sur une sorte de cour ; sur les petits côtés, des cloisons en bois marquaient probablement la limite des deux logements mitoyens. C'était un étrange mélange de neuf et d'ancien. L'édifice, la table et les chaises paraissaient vieux, constitués de chêne épais orné de dessins raffinés. Malgré cela, sur un mur, la bibliothèque était chargée à la fois de vieux bouquins et de livres récents, dont le dos était de couleur vive.

Dans un coin étaient entassés de vieilles couvertures et des tapis persans, un peu comme dans une tente de Bédouin. À l'opposé, il y avait un appareil étrange, peut-être un télescope un peu dépassé.

– Qu'est-ce que vous observez, avec ce télescope ? demandai-je.

Ashe se tourna une seconde vers l'endroit où l'objet était rangé.

– Je ne m'en sers jamais. Il n'a qu'une valeur sentimentale.

Bibelots et télescopes, médiators et cœurs… Les Enfernautes se plaisaient à donner aux objets ordinaires une signification profonde.

Comme si le sujet avait éveillé quelque chose en lui, Ashe reprit :

– Le gars qu'on doit chercher… comment il s'appelle ?

– Jack. Jack Caputo.

– Tu l'aimes.

– Oui.

– Et Cole va t'aider à le sauver.

– Oui.

– Alors même qu'il est amoureux de toi.

Je fronçai les sourcils. Pourquoi les Enfernautes abordaient-ils si souvent ce sujet, alors qu'ils n'avaient pas de cœur ?

– Non. Il n'est pas amoureux.

Étonné, Ashe haussa les sourcils.

– Ce n'est pas l'amour qui l'anime, expliquai-je, mais un besoin. Il a besoin de moi car il croit que je pourrais devenir la prochaine reine. Il n'est pas amoureux.

Il inclina la tête.

– Tu ne vois vraiment rien, hein ?

– Voir quoi ?

– Sa longe. Elle est tournée droit vers toi.

J'ouvris la bouche, sans parvenir à articuler une syllabe. Voulait-il dire une vraie longe ? Il se trompait. Cole était incapable d'aimer.

À cet instant, la porte s'ouvrit violemment sur Cole et Max. Cole s'arrêta en voyant mon visage et interrogea aussitôt Ashe.

– De quoi parliez-vous ?

– De rien, répondis-je un peu trop vite.

Il m'examina, les paupières serrées, sans rien ajouter. Pendant un moment tendu et silencieux, son regard alla de moi à Ashe puis revint vers moi. Enfin, Max se racla la gorge en lui donnant un petit cou d'épaule.

– Faut se dépêcher.

Cole hocha la tête.

Quelques minutes plus tard, Ashe, Cole et moi étions réunis autour d'un vieux parchemin où était tracée une carte qui semblait remonter à l'époque de la proclamation d'Indépendance. Max montait la garde, planté devant la fenêtre. La carte ressemblait au croquis de Cole : la Haute Cour et les grottes du Festin étaient placées au milieu d'un cercle central, lui-même entouré de trois cercles. Le quatrième délimitait les Communes.

Ashe posa une rondelle en bois rouge, en guise de repère, sur l'une des Communes. Je devinai qu'il s'agissait d'Ouros.

– Nous sommes ici. Et vous, vous projetez de traverser le labyrinthe.

– Le labyrinthe ? intervins-je.

– Le dédale, si tu préfères.

– Je sais ce que c'est, précisai-je en me remémorant la légende du Minotaure.

– Les trois cercles intérieurs, le Cercle de l'Eau, du Vent et du Feu, forment un labyrinthe dont la seule fonction est de nous bloquer le passage. Ce sont des obstacles physiques, du genre plutôt difficiles. Mais ce qui dévore les vivants, ce sont les effets des obstacles psychologiques.

Je sentis mon pouls augmenter.

– Comment ça, des obstacles psychologiques ?

– Le premier cercle, celui de l'Eau, mélange les émotions. Le second, le Cercle du Vent, s'en prend à l'esprit. Et le troisième, le Cercle du Feu, alimente le désespoir. On peut échapper aux dangers physiques. Mais pas aux dangers mentaux. Voilà pourquoi personne ne va jamais bien loin. Moi-même, je n'ai pas réussi à dépasser le Cercle de l'Eau. (Il leva la tête avec un sourire satisfait.) Que je sache, personne n'y est jamais arrivé.

J'avais envie de lui demander ce qu'il était allé faire dans le labyrinthe, mais le regard d'avertissement de Cole me fit hésiter. Je formulai une autre question :

– Est-il seulement possible d'atteindre le centre ?

– La reine réserve le plan du labyrinthe aux invités de la Haute Cour, expliqua Ashe. Nous ne l'avons pas, nous.

– Dans un certain sens, si, coupa Cole en me désignant.

Les deux garçons se penchèrent vers ma longe. Ils comptaient s'en servir comme d'une mappemonde de fortune. Ashe grimaça.

– Espérons qu'elle ne la perdra pas.

Max, silencieux jusqu'alors, s'adressa à nous sans s'éloigner de la fenêtre.

– Comment allons-nous résoudre le problème de la distorsion du temps ?

Devant mon air interrogateur, Cole expliqua :

– Dans le labyrinthe, le temps s'écoule parallèlement au temps de la Surface. Les Égyptiens croyaient que le dieu du Soleil emmagasinait les heures du jour et de la nuit dans le séjour des morts. Pour être plus précis, elles sont dans le labyrinthe.

Je lui adressai une expression absente, à n'en pas douter, car il soupira :

– Cela veut dire que quand nous serons dans le labyrinthe, le temps s'écoulera au même rythme qu'à Park City. Par conséquent, nous serons absents plus longtemps que prévu.

Je pensai aux répercussions de cette révélation. Chaque minute dans le labyrinthe vaudrait une minute loin des miens. Il n'était donc plus possible que je revienne avant que mon absence ait été remarquée. Une autre conséquence, bien pire, me frappa ensuite et je constatai, devant l'expression des garçons, qu'ils avaient compris avant moi.

– Il n'est pas question de rater une nuit de rêverie, affirmai-je. Jack manque de temps, déjà. Si je passe une nuit sans lui apporter d'énergie… il mourra, n'est-ce pas ?

Cole baissa la tête pour se gratter le cou, comme toujours au moment d'examiner un problème. Il se redressa :

– On la renverra d'un bon coup de pied. Chaque soir, elle ira dormir à la Surface. Nous, on restera sur place, dans le labyrinthe. Le matin, on montera la chercher.

J'étais certaine de faire la même tête que si Cole venait de parler en latin.

– Je croyais qu'il était impossible d'atterrir dans le labyrinthe, dis-je.

– À l'aveuglette, c'est impossible, en effet, et c'est ce qui arriverait si nous remontions tous ensemble à la Surface. Mais si nous restons ici, nous trois, pour tendre la main vers la Surface seulement au moment de te faire revenir, cela devrait marcher.

Ashe examinait mentalement le scénario. Dans ce que Cole venait de proposer, un point m'échappait.

– Que veux-tu dire par « un coup de pied » ?

Cole sourit.

– C'est pourtant clair.

Max ne me laissa pas le temps de demander une explication.

– Quelle que soit notre décision, on n'a pas intérêt à traîner ici.

– Pourquoi ?

Il tira lentement le volet pour le serrer un peu.

– Ces quatre types, là-bas. Ça fait un moment qu'ils tournent en rond au coin de la rue.

Cole regarda Ashe sortir sa montre de poche.

– Un couvre-feu est prévu ce soir. On sortira par-derrière, mais à mon avis, on n'atteindra pas l'entrée du labyrinthe avant la nuit. Je connais une cachette, pas trop loin. On devrait y arriver à temps.

Tout le monde passa à l'action. Les garçons attrapèrent chacun une arme. Ashe s'attacha une petite épée sur le dos. Max enfila un objet métallique sur ses doigts et, quand il serra le poing, l'arme se révéla, transformant ses articulations en blocs de métal. Cole fixa autour de sa jambe un couteau dans une gaine, avant de rabattre son jean par-dessus.

Ensuite, Ashe verrouilla la porte d'entrée tandis que Max rangeait les cartes et les objets qui étaient restés sur la table.

– C'est quoi, un couvre-feu ? demandai-je.

– Tu verras, répondit Cole.

Il me prit la main et nous filâmes vers la cour par la porte de derrière.

Le tout avait pris à peine trente secondes.

Ashe nous guida dans des ruelles obscures encore plus étroites que celles où nous avions suivi Cole un peu plus tôt. Tandis que nous courions, le soleil s'évanouit et la voie devint sombre. À mi-chemin dans l'un des passages, Ashe s'arrêta devant un lourd portillon en bois, au ras du sol. On aurait dit une bouche d'égout rectangulaire. Il la souleva et Cole sauta dans le trou, suivi de Max.

Ashe me regarda impatiemment.

– Allons-y…, soufflai-je.

Je suivis Max pour atterrir dans une cave grande comme un salon. Ashe arriva en dernier et, grâce à une corde, il rabattit le portillon. J'eus tout juste le temps de m'apercevoir qu'il faisait noir dehors.

– Faites comme chez vous, dit-il. Après le couvre-feu, on filera vers le labyrinthe, ni vus ni connus.

Guidée par la lampe de Max, je m'installai avec Cole dans un coin de la pièce tandis que les deux autres garçons s'étendaient à l'autre bout. Quelques couvertures remisées dans un coin nous évitèrent de nous asseoir directement sur le ciment.

Quand tout le monde cessa de bouger, Max éteignit et le noir nous envahit.

J'entendis Max et Ashe parler tout bas. Je me sentis soulagée d'avoir Cole près de moi. Dans cet univers inconnu, il avait au moins une qualité : il m'était familier. Rassurant.

Il me posa une couverture sur les épaules.

– On n'en a que pour trois heures, chuchota-t-il. Tâche de te détendre.

– C'est quoi, un couvre-feu ?

– Il faut le prendre au sens propre. Pour économiser l'énergie, les Ombres éteignent tout, de temps à autre. Chacun reste cloîtré chez soi. Mieux vaut que cela ait lieu maintenant, plutôt que quand nous serons dans le labyrinthe.

Il était calme. Je percevais encore des murmures, de l'autre côté de la salle, sans comprendre ce qui se disait.

– Cole ? repris-je.

– Oui ?

– Y aura-t-il des Ombres, dans le labyrinthe ?

Il émit un petit soupir.

– Je ne pense pas. Ce qui les intéresse, c'est l'énergie. Comme elles ne pensent à rien d'autre, elles se tiennent au centre et dans les Communes, où elles parviennent à la manipuler. Elles n'ont aucun intérêt à entrer dans le labyrinthe.

– Pourquoi font-elles ça ?

– Elles sont comme une incarnation de la dévotion au monde de l'Enfernité. Selon certains, elles ne sont que la dernière ombre d'une relation. La dernière ombre d'un... amour, sans rien derrière pour le justifier. Tout ce qu'elles savent faire, c'est protéger ce monde et l'énergie qu'il renferme.

– D'où viennent-elles ?

– Je n'en sais rien.

Décidément, Cole ignorait trop de choses sur son propre univers. Tant de secrets, pour les habitants eux-mêmes. Je me tournai vers lui.

– Sont-elles immortelles ?

– Je n'en sais rien.

Après un petit silence, j'entendis Cole remonter la couverture.

– Tu vas dormir ? lui demandai-je.

Il pouffa de rire.

–Non. Dormir, c'est comme manger, ça ne se fait qu'à la Surface. Nous n'en avons pas besoin, ici. C'est valable pour toi aussi.

Mme Jenkins m'avait conseillé de ne pas manger en Enfernité. Je compris d'un coup pourquoi je n'avais pas vu de cuisine, chez Ashe.

Je repensai alors à la façon dont Ashe avait accepté de nous accompagner, sans discuter.

– Ashe est-il un Enfernaute normal ?

– Un Enfernaute normal, confirma Cole d'un ton amusé.

– Si c'est ça, pourquoi semble-t-il couvert de… de fumée ?

– Je n'en sais rien, soupira Cole. C'est sa nouvelle forme. Il n'était pas comme ça, avant. Il m'a confié qu'il avait raté le dernier Festin. C'est peut-être pour ça.

– Qu'est-ce qu'il te doit, pour accepter si facilement de venir avec nous ?

Cole se tut un moment.

– Il a une vieille dette envers moi. Un jour, j'ai retrouvé ce qu'il avait perdu. Et aujourd'hui, il me paye son dû.

– Qu'est-ce que tu as trouvé ?

– Peu importe.

Il n'alla pas plus loin. Le silence régnait de l'autre côté de la pièce, comme si les garçons nous écoutaient, et je n'insistai pas.

Donc Ashe n'était venu que pour s'acquitter. Mais Cole, lui, pourquoi était-il là ? De son point de vue, il ne me devait rien.

– Cole ?

– Oui, Nik ?

Je lâchai un petit soupir. Je ne voulais pas lui demander ouvertement pourquoi il avait accepté de m'aider. Ni lui donner une occasion de revenir sur sa décision.

– As-tu peur d'être tué ?

– Non. Ce qui me fait peur est pire que la mort.

Pire que la mort ?

– Comment ça ?

– Les Enfernautes finissent parfois piégés dans l'enfer de leur esprit.

Je le sentis tirer sur un fil qui pendait de sa manche.

– Tu n'as pas remarqué que, dans la mythologie, les châtiments sont toujours répétitifs, éternels ? Sisyphe pousse le rocher jusqu'au sommet, et chaque soir il doit recommencer depuis le pied de la butte… Des malheureux sont piégés dans le sable mouvant, où des oiseaux viennent leur piquer les boyaux… Les Enfernautes redoutent les châtiments éternels, comme celui que subissent les Vagabonds : la faim les torture sans jamais les achever. Notre esprit peut être atteint d'une calamité si douloureuse que la mort en deviendrait un soulagement.

Je me souvins des tableaux représentant des tourments et des fléaux en tout genre, dans l'*Anthologie des mythes grecs*.

– Tu connais quelqu'un qui a été ainsi pris au piège ?

– Oui. Moi.

Je me tournai vers lui, et il s'en aperçut.

– Avec toi. J'essaye sans cesse, sans jamais te gagner. Je vais devoir tenir pendant quatre-vingt-dix-neuf ans.

Mes joues devinrent brûlantes.

– Tu n'essayes plus, tout de même.

– Je n'arrêterai jamais.

– Mais… Tout ça…

Je fis un geste, alors même qu'il ne me voyait pas, du moins je le croyais.

– Tu fais tout ça alors que le but est de sauver Jack.

– Je sais. Et quand on aura réussi, tu seras très endettée envers moi.

Sa voix avait un ton à la fois amusé et sérieux. Je me rappelai l'explication d'Ashe à propos de la longe qui me liait à Cole. Je secouai la tête.

– Qu'est-ce que tu imagines ? Je te devrai quoi ?

Il se pencha vers moi.

– Pour avoir sauvé l'amour de ta vie ? Tout.

Au cours de ce moment d'une tension extrême, j'aurais voulu voir son visage. Mais je le sentis s'appuyer contre moi.

– Ensuite, tu me tourneras le dos, et je devrai trouver un nouveau moyen de t'impressionner. Voilà, Nikki Beckett, en quoi consiste la boucle éternelle.

Je lâchai un soupir tout en m'efforçant de me libérer de la panique qui m'avait saisie. Il se comportait comme s'il s'agissait d'une plaisanterie, mais est-ce qu'il était sincère, au fond de lui ?

– Tu sais ce qui me fait peur, Nik. Maintenant, à toi de me dire ce que tu crains.

Je répondis le plus franchement possible.

– J'ai peur de ce que j'ignore sur ce monde, et de devoir croire tout ce que tu me dis.

– Ça fait frémir, en effet.

Sa voix était sans humour.

16

Dès la fin du couvre-feu, nous remontâmes de la cave à la rue. Cole s'adressa à Ashe.

– Tu sais ce qui nous attend. Tu as beau me devoir quelque chose, il serait injuste que j'exige un tel service en guise de dédommagement. Si tu préfères payer ta dette autrement, je le comprends.

Il y eut un long moment de silence. Je ne dis pas un mot, ni pour implorer ni pour argumenter, car j'étais persuadée que la réponse d'Ashe n'aurait rien à voir avec moi, mais tout à voir avec leur passé commun. Il fit un pas en avant.

– Je reste. J'en ai assez de t'être redevable.

Il avait déclaré cela d'un ton aimable et non hargneux. Cole sourit et lui donna une tape sur l'épaule, comme s'ils étaient frères d'armes.

Une fois encore, nous marchâmes dans les ruelles et les passages, rapides et silencieux. J'étais si désorientée que, toute seule, je n'aurais jamais retrouvé mon chemin. Je gardai ma capuche tirée. N'importe quel passant aurait pu être à ma recherche.

Cole se plaça juste devant moi, laissant Max derrière.

– Reste collée à mes pas, Nik.

– Pour que tu puisses… (je cherchai le mot juste pour définir son action sur mon énergie) … aspirer plus efficacement ?

Il eut un petit rire.

– Exactement.

Ashe et Max s'avancèrent pour m'encadrer, plus discrets que la première fois.

Chaque Commune comptait quatre portes. Deux d'entre elles, placées à l'opposé, étaient limitrophes des Communes voisines ; une autre donnait sur le vide, et la dernière débouchait sur le labyrinthe. Les sorties vers les Communes correspondaient au nord et au sud du cercle. Le vide était à l'ouest, et le labyrinthe, à l'est.

Nous allions d'un bon pas. Je n'avais vu personne nous poursuivre, et je me disais que nous pourrions nous éclipser sans encombre quand Max annonça :

– On a de la compagnie.

Je tournai à peine la tête, juste assez pour apercevoir deux silhouettes, derrière nous, au bout de la rue.

– Ce sont peut-être des promeneurs, suggérai-je.

– On va vérifier ça, répondit Max.

Il tourna soudain dans une rue adjacente et se mit à courir. Nous le suivîmes. Il opéra ainsi plusieurs détours rapides et brefs jusqu'au moment où nous nous blottîmes dans un sombre recoin, pour attendre. Pendant une minute, il ne se passa rien. Après une fuite pareille, il était inimaginable que nous soyons toujours traqués.

Et pourtant, nous l'étions : les deux silhouettes réapparurent au bout de la ruelle. Nous nous tournâmes vers Ashe, notre chef improvisé. Il réfléchit une fraction de seconde avant de décider :

– Séparons-nous. Dès que vous atteindrez l'entrée, foncez sans attendre.

Cole me prit par la main pour courir.

De l'autre main, je serrais le message de Jack. *Tiens bon, Jack*, pensai-je. *J'arrive.*

J'ignorais si les hommes nous suivaient, nous, ou d'autres membres de notre groupe. Nous allions trop vite pour que je le vérifie. Après quelques minutes de course folle, nous arrivâmes devant une arche semblable à celle que nous avions franchie pour entrer à Ouros. Néanmoins, elle semblait moins fréquentée. Les angles des murs, bien nets, n'avaient pas été usés par le frottement de milliers de mains. Sur le sol, la poussière était éparpillée et non compacte.

Nous fîmes un dernier sprint.

– Allez, allez ! ordonna Cole pour que je franchisse l'arcade avant lui.

Il me suivit puis se plaqua contre le mur, dans le passage obscur, pour observer la rue.

Personne ne se montra. J'ignorais si nos compagnons étaient devant nous ou encore en chemin. Enfin, Cole se détourna pour regarder le sombre couloir.

– Je passe devant toi, annonça-t-il.

À mesure que nous avancions, un bruit de ruissellement se fit de plus en plus fort. La lumière, au bout du chemin, rebondissait sur les murs comme dans une piscine couverte.

Alors, pour la première fois, je vis le Cercle de l'Eau.

Je me figeai.

Jusqu'alors, j'avais pu me dire que nous étions dans un étrange recoin du monde mais, malgré tout, sur une planète qui m'était familière. Là, devant le Cercle de l'Eau, je me sentis plus loin que jamais de la Surface et de mes repères. C'était une vision si surnaturelle que j'en perdis le souffle.

Cole m'attendait, la main tendue. Quand nos regards se croisèrent, il constata que j'étais paralysée.

— Tu es prête ?

Sans bien comprendre, je hochai lentement la tête. Cole eut un petit sourire moqueur.

— Ça crève les yeux… Nous n'avons pas le choix : il faut traverser.

Je lui pris la main, consciente que sinon, je resterais coincée longtemps dans le tunnel. Une brume légère atteignit mon visage quand je fis un pas vers le Cercle. C'était logique car devant nous, le mur entier était en eau, comme une cascade géante, à un détail près : en bas, l'eau ne s'accumulait pas, et en haut, elle semblait venir de nulle part.

Face à ce mur liquide, je devais choisir entre le chemin de gauche et celui de droite.

— Bienvenue dans le labyrinthe, annonça Ashe.

Il était là, sur le côté, avec Max. Ils étaient arrivés avant nous.

— Essaye de ne pas trop te mouiller. Ici, l'eau a certains… pouvoirs.

Ce qu'Ashe avait dit me revint : cette eau troublait nos émotions.

— Par exemple ? demandai-je.

Cole me tira vers le milieu du chemin, probablement pour que je reçoive moins d'eau.

— Elle fait remonter en toi les pires émotions. Si tu es trop arrosée, tu risques de finir noyée dans ton désespoir.

J'examinai les murs géants, devant et derrière moi ; comment m'y prendre pour rester sèche ? Mes compagnons ne semblaient pas trop soucieux, pourtant. Ils étaient tournés vers mes pieds. Je baissai la tête et compris ce qui n'allait pas. La longe était tournée vers le mur qui me faisait face, toujours vers le centre du labyrinthe.

– Cette longe ne nous servira à rien si elle ne nous indique pas de quel côté contourner les cloisons.

Tout le monde consulta Cole, en pleine réflexion.

– Tu es parvenue à maîtriser ta projection, à la concentrer pour qu'elle prenne cette forme. Maintenant, il faudrait que tu exploites encore plus ta connexion avec Jack pour que nous sachions si nous devons tourner à droite ou à gauche.

– Comment faire ?

– Raconte-moi une histoire.

Derrière lui, Max roula des yeux avec emphase. Cole l'ignora.

– Tes souvenirs, bien concentrés, sont notre meilleur moyen de maîtriser votre connexion. Pense à un moment crucial de ta relation avec Jack.

J'observai la longe et le mur d'eau, puis les paires d'yeux qui me regardaient. Je fus incapable de réfléchir.

– Parle-moi du jour où tu as compris que tu l'aimais, me conseilla Cole.

Sa voix s'était soudain tendue, mais son visage était toujours un masque calme. D'un regard nerveux, je parcourus notre petit groupe.

– Ne t'occupe pas d'eux, intervint Cole. Raconte-moi. Parle. Quand as-tu su ?

Je savais précisément comment c'était arrivé.

PREMIÈRE ANNÉE DE LYCÉE
La Surface. La maison.

Un enterrement, c'est plus facile que le lendemain d'un enterrement. Ou la semaine suivante. Ou le premier dimanche matin, quand le silence de la cuisine – marquant l'absence de ma mère à l'heure du pain perdu – me fit mal aux oreilles.

Un matin, tandis que je m'habillais pour aller au lycée, le fait qu'elle ne soit plus là pour commenter ma tenue laissa un vide palpable.

Quelques jours après l'inhumation, la solitude me vidait les poumons. Je glissai mes livres dans mon sac puis je regardai ma montre.

– Tu pars encore de bonne heure ? me demanda mon père.

Il avait paru devant la porte de ma chambre, vêtu d'un costume gris et d'un gilet rouge ; le seul souvenir de la cérémonie de la semaine précédente, c'étaient les cercles sombres, sous ses yeux. Je m'efforçai de sourire.

– Je m'arrêterai en chemin pour prendre un café.

Il opina, mais je n'étais pas sûre d'être crue. Il hésita un moment avant de s'éloigner.

– Je t'aime, Nikki.

– Moi aussi, Papa.

Je hissai mon sac sur mon épaule avant de rejoindre ma voiture, tout en veillant à ne pas réveiller Tommy, dont les cours commençaient une heure plus tard. Le soleil peignait le sommet des arbres et bientôt, je le savais, il illuminerait le cimetière.

Je n'avais pas dit la vérité à mon père car je ne voulais pas l'inquiéter. Il était déjà bien occupé par son chagrin, et il n'avait pas besoin de savoir que sa fille allait au cimetière en catimini chaque matin, pour parler à sa mère disparue.

Je ne pensais pas réellement que je lui parlais, ni qu'elle était au milieu des nuages, en train de m'écouter. C'était plutôt un exutoire. Un moyen de me soulager. Si je ne laissais pas sortir ma douleur, petit à petit, j'exploserais comme une baudruche trop gonflée.

Cela semblait ridicule. Je le savais. Mais je ne pouvais pas m'en empêcher. Ma mère était partie. Chaque matinée passée dans la maison vide sans l'entendre cogiter sur mes vêtements, évoquer mon programme du jour avec la cafetière en bruit de fond, ni la sentir attacher mes cheveux tressés mollement, ne faisait que l'éloigner de moi.

Arrivée au parking, je laissai le moteur tourner un moment. Je perdais peut-être la tête ? Je comptais donc rester près d'elle pour fuir la routine du matin ? Aucun de mes amis n'avait perdu un proche, encore moins un parent. Sinon, j'aurais peut-être pu savoir ce qu'une fille en deuil était censée faire, et suivre ses conseils.

Je coupai le moteur et sortis de la voiture. Même si le printemps était bien entamé, l'air du matin était mêlé, comme influencé par un reste d'hiver.

Je rejoignis la tombe de ma mère. Le rectangle de gazon était d'une fraîcheur voyante, plus sombre que les alentours, comme pour crier aux passants qui voudraient bien l'entendre qu'une tragédie venait de frapper la famille Beckett.

La *tragédie*. Le mot que tout le monde prononçait pour définir ce qui ne touchait pas sa propre vie. Pour moi, la perte était profonde. Et tranchante, les bords en dents de scie. Elle me déchirait, s'installait dans les recoins obscurs de mon âme, où elle somnolait en attendant les premiers signes de soulagement pour se remettre en action.

Existait-il un mot pour dire cela ? *Tragédie* ne convenait pas. Ce n'était pas assez fort.

Je m'effondrai par terre et, comme souvent, je ne trouvai rien à dire. Dans le temps, nous passions des heures à papoter, sans la moindre pause. Mon père devait même intervenir pour nous rappeler les cours, le travail, ou je ne sais quoi encore.

Depuis, plus un mot ne me venait. Je restai donc assise, silencieuse.

Un claquement tout proche me fit tourner la tête. Sous le chêne, près de la barrière en fer qui cernait le cimetière, une silhouette s'assit par terre et ouvrit un livre.

Jack. Nos regards se croisèrent. Il n'eut pas besoin de dire un mot. Il sourit, sans plus, et hocha la tête pour me faire comprendre qu'il m'avait vue, avant de se pencher sur son roman.

Peu importait comment il avait su où me trouver. Il avait peut-être vu ma voiture sur le parking. Ou mon père lui avait téléphoné. Ou bien il avait deviné.

Quoi qu'il en soit, cela n'avait pas d'importance. Je sus, à cet instant, que le garçon assis sous l'arbre était fait pour moi. Ces mèches flottantes avaient poussé pour que je les caresse. Cette grande main osseuse était là pour que je la tienne. Cette voix bourrue grondait pour que je l'entende, et ces oreilles devaient recevoir tous mes secrets. Sauf le plus grand de tous. Que j'étais amoureuse de lui. Au-delà du béguin que je maîtrisais depuis des années. Au-delà de ce que l'on ressent pour un ami intime. Au-delà de l'amour qu'il me vouerait, lui. J'étais faite pour lui.

Je me tournai vers le tombeau, vers l'endroit où l'on fixerait la stèle que nous avions commandée, et je murmurai :

– Aide-moi, Maman. Qu'est-ce que je dois faire, à propos de Jack ?

17

MAINTENANT
L'Enfernité. Le Cercle de l'Eau.

– Donc, il a gagné ton amour éternel en ouvrant un livre au pied d'un arbre ? commenta Cole sèchement. Pourquoi je n'ai pas essayé cette méthode-là ? Moi aussi, j'aime les livres et les arbres.

Je ne pus me retenir de sourire.

– Je ne dirai plus rien, puisque tu te moques de moi.

Il leva les mains en signe de soumission.

– Holà. Ça marche. Regarde.

La longe avait viré : elle s'était tournée vers la gauche.

– On y va, ordonna Ashe. Je prends les devants. Max, tu fermes la marche. Et toi, Cole, tu restes près de Nikki. Max, ouvre l'œil, des fois qu'il y ait des Vagabonds. Ils aiment bien envoyer des éclaireurs. Il ne faut surtout pas qu'ils sachent que nous sommes ici.

Il consulta sa montre.

– Il est midi. Il faut aller le plus loin possible avant d'expédier Nikki. Allons-y.

– Attends une seconde, intervins-je d'une voix inquiète. Midi ? Je suis partie en début de soirée. Ça fait déjà un jour ?

Ashe haussa les épaules.

– Tout ce que je sais, c'est l'heure. Pas la date. Pourquoi ?

– Le couvre-feu a peut-être accéléré le temps, suggéra Cole en se tournant vers moi. Les heures ne s'écoulent pas toujours à une vitesse régulière, en Enfernité.

Mes épaules retombèrent.

– Si c'est ça, j'ai été absente de chez moi toute la nuit. J'ai donc manqué un rêve avec Jack. (Je respirai plus vite, sur le point de suffoquer.) Il était à peine vivant. Si j'ai raté une nuit…

Cole me posa une main sur l'épaule.

– On n'y peut rien, Nik. Le mieux, c'est de marcher.

J'acceptai, espérant que, par miracle, le temps avait passé à l'envers et que nous étions en milieu de journée, la veille de mon départ. Et je partis d'un bon pas sur le chemin.

– Ralentis, me conseilla Cole. Si tu dérapes, tu finiras trempée.

Je ralentis à peine.

Ashe me doubla et prit un peu d'avance tandis que Cole restait près de moi, Max étant loin derrière. À chaque fois qu'Ashe devait prendre une décision, pour choisir entre deux voies par exemple, il nous attendait pour regarder quelle direction ma longe indiquait. De fait, il ne s'éloignait jamais, tant il y avait de boucles et de virages, de fourches et de passages voûtés qui ressemblaient à des raccourcis vers le couloir suivant.

Mes oreilles s'habituèrent au son des cascades, qui devint bientôt un simple bruit de fond.

Alors même que nous marchions au milieu de la voie, une bruine me voilait le visage. Je m'efforçai de ne pas me lécher les lèvres ni de l'inspirer, mais c'était difficile. Et, dès que mon esprit flottait, je me demandais si c'était normal ou si l'eau s'infiltrait dans mon corps.

Je repensai à l'avis de recherche où mon portrait figurait. Je me tournai vers Cole.

– Pourquoi la reine s'intéresse-t-elle à moi ? Il est donc si étrange qu'un humain vienne ici ?

– Quand un humain vient en Enfernité, il n'a que trois raisons possibles : nourrir un Enfernaute, aller dans les Tunnels ou…

Sa voix s'éteignit.

– Quelle est la troisième raison ?

– Devenir lui-même Enfernaute. Et toi, tu ne remplissais aucune de ces conditions.

Je regardai Cole.

– Comment devient-on Enfernaute ?

Il hésita un moment.

– Cela repose sur une série de rites. Dans le temps, ça se passait entre un Enfernaute et son humain, mais maintenant, les Ombres cherchent à tout superviser. C'est très rare.

– Pourquoi ?

– À cause de notre quota d'énergie. Celui qui décide de faire venir un humain devient responsable de son propre quota, et aussi de celui de l'humain en question. C'est donc une lourde décision. Et il n'y a pas…

Sa voix fut coupée par des cris, derrière nous. Max arrivait en courant.

– Des Vagabonds. Sur nos traces.

– Combien ? demanda Max.

– Peut-être dix. Je les ai tout juste aperçus : ils étaient sur un autre sentier. Mais si jamais ils perçoivent l'odeur de Nikki…

– Mon odeur ? protestai-je.

– S'ils captent un fragment de ton énergie, alors ils te suivront à la trace, expliqua Cole. Nous devons accélérer.

Nous nous replaçâmes comme avant, mais cette fois, Max prit moins de retrait et nous marchâmes plus vite.

Je perdis un peu mon souffle.

– À vous entendre, on dirait plutôt des zombies que des Enfernautes, notai-je.

– Oui, c'est comme ça qu'il faut les voir, admit Cole. Comme des zombies dotés d'un cerveau. Non seulement ils ont faim, mais en plus, ils sont malins.

– Que font-ils dans le labyrinthe ?

– La reine les a condamnés à errer ici. C'est une autre méthode pour empêcher les intrus de s'infiltrer dans le labyrinthe.

J'aurais presque eu pitié d'eux, s'ils n'avaient pas été dangereux.

Plus loin, Ashe nous attendait ; cela voulait dire qu'il était devant une nouvelle fourche. Perdue dans le dédale, j'aurais été incapable de trouver quel chemin allait vers la sortie ou vers le centre. Les murs auraient dû être convexes ou concaves, puisque le dédale était circulaire ; mais l'eau ruisselante rendait la chose difficile à voir. Parfois, ma longe indiquait une direction et, dès le virage suivant, la direction opposée.

Je l'étudiai quand nous rejoignîmes Ashe. Pour la première fois, je remarquai qu'elle avait perdu de son éclat. Cole le nota aussi.

– Garde ton fétiche en main et tâche de ne pas t'inquiéter à cause des Vagabonds.

– Mon niveau de stress influe sur ma longe ? demandai-je d'une voix tremblante.

– Tout en toi a de l'effet sur elle.

Je serrai le message de Jack contre ma paume ; la longe s'assombrit légèrement. Mais nous n'avions pris que deux virages quand nous nous trouvâmes face à un Vagabond.

Je compris que quelque chose clochait en voyant Ashe reculer lentement, tandis que nous le rejoignions. Quelques mètres plus loin se tenait un homme dont les vêtements pendaient sur ses membres osseux comme s'ils étaient trois fois trop grands. Son visage luisait de sueur. Il semblait aussi surpris que nous.

– Bonjour, voyageurs, dit-il, les yeux soudain plus vifs.

– Garde ton calme, me murmura Cole.

L'homme regarda Ashe, puis Cole, et moi en dernier. Cole me tira contre lui. De toute évidence, le Vagabond avait aperçu ma longe car il regardait l'endroit où elle avait rayonné. Sans me quitter des yeux, il s'adressa à Cole.

– Qui caches-tu ?

Un bras devant moi, Cole me poussa doucement derrière lui pour me protéger.

– Personne, prétendit-il. On ne fait que passer.

– Passer ? Dans le labyrinthe ? (Il sourit, donnant à son visage l'expression d'un fou.) Une promenade de santé, hein ?

Il parlait vite. Cole fit un pas en avant, d'une allure offensive plus que défensive.

– Et toi, l'ami ? Tu es seul ?

Le Vagabond le regarda enfin.

– Je ne suis jamais seul dans le labyrinthe. Et je garde en tête des histoires qui me tiennent compagnie. Comme celle qu'on m'a racontée récemment, à propos d'une humaine qui a paru lors du sacrifice hebdomadaire, sur la place d'Ouros. Tu en as entendu parler ?

Cole se tendit.

– Des rumeurs.

Je regardai ses mains. Il serrait les poings.

Le personnage m'examina.

– Si vous le dites. Je veux bien rester muet. En échange de quelque chose.

Cole haussa un sourcil.

– C'est-à-dire ?

– Ton cœur de Surface.

Son cœur de Surface ? Voulait-il dire le médiator de Cole ?

Je m'attendais à entendre Cole pouffer mais il n'en fut rien. Il passa d'un pied sur l'autre comme s'il étudiait la proposition. Jamais il ne céderait son cœur, tout de même ? D'ailleurs, je n'avais pas la moindre idée de ce que cet individu pourrait en faire.

Je restai tournée vers lui. À en croire son regard, il était prêt à tout.

– Oui ou non ? Ton cœur contre mon silence ?

Cole garda une voix posée.

– Qu'est-ce qui me dit que tu tiendras ta parole ?

Soudain, deux autres Vagabonds apparurent, en provenance du même endroit que le premier. Un homme et une femme. Eux aussi en loques. La femme avait les cheveux noueux et hirsutes.

Ils étaient trois. Nous étions trois. Allaient-ils passer à l'attaque ?

À cet instant, des cris s'élevèrent derrière nous. Des avertissements. C'était probablement Max. Ashe et Cole se tournèrent et, pendant une fraction de seconde, ne me regardèrent plus. Il n'en fallut pas plus au Vagabond. Il se pencha et bondit vers moi, me percutant le ventre avec son épaule.

Je tombai lourdement sur le sol mouillé. Le Vagabond rebondit sur moi, la bouche ouverte sur ses dents. Il m'écrasait les bras avec ses genoux. Je me débattis, mais il était d'une force étonnante. Il baissa la tête, son visage à quelques centimètres du mien, et inspira profondément.

Je sentis mon souffle me quitter, avant d'hurler sous l'effet d'une douleur soudaine à la poitrine. Une douleur comme je n'en avais pas ressenti depuis le Festin. Le même grattement interne.

Quelqu'un le souleva et j'aperçus Cole flotter dans l'air, au-dessus de moi, puis percuter les deux autres Vagabonds. D'un seul geste, Max anéantit le premier Vagabond en lui infligeant un coup sur la tempe, avec son poing américain. Puis il saisit un bras de la femme et le replia derrière elle en lui pointant son couteau sur la gorge.

Je ne pouvais plus les regarder. La douleur de ma poitrine me forçait à fermer les yeux. Que m'avait donc infligé le Vagabond ? Je pivotai sur le flanc et me roulai en boule, les mains sur la poitrine pour étouffer la douleur.

En moi, tout était devenu noir. J'avais l'impression que la paix m'avait été arrachée, que chaque moment lumineux, chaque éclair d'espérance, m'avait été soutiré. Il devait y avoir un trou béant au-dessus de mon cœur. Pourtant, quand je levai les mains, je vis qu'elles étaient sèches. Pas de sang.

Cole me faisait face.

– Tout va bien, Nik. On s'occupe d'eux.

– Qu'est-ce qu'il m'a fait ?

Cole grimaça.

– Il s'est nourri de toi. Il a pris le meilleur.

Je perçus un cri étouffé et, malgré la douleur, je me redressai. Ashe et Max tenaient chacun le cou d'un Vagabond qu'ils forçaient à rester la tête sous l'eau, au ras du mur. Les bonshommes se débattaient en agitant les pieds. Le troisième, probablement celui que Max avait frappé, était inerte.

– Que… qu'est-ce qu'ils font ?

– Ils les noient.

Soudain affaiblie, je trébuchai. Cole passa son bras autour de moi et me redressa.

– Ces monstres n'en mourront pas. Ils vont juste se remplir d'eau jusqu'à la gorge. Oublier tout ce qu'ils ont vécu et ressenti.

– Pour combien de temps ?

– Assez longtemps pour que nous parvenions à nos fins ou que nous échouions.

Ashe et Max faisaient de leur mieux pour échapper aux éclaboussures. Ils respiraient fort.

Une nouvelle vague de douleur me heurta la poitrine. Je me redressai vers Cole, tout en m'efforçant de reprendre mon souffle et d'apprivoiser la souffrance.

– Pourquoi a-t-il pris mes bonnes émotions ? Tu avais pourtant dit que les mauvaises se trouvaient au-dessus des autres.

– Oui, à la Surface. Ici, elles ont toutes le même poids. Comme ils peuvent les choisir, les Vagabonds prennent les meilleures, évidemment.

L'espoir, la joie, l'amour, la patience. Le Vagabond les avait comme déchiquetés, en moi, avant de les remplacer par l'huile noire du désespoir et du dégoût de soi. De la haine. Ce trou noir me déchirait, serpentait à travers mes veines, envahissait mon cœur. Je grognai.

– On n'y arrivera pas, dis-je.

Je sentais que le désespoir me défigurait sans que je puisse réagir.

J'aperçus vaguement les deux Vagabonds qui cessèrent de battre des pieds, puis de bouger. Ashe et Max les sortirent de l'eau pour les poser au sol, face contre terre. Je me roulai en boule.

Max s'approcha et me tendit la main.

– Il faut y aller. J'étais venu pour vous prévenir. D'autres Vagabonds nous pistent.

D'autres Vagabonds. Nous étions capables d'en vaincre trois, mais s'ils étaient plus nombreux ?

Je ne pris pas sa main. Je ne pouvais plus bouger. Sans émotions légères pour pondérer les plus lourdes, ma culpabilité – du moins, ce que je prenais pour de la culpabilité – me paralysait. Mon cœur n'était qu'un bloc de ciment.

– Je ne peux pas. Ça ne réussira pas. Je ne le retrouverai jamais. Si un seul Vagabond m'inflige un sort pareil, imaginez ce que les Tunnels ont fait à Jack ? L'ont-ils d'abord privé d'espoir ? Ou d'amour ?

Je plaquai la main sur ma poitrine.

– Comment vivre avec seulement des restes ?

Cole s'accroupit devant moi et me prit par les épaules, me secouant doucement.

– Nik. Regarde-moi. Nous ne sommes pas venus jusqu'ici pour que tu perdes espoir. Les Vagabonds nous pistent, il faut qu'on bouge.

Il était logique, mais ses mots ne m'atteignirent pas. Je ne répondis rien. Je savais que je devais me lever et bouger. Mais je ne le pouvais pas. La moindre cellule de mon corps était chargée de culpabilité, me rendant aussi lourde qu'une enclume.

Cole passa ses mains sous mes bras et me hissa.

– Lève-toi. Il ne faut pas rester ici. Jack a besoin de toi.

– Jack…, répétai-je.

Non, je n'avais pas tout oublié. Seulement, je ne pouvais rien faire.

– Oui, c'est ça. Le Jack qui est à toi pour toujours. Tu te rappelles le garçon qui t'a conquise en lisant au pied d'un arbre ? Jack.

Il tira l'un de mes bras sur ses épaules et enroula le sien autour de ma taille. Quand je fus redressée, Max se pencha vers ma longe.

– Hum… J'ai bien vu, là ?

Je suivis son regard. Il n'y avait pas une, mais deux longes. L'une était tendue vers la droite, l'autre allait tout droit.

Ashe arriva en courant. Il était probablement retourné voir où en étaient les Vagabonds.

– On n'a pas une seconde à perdre, indiqua-t-il à Cole, qui grogna.

– C'est laquelle, Nik ? Laquelle de ces longes te relie à Jack ?

Pour moi, elles étaient rigoureusement identiques. Je fermai les yeux, mais ma connexion avec Jack s'était éteinte.

– Je n'en sais rien.

Cole me serra les bras.

– Concentre-toi ! Nous ne pesons pas lourd face à une douzaine de Vagabonds. Quelle direction devons-nous prendre ?

J'observai les longes, espérant y trouver un indice qui m'indiquerait laquelle menait vers Jack. Celle qui partait droit devant nous était plus sombre, ou est-ce que je me faisais des idées ?

– Alors, par où ? !

– Par là, répondis-je, la main tendue.

Nous partîmes en courant au moment où le premier Vagabond tournait le coin. J'étais encore sous le choc. À chaque pas, j'avais l'impression de fouler du sable mouvant.

Je perdis mon souffle. J'avais compris qu'ils seraient implacables.

Tandis que nous courions, je me penchai vers mes deux longes, incertaine d'avoir fait le bon choix.

Je sentis que nous nous approchions de quelque chose. Ma longe était comme un élastique qui se rétracte. La douleur dans ma poitrine était toujours aussi cruelle, et les larmes me roulaient sans arrêt sur le visage. Si je n'avais pas eu un but à atteindre, je me serais probablement roulée en boule pour pleurer pendant des jours.

Pourtant, je ne me fatiguais pas. Plus nous avancions, plus je me détendais. Mes jambes étaient aussi puissantes qu'au moment où nous étions entrés dans le labyrinthe. Lorsque Cole commença à décrocher, je gardai mon rythme.

– Ralentis, Nik ! me dit-il entre deux inspirations.

– J'approche de quelque chose. Je le sens.

Plus je galopais, plus la douleur qui m'écrasait la poitrine s'estompait. Je compris soudain que c'était peut-être elle que je suivais.

– Attends ! Nik !

J'entendais ses pas derrière moi, mais je prenais de l'avance. Une force puissante et mystérieuse me poussait.

– Fais-moi confiance. C'est par là ! lui lançai-je par-dessus mon épaule.

Je piquai un sprint. Cole cria à Max de me rattraper, peut-être parce qu'il avait de plus longues jambes, mais j'étais trop loin devant eux. Jack lui-même n'aurait pas pu me rejoindre.

Jack.

Mes pieds chancelèrent un instant, et je regardai ma main. Elle serrait un carré de papier que je ne reconnaissais pas.

D'ailleurs, je ne pouvais pas me pencher sur cette question, car j'étais presque arrivée à destination. Je tournai une dernière fois avant de sortir du labyrinthe, débouchant sur une clairière et un grand lac majestueux.

Pendant une fraction de seconde, je perçus qu'il fallait s'en tenir loin. Sans avoir le temps de transmettre cet avertissement à mes pieds, je courus – je bondis – vers l'eau.

18

J'entendis Cole hurler mon nom, sans bien comprendre. À quelques mètres du bord, je sautai et je flottai un moment au-dessus de la surface, avant de redescendre.

En arrivant sur l'eau, j'eus juste assez d'intelligence pour comprendre que ce lac n'était pas normal. Mais c'était trop tard. J'étais engloutie.

Ce n'était pas vraiment de l'eau. C'était plus épais.

Je tentai d'ouvrir les yeux. Il faisait sombre, et le liquide sentait mauvais. Je battais des mains et des pieds sans comprendre comment remonter. J'étendis les jambes pour tenter d'atteindre la surface, du bout des orteils, en vain.

Mes poumons se bloquèrent, tant j'avais besoin d'air. Malgré moi, j'ouvris la bouche et le liquide s'y engouffra.

Non, ce n'était pas de l'eau. C'était trop riche. Trop lisse. Cela avait un goût de métal.

De sang.

De sang !

La révélation me fit tousser, et avaler une gorgée encore plus grosse.

Prise de panique, je me débattis sans parvenir à me redresser. Le sang coagulait autour de mes poumons. Autant essayer de nager dans un bac de ciment. Plus je luttais pour remonter, plus je sombrais.

Alors je cessai de bouger. Je laissai le sang filer entre mes doigts, mes orteils. Je ne coulais pas plus que je ne flottais, et d'ailleurs cela n'avait pas si mauvais goût.

J'oubliai comment j'étais arrivée là, et même où j'étais. Je ne luttais plus.

Soudain, je fus saisie par la taille. Trop fatiguée pour me débattre, je me laissai tirer vers le fond. Là où je n'aurais même plus besoin d'oxygène. Plus jamais.

Nous revînmes alors à la surface du lac.

– Nik ! hurlait Cole.

J'étais étendue sur la berge boueuse. Quelqu'un me donnait des claques.

– Nik ! Tu m'entends ?

Je tentai de répondre sans produire plus qu'un gargouillis.

– Elle en a avalé, expliqua Max à Cole.

– Merde.

Je toussai encore et tentai d'ouvrir les yeux. Mes paupières étaient couvertes d'un film couvrant tout ce que je voyais d'un rayonnement écarlate.

Puis le visage de Cole apparut au-dessus de moi, les yeux froncés d'inquiétude. Il me souleva la tête pour la poser sur ses genoux.

– Il faut que tu l'expédies, Max, annonça-t-il.

Il parlait d'une voix cassée. À contrecœur.

– Pourquoi moi ?

– Parce que j'en suis incapable.

Cole se pencha et posa ses lèvres sur mon oreille.

– Nik, tu te souviens ? Dans le labyrinthe, le temps s'écoule au même rythme qu'à la Surface, et nous devons t'y renvoyer tous les soirs.

Je hochai la tête, incapable de répondre autrement.

– C'est ce que je vais faire, tout de suite. Ce n'est pas l'heure, mais si tu restes ici, tu finiras noyée.

Je tentai d'ouvrir la bouche pour lui dire que je n'étais plus dans le lac, donc que je ne risquais plus rien, mais mes cordes vocales restèrent immobiles. Mon corps réagissait comme si j'étais toujours engloutie. Je sentis la panique monter. Être à terre ne changeait peut-être rien ? Et si je ne retrouvais jamais mon souffle ?

– Rassure-toi. Tout ira bien quand tu arriveras à la Surface.

– Tu en es sûr ? intervint Max.

– Oui, grogna Cole. À condition que tu te dépêches !

Ses lèvres revinrent vers mes oreilles.

– N'oublie pas de dormir. Je viendrai te chercher dans la matinée.

Il me remit sur pied, assisté de Max, et les secondes qui suivirent tournèrent au ralenti. Max recula puis il bondit vers moi, rabattit une jambe avant de me décocher un coup de pied sur le ventre, assez fort pour me faire tomber. Mes poumons s'aplatirent l'un contre l'autre et je n'eus plus assez d'air pour crier. Autour de moi, tout disparut.

Plus de lumière. Plus rien. Jusqu'au moment où mes joues frappèrent une surface dure et froide.

– Mmf !

J'entendis marcher.

– Nikki ?

J'ouvris les yeux. Un homme me dévisageait. Ezra. Le caissier du Shop'n Go.

– C'est du sang, ça ? Pourquoi es-tu couverte de sang ?

Je refermai les yeux. D'un coup de pied, Max m'avait renvoyée à la Surface.

19

MAINTENANT
La Surface. Devant le Shop'n Go.

Je sortis d'un pas mal assuré, suivie des cris d'Ezra qui me demandait qui allait nettoyer cette « saleté rouge » par terre.

Même s'il commençait à disparaître derrière l'horizon, le soleil naturel était si brillant que je fis un geste pour me protéger les yeux. Je vis alors que ma main était rouge. Mais pas mouillée. Le sang, à supposer que ce fût du sang, ressemblait à une poudre séchée. Et j'en étais couverte.

Heureusement, je pouvais respirer.

J'eus beau me frotter le bras, la tache resta. Les passants me regardaient. J'avais probablement l'air d'une framboise géante, en plein milieu de la rue. Mes vêtements eux-mêmes étaient maculés de rouge. Je tenais encore le feuillet *À toi pour toujours*. Comment avais-je pu l'oublier ?

Dans une petite rue voisine, je m'adossai contre un vieux bâtiment abandonné, le temps de reprendre mes esprits. J'énumérai ce que je savais :

J'étais allée dans l'Enfernité.

Un Vagabond s'était nourri de moi, puis deux longes étaient apparues.

J'avais nagé dans un lac de sang. En y songeant, j'eus du mal à croire que j'y avais carrément plongé.

Max m'avait donné un coup de pied.

Je m'étais retrouvée dans le Shop'n Go.

Pourquoi ce coup de pied ? Je me grattai le front, espérant me remémorer ce que Max et Cole avaient dit : puisque le temps s'écoulait au même rythme dans le labyrinthe et à la Surface, ils m'avaient expédiée pour que je prenne une nuit de repos.

Je regardai les ombres qui s'étiraient au sol. La nuit tombait. Pourtant, à mon départ de l'Enfernité, il faisait déjà nuit, non ?

Deux poubelles étaient posées au bout de l'allée. La tête baissée, je m'en approchai pour consulter la date des journaux répandus par terre, juste devant. La plupart étaient sortis le mercredi précédent, mais j'en repérai deux qui paraissaient plus récents. Jeudi. J'étais partie mercredi soir et nous étions jeudi soir. J'avais donc raté une nuit de rêves.

Cela voulait dire aussi que je n'étais pas rentrée chez moi, le soir précédent. Mon père, à son réveil, avait probablement constaté mon absence, ce qui n'avait rien de trop inhabituel ; toutefois, j'avais raté mon rendez-vous avec le Dr Hill.

Où aller ? Chez moi, pour redisparaître aussitôt ? Sous quel délai mon père signalerait-il ma disparition ? J'avais déjà été portée disparue ; il lui avait fallu du temps pour comprendre que je ne revenais pas, et plus encore pour réagir. Si je m'évaporais de nouveau, allait-il se dire que je rentrerais bientôt ? Ou prévenir les autorités ?

Je m'affaissai sur le trottoir, le dos plaqué contre les briques, pour respirer lentement pendant quelques minutes. Je fus incapable de retenir un torrent de larmes. Je les essuyai d'un revers de main. Sur ma peau toujours colorée, le rouge se mit à couler.

De quoi ce lac était-il fait ? Était-ce réellement du sang ? Je me pris la tête entre les mains. Beurk. J'avais nagé dans du sang.

Il y avait pire : j'avais raté une nuit. Une nuit entière. Jack m'avait-il cherchée ?

Tandis que je me redressais, je sentis un objet vibrer au fond de ma poche.

Mon téléphone.

Je le sortis. Il ne se passa rien. Il fallait sûrement qu'il sèche. Je fermai les yeux en soupirant. Je n'avais qu'un endroit où aller. Will habitait un peu loin, mais je pouvais m'y rendre à temps. Si, en dormant chez lui, je parvenais à rêver de Jack, je pourrais ensuite laisser un mot à mon père, pour lui expliquer que je devais prendre du recul pendant quelques jours.

Chez les Caputo, les lumières du rez-de-chaussée étaient éteintes, mais quelques lampes brillaient encore dans les chambres. Will couchait au sous-sol, juste sous la chambre de Jack. En me penchant vers le soupirail, je le vis, étendu sur son lit, les yeux fermés, son casque sur les oreilles. Je m'accroupis pour taper doucement au carreau.

Je ne sais pas ce qu'il écoutait, mais le son n'était sûrement pas à fond car il sursauta aussitôt et vint plaquer son visage à la fenêtre. Quand il me vit, il sortit de sa chambre en courant.

Je contournai le bâtiment. Will ouvrit la porte du sous-sol.

– Becks ! Où étais-tu…

Il avait certainement remarqué mon apparence, car sa voix s'évanouit. Il me fit entrer puis me serra contre lui.

– Qu'est-ce qui t'est arrivé ?

Je passai moi aussi mes bras autour de lui, le visage plaqué sur ses épaules. Et je sanglotai.

Cinq minutes plus tard, j'étais sous la douche, dans sa chambre. Je me savonnai avec acharnement pour faire disparaître la moindre trace de matière rouge.

LE MÊME SOIR
La Surface. La chambre de Will.

L'apparition de Jack me soulagea : cela voulait dire que ma nuit d'absence ne l'avait pas tué.

Il me regarde en attendant quelque chose.

— Je suis partie à ta recherche, lui dis-je. Tu le sais ?

Jack ne répond pas. Il me dévisage comme s'il cherchait quelque chose.

— Qu'y a-t-il, Jack ? Tu as mal quelque part ?

L'angoisse le défigure.

— Je... Je ne sais plus comment tu t'appelles. Je suis désolé. Vraiment désolé.

Il ferme les yeux et secoue la tête.

Il a oublié mon nom. Nous en sommes donc là ? Je m'efforce de cacher mon inquiétude, même si j'ai une envie folle de crier mon nom assez fort pour que le son traverse la chambre de Will, la Surface, puis l'Enfernité jusqu'aux Tunnels. Après une nuit loin de lui, les ravages sont déjà si profonds ? Je vais garder mon calme. Il ne doit pas savoir que je m'effondre. Je tends la main pour lui caresser la joue, mais elle ne traverse que de l'air.

— Je m'appelle Becks. Tout va bien.

— Becks.

Je le sais, il est en train de ranger mon nom en lui, de l'enrouler d'une couverture au milieu de son cœur. Je faisais la même chose pour me souvenir du sien, pendant le Festin.

– *Becks, répète-t-il.*
– *Oui.*
Emballe-le bien serré, *me dis-je.* Ce sera ta bouée.

MAINTENANT
La Surface. La chambre de Will.

Je sautai du lit, à deux pas de Will qui avait couché par terre.
– Hmm ?
Will se leva d'un bond en regardant autour de lui pour repérer le danger. Quand il me vit, il retomba et tout lui revint en un instant.
– Becks... Ça va ? Tu as rêvé ? Il était là ?
Je hochai la tête comme un jouet mécanique.
– Il faut que j'y retourne.
– Cole a dit qu'il te remmènerait ce matin, c'est ça ?
J'agitai encore la tête. Je ne pouvais plus m'arrêter.
– Comment va-t-il faire ?
– Je n'en sais rien. Je suis partie de façon assez... précipitée, et ni lui ni Max n'ont eu le temps de m'expliquer la manœuvre.
Il inclina la tête.
– Et s'il leur arrive quelque chose ?
– Je préfère ne pas y penser.
J'entendis le bruit familier de mon portable qui s'allumait. Je n'y pensais plus. Apparemment, il avait assez séché. Je le sortis, en grognant, de la poche du sweat à capuche que Will m'avait prêté.
– Huit messages vocaux et vingt-deux textos, dis-je en consultant l'écran. Le tout envoyé par mon père.

Le plus récent disait simplement : *appelle-moi. tout de suite.*

J'éteignis l'appareil avant de le remettre dans ma poche.

– Tu pourrais m'emmener chez moi ? Je voudrais lui laisser un mot avant de redisparaître.

D'autant plus que le temps passait aussi vite à la Surface que dans le labyrinthe.

– Pourtant, tu reviens tous les soirs. Tu ne peux pas juste… lui expliquer que tu passes tes journées où tu veux ?

Je secouai la tête.

– Il veut que je consulte régulièrement le Dr Hill, et j'ai déjà raté mon rendez-vous d'hier. Si je me pointe à la maison tous les soirs, ce sera une dispute permanente. Je préfère qu'il me croie partie pour quelques jours, avant de revenir pour de bon.

– Tu es sûre ?

– Je n'ai pas le choix !

Les mots m'avaient échappé un peu trop fort.

– Excuse-moi.

– Ce n'est rien, dit Will. Je vais chercher les clés.

– Attends…

Je venais d'avoir une idée.

– Je devrais peut-être y aller à pied. Je ne sais pas trop comment Cole s'y prendra pour me retrouver, mais si je roule en voiture, ça va lui compliquer la tâche, tu ne crois pas ?

Il haussa les épaules, avant d'admettre d'un hochement de tête.

Nous nous serrâmes l'un contre l'autre un instant. Quelle que soit la manière dont Cole me rejoindrait, je voulais laisser un mot à mon père avant son passage.

– Je te téléphone ce soir, promis-je.

– Sois prudente.

Quand je sortis, je m'aperçus que mon jean était toujours couvert de poudre rouge. Chez les Caputo, il n'y avait pas le moindre pantalon à ma taille. Je me mis à trotter puis, deux rues plus loin, j'entendis un crissement de pneus sur le gravier. Cela venait de derrière. Je me décalai pour laisser passer la voiture. Au lieu de cela, elle s'arrêta.

Je me retournai vers une berline sombre d'allure officielle. La voiture de mon père.

20

MAINTENANT
La Surface. La voiture de mon père.

Sans me laisser une seconde pour réagir, mon père sauta du siège passager.

– Nikki !

Il resta sur place, le temps de regarder mon pantalon taché de rouge, puis me prit dans ses bras et souffla entre deux mèches de cheveux :

– Où étais-tu passée ? (Il se retira pour me dévisager.) Que s'est-il passé ?

Mon cerveau ne tournait pas assez vite pour que je forge un mensonge crédible.

– Je ne sais pas.

– Tu ne sais pas ? Enfin, où étais-tu ?

– Je... Comment m'as-tu retrouvée ?

Il écarta les cheveux qui me couvraient les yeux pour serrer mon visage entre ses mains.

– Ton téléphone.

Je regardai l'appareil, que je tenais, puis mon père.

– Tu veux dire par géolocalisation, comme avec un GPS ?

La méthode lui déplaisait à tel point qu'il en avait honte.

– Qu'est-ce que tu t'imagines, Nikki ? Tu t'en vas sans prévenir. Tu rates tes rendez-vous. Et puis, hier soir, ton signal disparaît. Depuis, j'attends qu'il se rallume.

Je secouai la tête, les yeux rivés sur mon téléphone. Mon père me tira par l'épaule.

– Bon. Monte en voiture. On parlera de ça sur la route, le temps d'arriver chez le Dr Hill.

– Quoi ?

– Je l'ai appelée en chemin. Elle t'a calée entre deux rendez-vous, et tu as besoin de la voir, plus que jamais.

D'un geste brusque, je libérai mon bras avant de reculer.

– Non ! Papa, je suis désolée. Je ne peux pas t'expliquer pourquoi, mais je dois m'en aller.

– Tu n'iras nulle part.

Mon père ne me tenait plus, mais il était inutile que je parte en courant. Je le regardai dans les yeux. Ses yeux si fatigués. Il ne comprenait pas qu'il s'agissait d'une question de vie ou de mort. La vie ou la mort de Jack. Je lui cachais la vérité depuis si longtemps. Étais-je dans l'une de ces situations où seule la vérité peut convaincre ? À cause de l'épuisement – ou du désespoir, je n'en sais rien –, je bredouillai la vérité pour la première fois.

– Je sais où est Jack ! Il est piégé et je dois y aller, sinon il mourra.

C'était simple. Et c'était vrai, même si ces mots étaient assez puissants pour me blesser. Mon père s'immobilisa.

– Où est-il ?

Comment le lui expliquer ?

– Il... Pas ici. Il est ailleurs. Et je suis allée le chercher hier soir...

– Au milieu d'un terrain de paintball, je suppose ?

Il regardait mes vêtements couverts de rouge, parlant d'un ton plus sarcastique que jamais. Il était frustré. Il ne me croyait pas. Évidemment. Pourtant, je devais me débarrasser de lui avant l'arrivée de Cole.

– Papa. Regarde-moi.

Nous étions nez à nez.

– Fais-moi confiance. Crois-moi. Jack mourra si je ne le rejoins pas. Et je suis la seule personne qui peut le rejoindre. Il est… disons, dans un monde parallèle. Je sais, dit comme ça, c'est dingue, mais regarde-moi bien. Est-ce que mes pupilles sont dilatées ? Remarques-tu le moindre signe de dérapage ? Il faut que tu me donnes quarante-huit heures de répit. Seule. Je peux sauver Jack. Mais je dois m'en aller.

Cela marchait. Je le devinai à son expression. Il me croyait. Il se tourna vers sa voiture pour parler à son chauffeur.

– James, passez-moi une bouteille d'eau, vous voulez bien ?

De l'eau. C'était si bon, l'eau. James contourna le véhicule pour tendre une bouteille à mon père, qui la déboucha.

– Tiens, me dit-il en me la tendant. Bois.

J'engloutis tout d'un coup sans reprendre mon souffle. Mon père s'assit par terre près de moi, la tête contre un mur. Je lui tendis la bouteille vide.

– Je suis désolée d'en passer par là. Dès que j'aurai retrouvé Jack et qu'il sera rentré chez lui, tout ira mieux.

– Détends-toi, Nikki. Tu es revenue.

Je posai la tête sur son épaule. Il fallait qu'il comprenne que je n'étais pas revenue pour toujours, mais je ne trouvais pas les mots pour le lui expliquer. J'étais fatiguée.

Si fatiguée…

Quand j'ouvris les yeux, j'étais sur une banquette. Je me frottai l'épaule.

– Aïe.

J'entendis le grincement qui se produit quand on se redresse sur un siège en cuir.

– Je regrette, Nikki. James n'a pas su éviter le mur alors qu'il vous portait dans ses bras.

Était-ce la voix du Dr Hill ?

– Je ne devrais pas être ici, protestai-je d'une voix cotonneuse.

– Prenez un peu d'eau.

De l'eau. Mon père m'en avait donné.

– Qu'y avait-il dedans ?

Le Dr Hill fronça les sourcils et reposa le verre.

– Dans la bouteille de ton père ? Je crois qu'il a été un peu imprudent. Il y avait ajouté du Valium. Malgré son inquiétude, il n'aurait pas dû faire ça.

– Mon père m'a droguée, repris-je, incrédule. Moi qui pensais qu'il me croyait...

– Qu'il te croyait à quel propos ?

Je secouai la tête pour m'éclaircir les idées. J'avais dormi, mais sans rêver. Était-ce parce que ce sommeil était artificiel ?

– Je veux m'en aller.

– Bien sûr. Quand on aura discuté un peu. Quand tu auras commencé à dire la vérité.

La vérité. Si j'avais une leçon à tirer des dernières heures, c'était qu'il ne fallait pas être honnête.

Elle ouvrit et referma son stylo plusieurs fois, puis elle le maintint au-dessus de son carnet jaune, posé sur ses genoux.

– Qu'est-ce qui t'est arrivé ?

Je haussai les épaules, tournée vers les fenêtres du cabinet, me demandant si je pourrais sauter à travers l'une d'elles. Hélas, nous étions au deuxième étage.

– Nikki, soupira-t-elle, quand ton père t'a trouvée sur le bord de la route, vêtue d'un pantalon couvert de… je ne sais quoi, tu as tenu des propos incohérents sur un monde parallèle. Je le sais, tu ne te sens plus en sécurité avec quiconque, mais si tu veux que je te laisse sortir, tu dois m'en dire un peu plus.

Je réfléchis.

– Je ne sais pas par où commencer.

– Ferme les yeux. Compte de dix à zéro. Laisse-toi aller.

Le Dr Hill appelait cela l'imagerie mentale dirigée. Elle m'en faisait faire à chaque séance. C'était censé faciliter la conversation. J'opinai et fis tout ce qu'elle me disait.

– À présent, ouvre les yeux.

J'obéis, mais ce ne fut pas son visage qui attira mon attention. Il y avait autre chose, dans un coin. Derrière son fauteuil de bureau. Une main, pâle et spectrale, traversait le sol. Une main de fantôme.

Bon sang. Je suis peut-être vraiment folle.

– Parle, Nikki.

Le Dr Hill était à bout.

Je m'efforçai de rester concentrée sur elle tandis que la main me faisait signe, comme pour attirer mon attention.

– Nikki ? Il faut que tu me dises quelque chose.

La main se tourna vers le mur, à l'opposé de l'entrée, là où se trouvaient les toilettes. Je m'efforçai de ne pas la regarder directement, de peur que le Dr Hill ne l'aperçoive à son tour. Sauf si c'était une hallucination.

La main désignait les toilettes avec insistance.

– Je… Vous voulez bien m'excuser un moment ? demandai-je.

– On n'est pas là pour ça.

– J'ai besoin d'aller aux toilettes, je n'y peux rien. Sinon, je ne pourrai pas me concentrer.

Elle regarda sa montre.

– Ne traîne pas.

Je quittai la banquette pour m'approcher de la porte. La main me suivit, glissant sur le sol avant de sauter par-dessus la marche d'entrée des toilettes.

Qu'est-ce que… ?

Quand je refermai la porte derrière moi, la main traversa le mur puis se tourna vers moi, les doigts tendus, le pouce en l'air, comme pour demander de la prendre. Je me baissai et je vis des traces sur chaque doigt. Des tatouages.

Je ne les avais pas encore vus, car la main était presque translucide. Je ne connaissais qu'une personne tatouée ainsi.

– Cole ?

La main se relâcha, comme agacée, puis reprit la position du pouce levé. Je me redressai pour réfléchir. Allais-je retourner en Enfernité depuis les toilettes de ma psychiatre ?

Que comprendrait-elle ?

J'en étais presque certaine : cela déclencherait une chasse à l'homme. Mais Jack était là-bas, et Cole m'attendait.

Je n'avais pas le choix.

Je pris la main comme pour dire bonjour. Et, un instant plus tard, je n'étais plus là.

21

MAINTENANT
L'Enfernité. Le Cercle de l'Eau.

J'atterris durement sur un chemin de terre, les poumons comprimés. Je toussai plusieurs fois.

– Ça va, Nik ?

Cole me tapotait le dos.

Mes yeux coulaient, je reniflais.

– Non. (Je me relevai.) Non, ça ne va pas. Que s'est-il passé ? Qu'est-ce que vous m'avez fait ?

– Je te l'avais expliqué : on devait t'expédier d'un coup de pied pour que tu passes la nuit à la Surface.

– Comme ça, sans me prévenir ?

– Tu ruisselais de sang provenant du Lac de Sang et de Culpabilité.

Il désignait le lac rouge.

Ma poitrine se serra.

– Le lac de quoi ?

Il observa le plan d'eau d'un regard flou.

– De Sang et de Culpabilité. Il mérite bien son nom, car il est effectivement rempli de sang. Et de culpabilité.

– Qu'est-ce que tu me chantes ?

Max rompit la conversation.

– Il faut y aller, Cole. Rappelle-toi le temps qu'on a passé à venir jusqu'ici.

– Je sais, répondit Cole.

Il allait me prendre la main mais je levai le bras, lui inspirant un regard exaspéré.

– Je t'expliquerai ce qui s'est passé pendant qu'on marchera.

Ashe se tenait devant l'une des quatre voies débouchant sur le lac. On aurait dit qu'il faisait les cent pas mentalement et, de temps à autre, il jetait à Cole un œil inquiet.

Les quatre entrées se ressemblaient. J'eus beau les étudier, je fus incapable de reconnaître celle que nous avions choisie la première fois. J'interrogeai Cole :

– Vous êtes tous restés ici pendant que j'étais partie ?

Il hocha la tête.

– C'est le lieu le plus sûr, car les Vagabonds redoutent le lac. Mais cet endroit nous fatigue et nous avons hâte de partir. Sans délai.

Ashe regarda sa montre.

– Quelle heure est-il ? demandai-je.

– Treize heures.

Treize heures ? Mon cœur flancha. Le temps allait si vite !

Cole réagit comme s'il m'avait entendue.

– On a tardé à te trouver. Donc, nous devons partir. Où est ton fétiche ?

Je tirai le message de ma poche. Il avait rougi mais cela importait peu. Dès que je le saisis, ma longe apparut. Ma nuit à la Surface m'avait certainement réalimentée en émotions positives, car la ligne brillait nettement, tournée vers l'opposé du lac, en direction de la dernière entrée à gauche. En revanche, je n'avais pas récupéré mon énergie. Je marchais au ralenti.

– Par là, indiquai-je.

Nous repartîmes dans le même ordre que la première fois, Ashe ouvrant la voie, Max derrière nous. Les murs ruisselaient toujours et je me demandai si nous atteindrions un jour le Cercle du Vent, sans parler du noyau central. Un jour s'était écoulé, déjà, sans que nous ayons réussi à traverser un seul cercle.

Cole était près de moi. Son visage était las, ses yeux, marqués de cernes sombres que je ne lui avais encore jamais vus.

– Tu es fatigué, lui dis-je.

Il eut un sourire triste.

– Le Lac de Sang et de Culpabilité a toujours cet effet-là.

– De quoi s'agit-il ? Qu'est-ce qui s'est passé ?

Sans m'en rendre compte, j'avais dévié vers le bord du passage, et Cole me tira au milieu.

– Quand le Vagabond s'est... nourri de toi, dit-il en luttant pour prononcer ces mots, je crois que l'émotion la plus forte en toi était la culpabilité. Encore plus puissante que ta connexion avec Jack, d'où l'apparition d'une deuxième longe. La culpabilité pèse lourd, par ici. À tel point que toute la culpabilité collective, émise lors des sacrifices qui ont lieu en Enfernité, se concentre jusqu'à former un lac. Le Lac de Sang et de Culpabilité.

En songeant à ce symbole, l'une de mes lectures me revint.

– Il n'y avait pas un lac de sang dans l'*Enfer*, de Dante ? En sang, justement, parce que c'est le meilleur symbole de la culpabilité.

Cole arriva presque à sourire.

– Tu t'es renseignée, on dirait. Dans le poème de Dante, il s'agit du lieu le plus éloigné de la chaleur et de la lumière. Les pécheurs s'y trouvent transformés en statues de glace. Le visage nu. La bouche fermée.

– Mais le lac où j'étais n'était pas gelé.

– Dante aimait bien romancer la réalité. En plus, comme la plupart de nos grands faiseurs de mythes, il n'avait entendu qu'une rumeur elle-même inspirée d'une rumeur. Toutefois, il avait raison sur un point.

– Lequel ?

– Le châtiment est éternel. Il est difficile d'y échapper. Et, si tu manques de prudence, chaque pas t'en rapproche. Espérons que ta longe sera plus puissante que notre attrait pour le lac.

Je ne l'aurais pas cru si je n'avais pas déjà vécu cet épisode. Près de moi, Cole bâilla. Par rapport à la dernière fois, il semblait las, presque maladif.

– Le lac te fait souffrir, toi aussi.

Il m'adressa un sourire triste.

– Ici, tout me fait de l'effet. Le lac fait remonter ma culpabilité. Il la ramène à la surface.

– Je croyais que l'un de tes pouvoirs était justement d'y échapper ?

– Erreur. Je me contente de l'enterrer le plus profondément possible, dans le trou noir de mon âme, pour ainsi dire.

Il me regarda de côté et je lui répondis d'un air détaché, en levant les épaules. Il pouffa.

– Ce lac attire la honte comme un aimant. Mais la tienne était déjà forte. Ta relation avec Jack et ta culpabilité se sont additionnées pour capter ton attention, d'où l'apparition de deux longes. Et tu as choisi celle de la culpabilité. Je n'ai compris où nous allions que lorsque tu as décidé de battre le record de saut de l'ange.

Je revis l'instant où j'avais plongé. Quelle était mon idée, à ce moment-là ?

– Plus tard, tu aurais pu me prévenir, avant que Max ne me donne son coup de pied.

– On n'avait pas le temps. Une fois pleine d'eau, tu ne pouvais pas être ranimée. Tu te serais noyée de l'intérieur. Tu avais avalé du sang et tu étais sur le point d'être engloutie par la culpabilité.

Je réfléchis. J'avais bu du sang, oui. Je m'étais vue en train d'y disparaître.

– Si je me noyais ici, est-ce que j'en mourrais réellement ?

Il fronça les sourcils.

– Tu n'es pas dans un rêve, Nik. Tu es toi-même, ici. Si tu meurs ici, tu meurs tout court.

Je repris mon souffle.

– Réexplique-moi le coup de pied, tu veux bien ?

– T'expédier seule était notre unique moyen de rester en sécurité, puisque, en venant de la Surface, nous ne pouvons atterrir ni dans le labyrinthe ni sur le noyau central. Je ne dois pas t'accompagner jusque là-haut, sinon il faudrait recommencer le voyage ici depuis le début. Après ton départ, pour te chercher, j'ai fait des sauts vers la Surface et suivi ma connexion avec toi. Max et Ashe devaient rester ici pour entretenir de leur côté ma connexion avec eux, afin que je puisse les rejoindre. Si mon corps tout entier était remonté, je n'aurais pas pu redescendre vers Max. Tout ça était un exercice d'équilibriste très délicat, et j'espère que tu apprécies nos efforts.

Il semblait perdre patience, à force de tout expliquer.

– Oui, oui, bien sûr. Mais si tu es capable de passer le bras à la Surface, qu'est-ce qui t'empêche d'y saisir des gens ? De les tirer vers toi pour les sacrifier ?

– Nik, tu ne sais donc rien sur l'Enfernité ? Il faut qu'ils soient volontaires. Les Transfuges, les sacrifiés, et même toi, il y a un instant, au moment de me prendre la main. Il faut toujours qu'ils soient d'accord. Marchons un peu plus vite, tu veux ?

– Une dernière question. Pourquoi est-ce Max qui m'a expédiée, et pas toi ?

Il rougit.

– C'est évident, voyons...

Évident ?

– Non, ce n'est pas évident.

Il se détourna vers le mur d'eau.

– Je ne tiens pas à être celui qui te donne un coup de pied dans l'estomac.

Je m'immobilisai.

– Sérieux ? Tu t'es nourri de moi pendant un siècle, tu as anéanti mon avenir, mais là, tu crains un procès pour coups et blessures ?

Mes paroles m'avaient échappé avant que je comprenne ce que j'exprimais. Et pourtant, n'était-ce pas la vérité ?

Il grimaça.

– Nik, quand admettras-tu que je ne t'ai jamais fait de mal ? Et que je ne t'en ferai jamais ? Je me contente de faire ce que tu me demandes.

– Jamais fait de mal ? répétai-je, incrédule.

La rage bouillait dans ma poitrine, et je la sentais plus présente que jamais, peut-être parce que les émotions décuplaient, en Enfernité. Elles étaient multipliées, je le savais. Je fus incapable de m'arrêter.

– Tu m'as tout pris !

Son regard devint féroce.

– Ne te raconte pas d'histoires. Oui, j'aurais voulu que tu deviennes une Enfernaute, mais je t'ai laissée choisir.

– Je le sais bien, que j'ai dû choisir, toussai-je. Mais j'ai agi sans comprendre. Alors que toi, tu connaissais les consé-quences.

Il me prit violemment le bras pour me repousser. Ses yeux fouillèrent mon visage.

– Tu penses ce que tu veux, mais j'ai été franc avec toi. Le fait que tu veilles rester mortelle ne signifie pas que mon choix, à moi, est immoral.

– Tu te nourris d'autres gens, rappelai-je.

– Ce sont eux qui le veulent.

– Tu sacrifies des humains.

– Ce sont eux qui le veulent !

Son visage frôlait le mien. Sous sa peau, ses joues étaient rouges de sang. Il était si près de moi que j'aurais pu percevoir sa connexion. Et, pour la première fois, je compris que pour lui cette connexion ne se briserait jamais. Parce que je la sentais.

Je le regardai au fond des yeux.

– À force de se répéter un mensonge, par exemple qu'il est admis de voler l'énergie des autres pour rester vivant, on le transforme en vérité. Même si on est victime. Ces gens sont d'accord uniquement parce qu'ils sont faibles. Face à toi, les faibles sont des proies.

Nous restâmes un long moment face à face. Ses yeux sombres étaient ardents, les cercles qui les entouraient deve-naient plus profonds.

– En voilà un réquisitoire contre celui à qui tu as confié ta vie.

Ma lèvre inférieure trembla.

– Je sais.

Moi aussi, j'étais consciente de ma culpabilité. Mais je re-fusais de la reconnaître. Cole avança d'un pas comme pour

me saisir, et pourtant il se retint. Avait-il peur de me blesser ?
Une grosse goutte lui tomba sur la joue. Il tressaillit.

Quelques autres gouttes coulèrent sur ma tête. Je levai le
nez vers le ciel. Il était bleu clair. Mais les murs du labyrinthe
avaient enflé.

Cole tendit l'index vers ma joue pour prélever la goutte,
qu'il examina d'un air curieux. À cet instant, les rochers, sous
nos pieds, se mirent à trembler. Cole écarquilla les yeux. Les
murs avaient encore gonflé au point de resserrer le passage.

Derrière nous, Max apparut au coin du chemin, d'un bond.

– Courez ! hurla-t-il.

Le tonnerre éclata, et les premières vagues de courant se
levèrent derrière nous. Aussitôt, la mousse blanche de l'eau
bouillonnante fit éclater les murs du labyrinthe. Un océan
nous tombait dessus.

– Nik !

Cole me prit la main et nous partîmes en courant. À toute
vitesse. Nous n'avions pas le temps de chercher la bonne
direction. En rejoignant Ashe, nous le poussâmes vers l'avant.
Il trébucha.

– Allez, allez ! lui ordonna Cole en le bousculant.

Ashe se redressa. Le chemin virait à gauche. Puis à droite.
J'étais à deux pas de Cole quand soudain, il freina. Je le
tamponnai.

– Pourquoi tu t'arrêtes ? criai-je avant de comprendre.

J'en restai bouche bée.

Une cascade géante bloquait le passage. Nous étions dans
une impasse. Pris au piège.

Nous nous retournâmes. Max apparut. Il vit à son tour le
cul-de-sac.

– Merde ! s'exclama-t-il.

Un énorme mur d'eau filait droit vers nous comme un wagon décroché.

– Cole ! glapis-je.

Cole me tira devant lui, les bras rabattus autour de ma poitrine, le dos tourné vers l'impasse. Il n'eut pas besoin de s'expliquer. Il avait placé un amortisseur entre moi et ce qui se cachait derrière le mur.

– Inspire profondément ! m'ordonna-t-il à l'oreille.

L'espace d'un instant, le visage de mon frère et celui de mon père m'apparurent. Puis un mur se brisa derrière moi.

Nous fûmes projetés dans l'impasse. L'impact me retourna le cou.

Cole reçut le plus gros du choc. L'eau arrivait toujours ; les rapides se rabattaient au-dessus de notre tête et nous soule-vaient du sol, sans pour autant nous permettre de respirer. Mon épaule frappa un objet tranchant, et je voulus crier ; mais un flot m'envahit la bouche et la gorge.

Je battis des bras et des jambes contre le courant, tandis que des milliers de litres d'eau me poussaient de toute leur puissance.

Mes poumons, privés d'oxygène, se mirent à brûler. Lorsque j'aperçus un ruban de lumière provenant de ce qui devait être la surface, je me mis à agiter les pieds pour m'en approcher.

Enfin, je fendis l'eau, mais seulement pour découvrir que le flot nous avait poussés vers le haut du mur d'impasse. J'en étais encore à reprendre mon souffle quand nous fûmes pro-jetés par-dessus le sommet, puis emportés vers le bas par une chute d'eau chargée de branches virevoltantes et de débris.

Je heurtai le sol et je m'accroupis. L'impact me secoua. Mes pieds auraient pu se fendre sous le choc, si un fond d'eau ne s'était formé auparavant.

Le courant m'emporta un peu plus bas, puis l'eau perdit sa profondeur. Le son des vagues qui se brisaient s'estompa, remplacé par le sifflement du vent dans un canyon.

Je dus avaler deux ou trois gorgées d'air pour que mon cerveau cesse de rebondir.

La lame de fond s'était brisée et l'eau n'était plus qu'une série de petits ruisseaux qui contournaient les obstacles. Un vent puissant soulevait des rides à la surface, et soudain, sous mes yeux, l'eau sécha.

Quelqu'un toussa à quelques mètres. Max, assis par terre, serrait sa tête entre ses genoux pour reprendre son souffle. Ashe était dans un état semblable. Cole était allongé sur le dos.

Sa poitrine ne se gonflait pas plus qu'elle ne se dégonflait.

– Cole ! m'écriai-je.

Je rampai vers lui. Max s'efforça de me suivre. Ashe ne pouvait plus bouger.

Je pris Cole par les épaules pour le secouer.

– Tu m'entends ? Cole ?

Je lui tapotai le visage, sans susciter de réaction. Je cherchai, au fond de ma mémoire, mes leçons de réanimation et de massage cardiaque, puis je posai l'oreille près de sa bouche.

– Arrêt respiratoire, constatai-je.

Du bout du doigt je suivis ses côtes jusqu'au sternum, où je plaquai une main, l'autre posée par-dessus, les doigts crochetés. Je commençai les compressions.

– Un, deux, trois…

Fallait-il en réaliser cinq ou quinze ? Je décidai de faire la moyenne et d'arrêter après la dixième. Ensuite, je basculai la tête de Cole en arrière et lui bouchai le nez. Je plaquai ma bouche sur la sienne pour y souffler. Deux fois.

Je t'en prie, Cole. Respire. Si je le perdais, alors je perdais Jack.

Je dus recommencer trois fois avant qu'il finisse par tousser.

– Cole !

Je glissai les mains sur son dos pour l'aider à se retourner, donc à recracher.

Ses joues reprirent de la couleur. Quand il ouvrit les yeux, il me vit, penchée sur lui. Il parvint à faire un petit sourire tordu et demanda :

– Toi aussi, tu as aimé ?

Nous avions été emportés par les eaux de l'Enfernité. J'attendis qu'un déferlement d'émotions me submerge, mais rien de tel ne se produisit. C'était peut-être parce que, le temps que Cole retrouve son souffle, l'eau s'était évaporée. Tout était sec, même mes cheveux. À la Surface, il aurait fallu attendre au moins vingt minutes, mais là, il ne restait pas la moindre gouttelette.

Le vent soufflait sans retenue et soudain, je compris.

– Le Cercle du Vent !

Nous y étions. Nous avions traversé un cercle. Il en restait deux. J'étais un peu plus près de Jack.

Cole toussa et hocha la tête. Les murs n'étaient plus en eau. Ils ressemblaient à de petites tornades chargées de poussière et de débris.

Je clignai des yeux pour effacer le film de poussière qui me troublait la vue.

– Que s'est-il passé ? demandai-je.

Cole se tourna vers Ashe, qui observait le mur de vent que nous venions de franchir. Au sommet, une brume légère flottait dans l'air.

– C'était une inondation éclair, répondit Ashe. Probablement à cause de votre dispute.

Je songeai à notre altercation. Cole m'avait expliqué que l'eau était attirée par certaines émotions. Notre colère s'était peut-être solidifiée autour de nous, stimulant le courant au point d'allumer un feu en dessous qui l'avait fait bouillir et déborder.

J'allais exposer ma théorie à Cole quand j'aperçus son dos. Sous son tee-shirt en lambeaux, sa peau ressemblait à de la viande crue.

– Ton dos…, lui dis-je.

Cole tourna la tête pour regarder derrière lui.

– Oui. Ça va s'arranger. Apparemment, il y avait quelques rochers derrière la chute d'eau. Ce qui m'inquiète davantage, c'est que nous avons perdu ta projection.

Je baissai les yeux. Il avait raison : ma longe avait disparu.

– Elle a été emportée par le courant.

Cole plaqua ses genoux sur sa poitrine et serra les mains par-dessus. Les fentes de son tee-shirt s'écartèrent encore plus, sans qu'il s'en émeuve. Il n'avait pas retrouvé son souffle.

D'un regard, je cherchai de quoi nettoyer ses égratignures ; je ne vis que de la poussière. Je relevai le bas de mon tee-shirt pour en arracher un carré, mais il résista. Pourtant, c'était bien ce qu'on voyait dans les films, non ? Tandis qu'un personnage saignait, l'autre déchirait sa chemise pour obtenir un bandeau bien droit.

Le bout de mon tee-shirt dans la main, je tirai sur le tissu qui recouvrait mon ventre.

– Qu'est-ce que tu fais ? demanda Cole.

– J'accomplis un acte héroïque.

Je plaquai le tissu sur ses blessures. D'un geste délicat, je m'efforçai de refermer les griffures les plus larges, de remettre en place la peau décollée et de retirer la saleté.

Il n'y avait pas si longtemps, je lui avais soigné la main pour l'empêcher d'abandonner. Depuis, les choses avaient changé. Je savais qu'il ne baisserait pas les bras et si je nettoyais ses écorchures, c'était parce qu'elles lui faisaient mal. Ce modeste changement de motivation reflétait un virement plus profond dans ma relation avec lui. Entre nous, la confiance prenait naissance.

Ashe s'approcha.

– Nous sommes dans le Cercle du Vent. Agissons en conséquence. Le vent a le don de nous secouer le cerveau, comme l'eau secouait nos émotions. Ce cercle est le plus sournois des trois. Nikki, tu as toujours ton objet fétiche ?

Je le lui montrai.

– Il faut que tu restes consciente, sans interruption, et que tu penses souvent à Jack.

Je lui fis un signe, tout en serrant le poing autour du papier. Pendant l'inondation, je ne l'avais pas lâché.

– Bien. Pendant que tu joues au docteur avec Cole, raconte-nous un autre épisode à propos de Jack. On va faire revenir ta longe.

Je leur en avais déjà beaucoup dit, et j'étais à bout de forces. Mais, en pensant à Jack, à l'endroit où il se trouvait, mes joues bouillirent de honte. De quel droit aurais-je pu me plaindre ?

– Que voulez-vous savoir ?

Cole me regarda, le visage soudain plein d'espoir.

– Il y a bien eu un moment où il ne s'est pas comporté comme un preux chevalier ? Ça me ferait plaisir d'entendre ça.

Un souvenir me revint aussitôt, et mon visage me trahit certainement car Cole insista.

– Peu importe que ce soit désagréable. Ce qui compte, c'est qu'il s'agisse d'un lien entre lui et toi.

– Eh bien, un jour…

Max s'installa aussitôt près de moi.

– Jack en antihéros ? Attendez, les copains, j'amène le pop-corn.

22

PREMIÈRE ANNÉE DE LYCÉE
La Surface. Déjeuner avec Jack et Julia.

Le soleil rayonnait sur les tables dans la cour du lycée. Nous adorions déjeuner dehors dès la première occasion.

Jack entama son sandwich, dont il engloutit d'un coup presque la moitié.

– Vous venez faire la teuf chez Paxton, vendredi ? demanda-t-il, la bouche pleine de dinde.

Les soirées de Brent Paxton étaient légendaires. Ses parents avaient une maison dans la station de ski de Deer Valley et, quand ils s'absentaient, presque tous les élèves du lycée se retrouvaient chez eux, affalés sur le parquet ou en train de se trémousser. Voire de s'envoyer en l'air dans l'une des huit chambres. J'avais déjà eu écho de ces réjouissances alors que j'étais au collège, et là, en première année de lycée, j'étais officiellement invitée.

Julia ne me laissa pas le temps de répondre.

– Moi, j'y vais. Ryan Maetani m'a invitée.

Je levai les sourcils.

– Enfin, Ryan succombe à ton charme ! Ça date de quand ?

Julia me raconta ce qui s'était passé au labo de chimie le matin même. Jack l'écouta silencieusement, sans me quitter du regard. Dès qu'il en eu l'occasion, il intervint :

– Et toi, Becks ?

Je haussai les épaules en rebouchant distraitement ma bouteille de Diet Coke.

– J'aimerais bien y aller, mais puisque Julia a un rendez-vous… (je lui jetai un bref regard) … je n'ai personne pour m'accompagner.

Jack ouvrit la bouche mais Julia lui coupa la parole.

– Je connais quelqu'un qui crève d'envie d'y aller avec toi.

– Qui ça ? demanda Jack en même temps que moi.

Julia battit des cils, amusée, avant de se pencher pour répondre :

– Andrew Hanks.

Je roulai des yeux.

– Oh non, pitié !

– Je suis sérieuse. Jack, tu devrais voir comment Andrew dévore ta copine du regard. On se croirait dans un dessin animé. Ses yeux prennent la forme de deux petits cœurs et lui sortent des orbites.

Elle posa ses poings sur ses yeux et déplia ses doigts d'un coup vif. Je lui jetai un grain de raisin.

– Tais-toi !

– Attends, je suis assise derrière lui. Je le vois tout le temps. Même que des fois, je dois passer la serpillière après lui, tellement il bave.

– Arrête !

Elle haussa les épaules.

– Moi, je dis ça comme ça… Pour toi, il déplacerait une montagne. Tout ce que tu as à faire, c'est une allusion à la soirée, et toc ! tu as ton rendez-vous.

– Je ne sais pas…

– Jack, fais quelque chose. Explique-lui.

Quand elle prononça le nom de Jack, je m'aperçus qu'il était resté muet.

– Lui expliquer quoi ? dit-il, les sourcils froncés.

De toute évidence, la conversation ne l'intéressait pas.

– Quand un mec en pince pour une fille, qu'est-ce qu'il rêve d'entendre ?

Jack considéra la table et, sans en être certaine, je crus voir ses oreilles rougir.

– Que veux-tu que j'en sache ?

Julia soupira lourdement.

– Je sais bien qu'aucune fille ne t'a jamais fait languir, évidemment. Toi, d'un simple regard, tu les convaincs de se déshabiller en demandant : « Chez moi ou chez toi ? »

Elle rabattit une mèche d'un geste exagéré.

– Allons, imagine une seconde que tu n'appartiens pas à une espèce rare. Et que tu es fou de cette chère Becks. Qu'est-ce que tu aimerais qu'elle dise ?

Prise au jeu, je me tournai vers Jack. Il leva enfin le nez pour me regarder. Il avait une expression étrange. Comme s'il était… gêné. Peut-être un peu fâché, aussi. À moins qu'il ne soit tout simplement agacé par cette discussion.

– Je n'en ai aucune idée. Être amoureux de Becks, pour moi, ce serait comme être amoureux de ma sœur. C'est impensable.

Ce fut mon tour de rougir.

Il regarda ailleurs, comme si les élèves installés à côté l'intéressaient soudain. Julia l'examina, les paupières serrées, et un étrange petit sourire lui souleva le coin de la bouche. J'étais vexée par ce que Jack venait de dire.

Julia se tourna pour m'annoncer :

– Faut que j'y aille. Je dois rendre un livre que j'ai emprunté.

Super. Elle m'abandonnait. Le temps que je comprenne que je ne voulais pas me retrouver seule avec Jack, elle n'était plus là.

Donc, je me retrouvai seule avec Jack.

Il tapotait la table avec sa fourchette de pique-nique, dont il étudiait attentivement la finition en faux bois, comme s'il préparait un examen de sciences.

J'étais toujours humiliée, sans comprendre si c'était à cause de la goujaterie de Jack, ou de mes sentiments pour lui.

– Je ne suis pas ta sœur.

– Je sais.

– …

– …

– C'est donc si difficile d'imaginer que je pourrais plaire à quelqu'un ?

Il me regarda enfin.

– Bien sûr que non, Becks. Mais bon… J'ai pas…

Sa voix s'éteignit comme si quelque chose avait attiré son attention. En admettant que des yeux noirs puissent s'assombrir, c'est ce qui se passa.

Je me retournai. Andrew Hanks était derrière moi. L'air gêné, il tenait son cahier de chimie.

– Salut, Nikki.

– Salut, Andrew.

Je lui adressai mon plus grand sourire. Si cette dispute avec Jack n'avait pas eu lieu, j'aurais certainement été moins enthousiaste.

– Quoi de neuf ?

Il me tendit son cahier au point de me frôler la poitrine.

– Tu voudrais bien m'expliquer le cours de sciences de ce matin ? Je viens de croiser Julia, et elle m'a dit que tu avais tout compris.

Derrière moi, Jack pouffa de rire. Je lui jetai un coup d'œil réprobateur, et il bafouilla :

– Désolé...

Je me remis face à Andrew.

– Pas de problème. Assieds-toi. Vous vous connaissez, vous deux ? Jack, je te présente Andrew. Andrew, je...

– Je sais déjà qui c'est, coupa Jack en guise de salut.

Andrew s'assit lentement, son regard oscillant entre Jack et moi.

– Si je vous dérange...

– Pas du tout ! dis-je.

– Assieds-toi, voyons ! ajouta Jack en imitant mon intonation, avec un geste gracieux.

Et, sans attendre, il prit l'air de celui qui s'ennuie, tourné vers la cour, tout en finissant de déjeuner. Pourquoi était-il si fâché ? Je regardai Andrew. Il s'était peut-être passé entre eux quelque chose dont je ne savais rien.

Andrew posa son cahier sur la table. Les deux pages étaient couvertes de ratures et de traces d'effaceur.

– J'ai essayé de trouver le résultat selon trois méthodes différentes, mais ça ne donne rien.

Je lus ses notes, suivis l'équation et me rappelai comment je m'y étais pris moi-même. Je pointai une ligne et lui dis :

– Regarde. Tu t'es trompé de valeur pour le nombre d'Avogadro. Il est de six virgule zéro vingt-deux, multiplié par dix puissance vingt-trois. Toi, tu as écrit six virgule vingt.

Jack m'interrompit.

– C'est pourtant la première chose qu'on apprend quand on débute en chimie.

Je soufflai par le nez. Jack était déjà un niveau au-dessus de nous et il excellait en chimie, comme dans toutes les matières. Grâce à son père ingénieur en génie chimique, il avait probablement mémorisé ce nombre quand il était en culotte courte.

Je lui lançai un regard ferme.

— Tout le monde n'a pas passé son enfance à s'endormir en écoutant *La Merveilleuse Histoire du nombre d'Avogadro*.

Cette fois, ce fut Andrew qui toussota. Jack lui tendit sa bouteille d'eau.

— Tiens. Ça t'éclaircira la gorge.

Le repas continua ainsi un moment et plus tard, le même jour, Andrew finit par m'inviter à aller chez Paxton avec lui. Dans d'autres circonstances, je lui aurais dit non, préférant passer une soirée tranquille devant un bon bouquin.

Mais là, je répondis oui.

MAINTENANT
L'Enfernité. Le Cercle du Vent.

— Ma parole, il ne se prend pas pour n'importe qui, ce Jack, commenta Cole.

— Tu ne comprends pas, dis-je en donnant un coup de pied dans un caillou.

Je me sentais un peu coupable d'avoir offert à Cole une occasion de se moquer de Jack, mais pour ma part, je voyais les choses sous un autre angle. Car je savais que, au même instant, Jack se battait, soutenu par ses sentiments pour moi. Cela m'incitait à lui pardonner bien des choses.

— Ma longe est revenue, constatai-je.

Ashe nous rejoignit à cet instant.

— Des Vagabonds ! Tout près d'ici ! Il faut filer.

Des Vagabonds. Encore. En entendant cela, je pris conscience de mon niveau de fatigue.

– Pourquoi vous ne les expédiez pas, eux aussi ? suggérai-je en étouffant un bâillement.

– Cela n'a d'effet que sur les humains, répondit Cole. On y va.

Évidemment, les coups de pied n'expédiaient que les humains. C'était commode. Je frappai le sol, et pendant un instant, j'agis inconsciemment. En me tournant un peu trop vite, je m'approchai du mur de vent. Une rafale plus puissante que les autres m'arracha mon message *À toi pour toujours* et l'aspira vers le mur, où il s'engouffra.

Je ne pris pas le temps de réfléchir. Je sautai pour le rattraper.

Le vent me souleva et me maintint au-dessus du sol comme une poupée de chiffon. Quand je voulus inspirer, le courant du couloir, trop puissant, empêcha l'air d'entrer dans ma bouche. Mes cheveux me fouettaient méchamment le visage.

Le tourbillon ralentit un instant, comme si le mur reprenait son souffle, et je coulai. J'entraperçus mes compagnons. En un petit coup d'œil, je vis Cole prêt à sauter pour me rejoindre. Max le retenait. Alors que j'allais heurter le sol, le coup de vent me frappa de nouveau et m'écartela. Mon bras gauche se tordit derrière moi. Je crus qu'il allait se déboîter.

Quand j'hurlai, mon cri se perdit. Plus je luttais, plus il me semblait que mes tendons se déchiraient. Alors, j'arrêtai. Mon corps se relâcha.

Jack, pensai-je. Je ne pouvais plus ordonner mon esprit pour formuler un dernier message, excepté son nom. *Jack*.

Je tombais tandis que le cyclone reprenait son souffle. Si je voulais agir, il ne fallait pas tarder. Mais que faire ? Je me tournai vers le chemin. Cole se débattait pour échapper à Max. Il me tendit le bras. Je vis sa main, mais elle était trop loin. Je ne pouvais pas m'étirer au-delà du vent.

Ce fut la fin du répit. Une nouvelle rafale me souleva. Je ne savais pas combien de temps je survivrais. Le vent allait me réduire en miettes, et jamais plus je ne mettrais le pied sur terre.

Un souffle tournoyant m'encercla et fit tourner mes pieds vers le mur. Soudain, j'eus une illumination. Le centre du mur d'eau était une masse solide. Ce mur-ci était peut-être du même type. Je me raidis des pieds à la tête, les bras en croix, les doigts écartés ; puisque le vent m'emportait, autant qu'il me dépose très loin. J'étirai mes orteils. Je faisais tout pour allonger mon corps le plus possible.

Alors je sentis sous mes orteils le frottement d'un objet dur, au beau milieu du mur de vent. Sans attendre qu'une rafale me remporte, je relevai les pieds et pliai les genoux pour tendre d'un coup les jambes vers la matière solide. Mes pieds la frappèrent et, en l'absence d'une force contraire, je traversai le mur de vent.

En son point le plus élevé.

Cole m'avait sûrement vue décoller. Il sauta vers moi pour amortir mon impact sur le sol. Nous tombâmes l'un sur l'autre.

J'eus un frisson. Presque un spasme. Mes bras et mes jambes tremblaient, enfin libérés de ces contorsions.

Cole parvint à s'asseoir et passa ses bras autour de moi pour me serrer tandis que je tremblais. Max resta quelques pas plus loin. Il avait un œil rouge et gonflé.

– Que s'est-il passé ? demandai-je en le regardant.

Cole se tourna vers Max.

– Quand j'ai voulu sauter à ta recherche, Max a manifesté sa désapprobation. Et son visage a percuté mon poing.

Max haletait.

– Tu n'aurais rien pu faire pour elle, de toute façon.

– En tout cas, on ne le saura jamais, pas vrai ? riposta Cole à son ami, qui sourit malgré lui.

La tension qui les opposait se dissipa, mais j'en savais un peu plus sur ce que Cole avait voulu dire en expliquant qu'il comptait sur Max pour l'empêcher de faire des âneries.

Tandis que je les observais, ils pâlirent l'un comme l'autre. Je baissai les yeux vers ma main.

– Mon fétiche, dis-je d'une voix faible. Je l'ai perdu.

23

MAINTENANT
L'Enfernité. Le Cercle de Vent.

– Nik, tu n'as pas besoin de ton fétiche.

Quand j'entendis Cole, je sus aussitôt qu'il mentait. Dans le Cercle de Vent, j'avais plus que jamais besoin de mon souvenir. Je m'assis par terre, les genoux sous le menton, la tête cachée derrière les mains. Mon cerveau n'était plus qu'un nuage de brouillard. Il flottait sous mon crâne et s'échappait à travers mes oreilles, par petits filets sifflants.

– Vous le voyez ? demandai-je d'une voix sourde.

– Quoi donc ?

– Mon cerveau. Il s'évapore.

J'entendis un soupir puis une voix plus profonde.

– Elle délire, Cole. À cause du vent.

Je sautillais sur place en me balançant d'avant en arrière.

– J'ai perdu quelque chose. Je n'arrive pas à le retrouver.

On me prit par les épaules.

– Regarde-moi, Nik.

Je croyais que j'avais réagi, mais je fus secouée plus fort.

– Regarde-moi !

Je levai la tête vers des yeux sombres et des cheveux blonds. Cole. Il me parlait d'une voix impérieuse.

– Tu n'as pas besoin de ton fétiche. Tu as des souvenirs. Parle-moi de Jack. Vite !

Jack. Je le connaissais, évidemment. Je l'aimais. Mais je ne trouvai rien à dire à son sujet. Son visage flottait dans les nuages qui me brouillaient la tête, sans que le moindre indice débouche sur un souvenir ou un épisode de notre histoire.

Je m'ébrouai. En grognant, Cole se retourna, comme pour trouver une solution. Derrière lui, Ashe faisait les cent pas. Cole me regarda dans les yeux.

– Nik. Tu te souviens de ta première projection ? Elle avait fait apparaître des images de Jack partout, des tas de souvenirs. Rappelle-toi la guimauve grillée ! Il y en avait au moins cinquante représentations.

La guimauve grillée. La guimauve grillée… Je m'agrippai à l'image et, mentalement, je la plaçai près de l'image de Jack. De la guimauve grillée. Quel message cela portait-il ?

Tout ce que je parvenais à me rappeler, c'était que je n'aimais pas la guimauve grillée.

Je détestais ça.

Alors que je levais la tête, je sentis sur mon visage la lueur de l'espoir.

– Je me souviens.

SECONDE ANNÉE DE LYCÉE
La Surface. Canyon de Millcreek.

Jack avait eu l'idée de prendre la voiture de son père, une vieille Scout 1979, pour aller griller des marshmallows en haut du canyon de Millcreek. Le dernier jour de septembre ressemblait plus à une journée de canicule qu'à un jour d'automne, et Jack était convaincu que c'était notre dernière chance de pique-niquer.

Jack et Will étaient assis à l'avant ; Julia et moi, à l'arrière, agitions nos bras en criant à tue-tête, comme on peut le faire dans une camionnette sans toit.

Être avec Jack était agréable, sachant que Julia et Will feraient tampon entre nous. Notre relation était un peu tendue depuis que j'étais allée à la soirée avec Andrew. Plus que tout, je tenais à ce que notre amitié redevienne comme avant.

Jack gara la voiture au pied de l'un des sommets et nous montâmes vers Grandeur Peak, entamant une randonnée spectaculaire qui devait déboucher sur une perspective de trois cent soixante degrés, au-dessus de la vallée.

– Le premier arrivé, lança Jack.

Julia se plaqua une main sur la hanche.

– Il faut compter une heure de marche. Et toi, avec le foot, tu as de l'entraînement.

– Mille excuses...

Julia semblait sur le point de riposter, mais elle partit en courant.

– Viens, Becks !

Je démarrai derrière elle en riant.

Jack et Will nous avaient probablement offert un peu d'avance, car il ne leur fallut pas plus de trois minutes pour nous rattraper. Jack me doubla avant de se retourner, trottant en arrière.

– Frimeur, soufflai-je.

Il sourit.

– La vue est plus jolie dans ce sens-là.

J'avais chaud aux joues, et pas seulement à cause de l'exercice. Jack disait souvent des choses comme ça. À Julia aussi.

À ses yeux, je ne compte pas, me dis-je. Je devais me le rappeler encore et encore, surtout depuis peu, car ma tocade sans espoir – dont ma mère m'avait assuré que je sortirais tôt ou tard, et qui hantait mes rêves – ne se dissipait pas. J'avais l'impression de courir vers un gouffre dont je voyais le bord, sans pouvoir freiner, tout en sachant qu'une chute finirait mal.

– Puisque tu ne veux pas jouer le jeu…, lançai-je, et je le poussai pour le doubler.

Ce défi soudain le stimula : il se retourna pour passer en mode turbo. Quand il eut disparu, je relâchai mes efforts.

– Fonce, Julia.

Julia était spécialiste de l'endurance, et j'avais deviné qu'elle se freinait pour me rendre service. Elle adorait la compétition.

– Ça ira, tu es sûre ? demanda-t-elle.

– Oui. Surtout si je sais que je ne bloque personne.

– D'accord. On se retrouve là-haut.

– S'il te plaît, double au moins l'un des garçons.

Elle agita la main par-dessus son épaule et partit en trombe.

Au virage suivant, un ruisseau traversait la voie. Comme je ne tenais pas à me mouiller les pieds alors qu'il restait du chemin à faire, je sautai vers une pierre qui dépassait, au milieu. Hélas, elle était couverte de mousse et je glissai.

J'entendis un petit bruit quand ma cheville vira puis je tombai dans l'eau, sur les fesses. Les larmes me montèrent aux yeux. Je tendis la main vers ma cheville. J'avais l'impression qu'on y avait introduit une boule de billard. Je me moquais bien de patauger dans quelques centimètres d'eau. J'étais concentrée sur la douleur.

– Merde…, grognai-je entre mes dents.

En me traînant comme un crabe, mon pied blessé au-dessus de l'eau, je sortis du ruisseau pour m'asseoir sur un rocher. Ma cheville se mit à gonfler. Je levai les yeux vers le chemin.

– Julia !

Je n'obtins pas de réponse.

– Julia ! criai-je plus fort.

Rien.

J'attendis quelques minutes avant de me lever pour tenter de mettre mon poids sur ma cheville. La douleur me traversa la jambe jusqu'au genou.

Bon… De toute évidence, je ne pourrais pas redescendre par mes propres moyens. Je sortis mon téléphone. Pas de réseau.

Je fis quelques calculs. Il fallait compter trois quarts d'heure pour que mes amis atteignent le sommet, et une demi-heure pour qu'ils redescendent. Toutefois, ils m'attendraient un moment avant de comprendre que quelque chose ne tournait pas rond.

Tout ira bien, me dis-je, même si je savais que ma cheville aurait triplé de volume le temps qu'ils me rejoignent. Et je ne pouvais rien faire…

À cet instant, Jack apparut, interrompant mon monologue intérieur.

– Becks ! Ça va ?

Il me fallut une seconde pour me reprendre.

– Oui, mais mon imbécile de cheville est tordue.

– Allons, ce n'est pas sa faute.

Il s'accroupit devant moi et m'examina, retroussant le bas de mon jean afin de mieux voir. Cela me donna des frissons, à tel point que je tentai de le rabaisser.

– Pourquoi tu as fait demi-tour ? lui demandai-je.

Toujours penché, il avoua :

– Je t'attendais.

– Mais on faisait la course. Pourquoi m'attendre ?

Il leva la tête pour que nos yeux se croisent.

– Je t'attends à chaque fois.

Il inspira profondément, sans me lâcher la cheville.

– Je t'attends depuis longtemps.

D'une voix essoufflée qui n'était plus la mienne, j'insistai :

– Parce que je suis trop lente ?

Il sourit.

– Oui. Mais pas comme tu le crois.

Mon cœur décolla. Il me traversa la poitrine pour filer vers le ciel, où il explosa comme un feu d'artifice. Du moins, c'est ce que je ressentis.

Jack m'attendait. Là, tout de suite. Il attendait que je dise quelque chose. Ou est-ce que je me trompais ?

Peut-être se moquait-il de moi. Et s'il était sérieux, allait-il me plaquer deux semaines plus tard ? Soudain, le gouffre me sembla plus proche que jamais. Jack attendait que je me décide. Je pouvais sauter, si je voulais. Ou bien nous pouvions ignorer le gouffre. Je pouvais faire comme si Jack parlait de ma lenteur pendant la course.

Je me détournai, espérant cacher mon trouble. Il se pencha et rabaissa mon pantalon sur ma cheville.

– Je pense que tu survivras.

Mon cœur battait assez vite pour que je ne sois pas certaine de survivre, justement. Mais lui, il parlait de ma blessure à la cheville.

À cet instant, le silence devint pesant. Jack s'assit sur ses talons et me regarda. Il espérait que je lui réponde.

– Hum…, dis-je d'une voix bizarre. Comment on va faire, pour descendre ?

Avec un petit sourire amusé, il m'aida à me lever.

– Tu vas marcher.

Il nous fallut quarante-cinq minutes pour couvrir une distance que nous avions gravie en un quart d'heure. Mais nous y arrivâmes.

Il posa ma jambe en hauteur, sur la glacière, et plaqua dessus un pain de glace. Puis il alluma un feu d'une main de boy-scout expérimenté, et nous fîmes griller quelques boules de guimauve, en attendant Will et Julia.

Le soleil commença à descendre plus tôt que prévu. C'était l'automne. Je surpris Jack en train de me regarder, l'ombre des flammes dansant sur son visage. Je posai la main sur mes cheveux.

– J'ai l'air si moche ?

– Tu ne t'occupes pas vraiment de ton apparence, indiqua-t-il avec un sourire.

– Dis donc ! protestai-je, faussement offusquée.

– Ne le prends pas mal.

Il semblait troublé. Très loin du Jack habituel.

– Je voulais dire que… Qu'est-ce que je voulais dire, au fait ?

– C'est à moi que tu le demandes ?

Il hocha la tête, embrouillé. Je m'inclinai, ravie de constater que Jack lui-même perdait parfois le nord.

– Tu voulais peut-être dire : « Tu sais, Becks, avec ta grande beauté naturelle, tu rayonnes sans le moindre effort. »

Il me dévisagea et opina lentement. Je ne m'attendais pas à cette réaction. Pour la première fois, je voyais en Jack un être… vulnérable. Et celle qui pouvait le blesser, c'était moi. Que se passait-il ?

Il m'adressa un regard intense, comme si prononcer le moindre mot lui demandait autant d'efforts qu'une centaine de tractions. Enfin, il craqua.

– Tu es ma meilleure amie.

– C'est ça, ton message ? Eh bien, Jack… (je me penchai vers lui) … tu as mis le temps pour y arriver.

– Et moi, je suis ton meilleur ami ?

– Évidemment, répondis-je sans hésiter.

– Bon.

Son visage s'apaisa. Je repris :

– Mais tu veux que je te dise ?

Il se tendit.

– Quoi ?

– Ton marshmallow est en train de cramer.

Il se pencha vers son bout de fil de fer : sa guimauve embrochée s'était transformée en boulette molle et noire. Amusé, il l'approcha de sa bouche pour souffler dessus. D'un coup, son petit air satisfait lui était revenu.

– Parfait. C'est comme ça que c'est bon.

Il retira prudemment de la broche les restes brûlés.

– Ça a l'air dégoûtant, dis-je.

Son sourire se transforma en mimique tandis qu'il approchait de sa bouche le bonbon carbonisé pour le mordre à pleines dents. Des bouts de cendre lui noircirent les lèvres et les joues. Il ferma les yeux.

– Mmmm…

Je pouffai.

Le feu s'était éteint, le soleil était couché depuis longtemps, et nous étions dans un petit cercle de lumière. J'aurais voulu que rien n'existât, sinon ce cercle-là. Juste pour un instant.

J'espère que tu m'attends toujours, Jack.

MAINTENANT
L'Enfernité. Le Cercle du Vent.

Je me penchai vers mes pieds. Ma longe était revenue. Solide et nette.

– Ça a marché ! dis-je à Cole.

Il ne répondit pas. Je me tournai vers l'endroit où il aurait dû être mais où il n'était pas. Il était parti.

Frénétique, je virai sur moi-même, espérant un signe de sa présence.

– Cole !

Je l'appelai encore et encore, sans entendre autre chose que le vent. Nous avions pourtant passé ce moment ensemble, ou est-ce que je me trompais ? Me jouait-il un mauvais tour ?

– Cole, ce n'est pas drôle, protestai-je d'une voix tremblante. S'il te plaît, ne me fais pas ce coup-là.

Je n'obtins aucune réponse. Tout au plus, un souffle de vent plus puissant.

Il avait peut-être des ennuis ? Je tentai de songer aux minutes qui venaient de s'écouler, mais ma mémoire était fragile. Quelques éclairs me parvinrent. Nous marchions côte à côte tandis que je racontais mon histoire. Avais-je perdu l'équilibre ? Au point de retomber derrière le mur ? Alors que je me posais ces questions, je fus engloutie par des images où je me vis traverser le mur, emportée par le vent qui me poussait dans le ciel.

Était-ce la vérité ? Ou le produit de mon imagination ?

Il fallait que je marche. Rester sur place à me creuser la tête allait me rendre folle.

Revenir sur mes pas m'aurait peut-être aidée, mais j'avais tant virevolté que je ne savais plus par où j'étais arrivée.

Puisque ma longe était tendue droit devant moi, je décidai de partir dans le sens opposé. Cela me mènerait peut-être quelque part.

Je courus. Si nous avions été séparés intentionnellement par une force quelconque, ce n'était pas rassurant. Guidée par ma longe, mais à rebours, je pris plusieurs virages et empruntai les voies secrètes du labyrinthe, d'un couloir à l'autre, prise de frénésie.

Et si je ne le retrouvais pas ? Si j'étais piégée là pour toujours, perdue dans l'une des boucles sans fin dont Cole m'avait parlé ?

En débouchant sur une nouvelle voie, je m'arrêtai soudain. Quelqu'un était là, qui me tournait le dos. Ce n'était pas l'un de mes compagnons, mais un homme qui semblait trop corpulent pour être un Vagabond. Ses cheveux étaient bruns et hirsutes. Il était large d'épaules.

Quand il se tourna vers moi, ses grands yeux noirs s'écarquillèrent.

– Becks ?

24

MAINTENANT
L'Enfernité. Le Cercle du Vent.

Les larmes aux yeux, je tentais de reprendre mon souffle.

– Jack ?

Ma vision devint floue sur les bords. Mon visage se vida de son sang, ma tête se remplit d'air. Jack courut vers moi pour m'attraper, juste au moment où je m'évanouissais.

– Reste avec moi, Becks.

Je luttai pour garder les yeux ouverts et répondre :

– C'est ce que tu m'as dit, mot pour mot. Avant de me quitter.

– Je sais.

Ses bras forts me serraient, me maintenaient debout, et il balaya les cheveux qui cachaient mes yeux.

– Je me souviens de tout. Comme si c'était hier.

Je levai la main pour lui caresser les joues, le front, le cou. Il était si réel. Son visage était plus rond que celui que j'avais vu lors de mes rêves. Je glissai mes doigts sur ses bras en suivant ses muscles noueux. Il était beau.

– Jack.

Son nom passait entre mes lèvres comme le son d'un vœu exaucé, d'un désir satisfait.

– Comment es-tu arrivé ici ? Tu t'es échappé ?

Il sourit.

– Je t'attendais. Depuis si longtemps.

Il baissa la tête pour m'embrasser. Mes genoux faiblirent. En fait, mon corps tout entier faiblit, et une étrange obscurité parut devant mes yeux. Ses lèvres, plaquées contre les miennes, ne laissaient pas le moindre interstice, et mes poumons ne tardèrent pas à hurler qu'ils avaient besoin d'air.

J'avais l'impression d'embrasser un trou noir.

Je me dégageai.

– Attends... Je suis à bout de souffle.

– Désolé, dit-il. Ça fait si longtemps...

Quand il se pencha pour recommencer, je tournai la tête. Il prit mon visage entre ses mains pour me remettre face à lui.

– Mais...

Ses lèvres m'empêchèrent d'en dire davantage. Je repoussai sa poitrine le plus fort possible et, quand il me lâcha, je tombai.

– Je suis navré, Becks ! s'écria-t-il comme s'il croyait à peine à ce qu'il venait de commettre. Je... je n'ai plus toute ma tête.

Je me relevai en frottant mon jean. Alors je remarquai ma longe. Tournée vers mon dos. Mais moi, je me trouvais face à Jack.

Je levai la tête pour le dévisager. Il y avait quelque chose dans ses yeux, quelque chose qui les rendait plus sombres. Ses pupilles étaient dilatées. On ne voyait plus ses iris.

Jack... mon Jack... était censé se trouver dans les Tunnels.

Ce n'était pas Jack.

Il me tendit la main.

– Viens, Becks. Je sais comment sortir d'ici. (Constatant mon hésitation, il leva les bras.) Promis, je ne t'embrasserai plus, jusqu'à ce qu'on soit rentrés chez nous.

Ce n'était pas Jack.

Pourtant, il lui ressemblait. Le moindre centimètre de sa peau, la moindre expression de son visage, le moindre cal sur ses mains. Sa façon de cligner des yeux quand il souriait. Ses fossettes asymétriques. Le petit creux au milieu de son front. Cela aurait pu être lui. J'aurais pu m'en convaincre. Sans me forcer. Mon cerveau m'ordonnait de le suivre alors que mon instinct m'en dissuadait.

Je restai sur place.

– Pars en premier, lui dis-je. Je te suis.

Il fronça un peu les sourcils avant de se retourner.

– Reste près de moi, Becks.

Il avança d'un pas. Pendant une fraction de seconde, une voix me lança : *Alors que tu le tenais dans tes bras, tu l'as repoussé.* « Lui », était-ce celui qui marchait devant moi ? Ou celui que je n'avais pas pu retenir quand les Tunnels étaient venus me chercher ?

C'est un piège, me dis-je. *Ce n'est pas Jack.* Je fis volte-face et partis en courant. De l'autre côté du passage voûté, dans les ruelles sinueuses. Je tournai le plus possible, au point de revenir parfois sur mes pas, dans la direction que je fuyais.

J'entendis le faux Jack crier sans cesse. M'appeler. Me supplier de ne pas l'abandonner une nouvelle fois. Même si je savais que cette voix désespérée n'était pas la sienne, elle me serrait le cœur comme si elle avait des griffes. Je ne pus me retenir de penser que je l'avais une nouvelle fois trahi.

* * *

Je courus ainsi longtemps. Enfin, en tournant à un coin, je percutai quelqu'un de plein fouet. Max.

– Nikki !

Jamais il n'avait semblé si content de me voir. Sans aller jusqu'à me serrer contre lui, il poussa un profond soupir de soulagement.

– Où est Cole ? Et Ashe ? demandai-je.

Il secoua la tête.

– Je n'en sais rien. Je viens d'assister à une scène étrange… Un moment irréel.

– Tu as vu Jack ?

Il me regarda, troublé.

– Non. C'était ma petite sœur. Mais elle est… (Il grimaça comme s'il allait pleurer.) Elle voulait que je la suive.

– Ce n'étaient pas les vrais !

– Je l'ai sentie prendre ma main !

Des images trompeuses de ceux que nous aimions. Qui nous incitaient à les suivre.

– On dirait des Sirènes, conclus-je.

– Des Sirènes ?

– Oui, comme dans *L'Odyssée*. Dans le mythe, pour piéger les marins, elles les séduisent en jouant de la musique. Ici, la musique est interdite, alors elles emploient d'autres moyens.

– Qui as-tu vu, toi ?

– Jack. Et puisque tu as vu ta sœur, ces images varient en fonction de chacun. (Mon pouls battit plus fort.) Il faut rejoindre les autres. Séparons-nous.

– Hein ? Non, c'est une très mauvaise idée, protesta Max.

– Cole et Ashe sont sûrement piégés, à l'heure qu'il est. Nous devons les trouver avant qu'ils suivent les Sirènes. Si nous partons chacun de son côté, nous aurons plus de chances de retrouver au moins l'un d'eux. Allons-y !

Je le tournai vers l'endroit que ma longe indiquait.

– Toi, tu pars par là, et moi dans l'autre sens. Tâche d'aller le plus loin possible.

Je le poussai, et il s'en alla. Puis je me tournai et filai aussi vite que mes jambes me le permirent, m'efforçant de ne plus penser à ma rencontre avec la Sirène. Elle m'avait semblé si réelle. Sa peau, sa grande main, ses lèvres.

Non, c'étaient justement ses lèvres qui l'avaient trahie. J'avais compris qu'elles me vidaient de ma vie, me privaient de mes capacités mentales. Si la Sirène ne m'avait pas embrassée, jusqu'où serais-je allée avant de comprendre qu'elle n'était pas Jack ?

Mentalement, je tournais en rond. Cole était là, quelque part, face à une Sirène qui ressemblait à Dieu sait qui, peut-être même la suivait-il ? Ashe avait disparu, lui aussi, mais pour le moment, je voulais surtout trouver Cole.

Je remontai le long de ma longe. Si je reculais suffisamment, elle finirait peut-être par me ramener là où j'avais vu Cole pour la dernière fois. Et si je ne le trouvais pas, Max y parviendrait, avec un peu de chance.

En tournant un coin, je me trouvai dans une impasse. Et, juste devant moi, se trouvait Cole. Il n'était pas seul.

Il serrait quelqu'un contre lui mais comme il me tournait le dos, je n'aperçus qu'une mèche de cheveux sombres. Qui était-elle donc ?

J'étais sur le point d'appeler Cole quand je l'entendis parler en lui caressant les cheveux.

– Tout va bien. Tu es en sécurité, maintenant. Je t'ai retrouvée, Nik. Tu es sauvée.

Nik ? Quand elle s'écarta pour lui sourire, je vis mon visage. Mon visage !

– Cole !

J'avais poussé un cri strident. Ils se tournèrent vers moi l'un comme l'autre. La fille grimaça et protesta :

– Encore elle ! Elle me suit partout.

– Cole, ce n'est pas moi, affirmai-je.

La Sirène le serra encore plus fort.

– Elle a la même voix que moi, en plus !

– Ne t'inquiète pas, répondit-il. Elle ne te fera rien.

Bon sang… J'avançai d'un pas, et ils tressaillirent. Je tendis les mains, les paumes baissées.

– La fille que tu tiens dans tes bras, ce n'est pas moi.

Cole fronça les sourcils.

– Je suis avec elle depuis le début. Alors que toi, tu viens d'apparaître.

– Non, tu n'étais pas avec elle. Remémore-toi cette dernière heure. Je te racontais l'épisode de Jack et de la guimauve grillée…

– Le jour où je me suis tordu la cheville ? coupa la Sirène d'un ton de reproche. C'est mon histoire, ça.

Cole la serra encore plus fort et me regarda d'un œil serré.

– Je t'en prie, Cole, implorai-je. Elles prennent la forme de ceux que nous avons envie de voir. Moi, je viens de voir Jack.

– Jack est dans les Tunnels ! hurla la Sirène avant de se tourner vers Cole. Il faut sortir d'ici. Pour cela, il te suffit d'être persuadé, au fond du cœur… (elle lui posa un doigt sur la poitrine) … que je suis bien moi.

La garce… J'aurais moi-même agi comme ça. Cole, fasciné, la regardait comme si je n'étais pas là. Il lui souleva le menton pour la rapprocher de lui.

– Je sais que tu es ici, Nik.

Quand elle se pencha vers lui, je compris qu'il préférait la fiction à la réalité. Cette Nik-là l'étreignait en lui répétant qu'elle avait besoin de lui. Cette Nik-là lui faisait confiance. Cette Nik-là agissait comme si elle n'avait qu'une envie : le sentir près d'elle. Sa longe même était tournée vers lui.

Sa longe ! Elle le désignait directement. Je réagis, le doigt tendu vers le sol.

– Cole ! Regarde. Ce n'est pas moi.

Il suivit mon geste et observa la ligne. Ses épaules flanchèrent de un millimètre. Puis il me regarda et baissa les yeux vers la véritable longe, orientée dans le sens opposé, vers la sortie de l'impasse.

Nos regards se croisèrent.

– L'imitatrice, c'est toi, dit-il à peine plus fort que s'il murmurait.

Je secouai la tête, mais il se détourna et prit la direction du cul-de-sac avec la simulatrice. Un petit passage s'ouvrit dans le mur de vent.

– Cole !

Il ne réagit pas. Que faire ? Face à ma propre Sirène, je n'avais compris la vérité qu'en l'embrassant.

Je ne perdis pas une seconde à réfléchir. Cole allait se pencher pour franchir le passage. Je courus vers lui et sautai pour lui saisir les chevilles. Surpris, il ne réagit pas à temps pour se dégager. Il tomba avec moi.

Je le retournai et me penchai.

Et je posai mes lèvres sur les siennes.

Cela ne dura qu'une fraction de seconde car, par réflexe, il me repoussa, à moitié seulement. Au lieu de me jeter au loin, il maintint mon visage au-dessus du sien et l'examina entièrement, du front au menton. Je le laissai faire tandis qu'il me tournait la tête d'un côté puis de l'autre. Je voulais qu'il comprenne que j'étais moi.

Puis il me tira vers lui pour poser ses lèvres sur les miennes.

Un phénomène étrange se produisit alors. Quand j'avais embrassé la Sirène, mon corps s'était affaibli ; là, au contraire, je sentis un élan d'énergie remonter le long de mes reins et de mes muscles. Et cela provenait du baiser de Cole.

Il passa ses doigts dans mes cheveux, vers ma nuque, et me tira encore plus près. Je le laissai faire tandis que la force atteignait la pointe de mes doigts et de mes pieds, car j'étais persuadée d'être capable de tout faire, de tout affronter, si je recevais encore un peu de son pouvoir.

Ses mains descendirent le long de mon cou, me tirèrent plus près, toujours plus près. J'étais perdue dans le monde souterrain de Cole, transportée en d'autres lieux, hors du temps, là où tout devenait possible. Tous mes souvenirs, que j'avais tant lutté pour enfermer, me revinrent soudain.

L'un d'eux était nouveau. Une fille, assise sagement à une table, dans un club, était recourbée vers une canette de soda. Elle avait de longs cheveux sombres et la peau claire. Je serrai les paupières pour me concentrer sur l'image et je compris soudain que ce souvenir ne m'appartenait pas.

Car cette fille, c'était moi.

Je me voyais de l'extérieur, avec les yeux d'un autre.

Les yeux de Cole. Pour la toute première fois, je pris conscience de la tendresse avec laquelle il me considérait. Il avait remarqué, en moi, chaque scintillement. Le moindre soupçon de sourire. Le plus petit froncement de sourcils. Il avait une attention particulière pour la façon dont mes doigts étaient recourbés autour de mon verre. Pour mes ongles rongés à ras. Pour mes gestes nerveux.

J'ignorais cette manie que j'avais, de taper des doigts.

Je ressentais ce qu'il ressentait. S'il avait eu des ailes, il les aurait enroulées autour de moi pour me protéger. Il était étonné de s'être ainsi attaché à un être humain, et si vite.

– Moi, je ne t'aurais jamais embrassé !

Le cri de la Sirène me ramena en Enfernité et je me détachai de Cole. Affichant un sourire diabolique, il se tourna vers elle.

– Je le sais bien. Contrairement à la véritable Nik, prête à tout pour me sauver la vie. (Il revint vers moi.) Salut, Nik.

– Dieu soit loué ! soupirai-je avant de me décoller de lui.

La Sirène ouvrit la bouche et hurla. Son cri était si puissant que je crus sentir mes tympans se percer. Je plaquai mes mains sur mes oreilles. Cole fit la même chose.

Elle trembla et devint floue, son apparence alternant entre mon image et celle d'une créature couverte d'écailles noires. Restant sous cette forme, elle sauta d'un coup et percuta Cole de plein fouet. Elle ouvrit grand la bouche, au point de se déboîter la mâchoire, comme un serpent, montrant ainsi plusieurs rangées de dents noires et tranchantes. Elle se pencha pour mordre Cole à la gorge.

Il poussa un cri de douleur.

– Cole !

Je me remis sur pied tant bien que mal en regardant alentour, où je ne vis rien qui puisse me servir d'arme. Soudain me revint le couteau que Cole portait dans une gaine fixée autour de sa cheville.

Je me baissai, veillant à éviter tout contact avec le monstre, pour relever le bas de son pantalon. La pointe du couteau se coinça dans l'ourlet mais je parvins à déchirer le tissu, au prix d'un petit effort. Ou grâce à l'adrénaline. Je saisis la poignée, puis je dressai le couteau à bout de bras au-dessus du dos de la bête, visant une fente entre deux plaques de carapace, et l'abaissai d'un coup.

La lame plongea dans la chair et la Sirène poussa un cri perçant. Un filet de sang sombre jaillit de la blessure. Son corps trembla, se figea, puis se remit à vibrer et se débattre. Quand le sang gicla jusqu'à mon visage, je reculai.

Il y eut une plainte, qui fondit bientôt en un sanglot, puis plus rien.

– Cole !

Je tirai le monstre par ce qui ressemblait à son épaule pour dégager Cole. Il était couvert de sang. Je n'aurais pas su dire si c'était le sien ou celui de la Sirène. Je déchirai la manche de mon tee-shirt pour la plaquer à son cou.

– Cole ! Tu m'entends ?

Il ouvrit les yeux et me fit un signe de tête à peine perceptible.

– C'est grave ? demanda-t-il.

Je soulevai le tissu : la plaie saignait toujours, et je le remis en place en appuyant plus fort.

– Non. Ce n'est rien. Tu t'en sortiras.

Avec un sourire, il tendit la main vers ma joue pour y faire glisser son pouce.

– Difficile de mentir quand on a du sang sur la figure…

Je remis sa main sur sa poitrine. Il ferma les yeux et cessa de bouger. La paume au ras de sa bouche, je sentis son souffle. Il expirait à peine. Je soupirai et changeai de position afin de m'asseoir près de lui. Je lui tapotai la poitrine.

– Tu t'en sortiras…

C'était à moi que je parlais.

J'ignore combien de temps nous avions passé ainsi quand nos paupières se rouvrirent. Cole s'assit et eut aussitôt le tournis.

– Oh là, lui dis-je. Vas-y mollo.

Il se rallongea et j'observai sa blessure. La plaie ne saignait plus, mais j'enroulai tout de même la manche de mon tee-shirt autour de son cou. Il suffit parfois d'un gros coup de vent pour rouvrir ce genre de lésion.

– C'est bon, je vais bien, Nik.

– Tant mieux. On va quand même rester ici un petit moment. (Sans le laisser protester, je repris :) C'est le meilleur moyen de permettre aux autres de nous rejoindre.

Il fronça les sourcils.

– Tu ne les as pas revus ?

– Seulement Max. Sa Sirène avait pris la forme de sa sœur, mais il a vite compris. Je ne sais pas comment il a fait. Ensuite, nous sommes partis chacun de son côté pour vous chercher, Ashe et toi.

Cole semblait inquiet. Il n'était pas question de partir sans eux.

– Ça va ?

Il fit signe que oui.

– Est-ce que tes baisers font cet effet-là à tout le monde ?

– C'était à cause de la Sirène…

Je me tus. Il plaisantait, évidemment. Mais je repensai au baiser. Consciente que le danger était loin, je rougis. Le baiser m'avait entrouvert la porte des souvenirs de Cole, tout en me transmettant une forte dose d'énergie. À coup sûr, cela m'avait aidée à tuer la Sirène. Mais, juste après, Cole avait paru fatigué. D'ailleurs, quand la Sirène l'avait attaqué, il ne s'était pas vraiment défendu. Je l'interrogeai :

– Pourquoi a-t-il produit un effet si étrange ? Est-ce qu'il t'a affaibli ?

Il sourit.

– Il ne faut pas se fier aux apparences, n'est-ce pas ? Un baiser en Enfernité produit l'effet inverse d'un baiser à la Surface. Là-bas, comme tu as plus d'énergie, cela transfère ton énergie vers moi. Ici, en revanche, l'Enfernité t'épuise sans arrêt, et c'est donc moi qui en ai davantage. Et qui te la transmets. Par ce baiser, tu t'es nourrie de moi, pour changer.

Je haussai les sourcils.

– Tu es sérieux ?

– Tout marche à l'envers, ici.

– Mais... les Vagabonds ? Comment se fait-il qu'ils m'épuisent, eux ?

– Cesse de les considérer comme des Enfernautes. Les Vagabonds ne sont rien. Ils ne sont qu'une incarnation de la faim, et tu renfermes forcément plus d'énergie qu'eux. Ils ne peuvent rien te fournir. Moi, si.

– Un souvenir m'est apparu. Un souvenir à toi, avouai-je calmement.

Il releva les genoux et posa son menton dessus, déplaçant son pansement de fortune.

– Ça ne m'étonne pas.

Je remis le bandage à sa place. Cole ne me demandait pas ce que j'avais vu.

– Tu m'as sauvé la vie, dit-il.

Je revis la Sirène.

– Au début, je n'étais pas certaine que tu tenais à être sauvé.

– Elle avait de bons côtés.

Voyant qu'il souriait, je compris, soulagée, qu'il ne prenait pas les choses au sérieux.

J'avais réfléchi. Pour convaincre quelqu'un de la suivre, une Sirène prenait l'apparence de l'être le plus désiré par sa victime. L'objet de son désir le plus ardent. Or ce que Cole désirait, c'était moi sous ma forme normale et non en tant que reine, malgré ce que j'imaginais. Ni même en tant qu'Enfernaute.

Il me désirait telle que j'étais, tout simplement.

Toutefois, une Sirène n'incarnait pas forcément ce que l'on voulait le plus dans l'absolu. C'était peut-être seulement ce qu'on voulait au moment précis de l'apparition.

Je n'en savais rien. Et, à en juger par le visage de Cole, la fatigue qui lui cernait les yeux et les traits d'inquiétude qui entouraient sa bouche, il valait mieux ne pas l'interroger sur ce point.

– À quel moment as-tu compris que la Sirène n'était pas moi ? repris-je. Au moment du baiser ?

Il sourit tristement.

– Quand j'ai vu que sa longe était tournée vers moi.

– Sinon tu… tu serais parti avec elle ?

– J'ai eu un moment de faiblesse. Sous l'effet destructeur d'un baiser.

Il fouillait mon regard.

– Pourquoi m'as-tu embrassé ? demanda-t-il.

Je rougis.

– Parce que ma Sirène à moi avait la forme de Jack. Il m'a embrassée et là, j'ai compris que ce n'était pas le vrai. Voilà pourquoi j'ai pensé que, si je faisais la même chose avec toi, tu t'apercevrais que j'étais réelle.

– Tu es arrivée à cette conclusion plutôt rapidement.

– Non, je… Je ne…, bafouillai-je.

Je repensai à ce baiser. Je m'y étais perdue. Mais jamais je ne pourrais l'admettre. Cole s'approcha.

– Jure-moi que tu n'as rien ressenti, Nik.

– Je ne sais pas ce que j'ai ressenti, parvins-je à dire.

Que devais-je donc savoir, alors qu'une vague d'énergie m'avait caché tout le reste ? Cole ne s'éloigna pas.

– Je te le dis comme ça, hein… ma longe est toujours tournée vers toi.

Ashe me l'avait déjà révélé, et soudain, je lus dans le regard de Cole, dans sa façon de pencher la tête, dans ses moindres décisions. Derrière tout cela, il y avait mon visage. Je le savais, maintenant. Je m'en étais même servi pour l'amener à me suivre. Qu'est-ce que je lui infligeais donc ?

Ce baiser. Ce n'était pas une simple question d'énergie. Cela concernait aussi nos souvenirs. Notre connexion, une fois encore. Une connexion ne se manifeste qu'après un siècle de relation. Se briserait-elle un jour ?

Je m'apprêtais à prendre la parole quand Max apparut au coin, essoufflé. Il ferma les yeux, soulagé, en constatant qu'il nous avait rejoints.

– Pas moyen de trouver Ashe, souffla-t-il. Il n'est nulle part.

– Comment ça, « nulle part » ? interrogea Cole en se levant.

Max secoua la tête en haletant.

– Je ne l'ai trouvé nulle part.

Cole perdit le peu de couleur qui lui restait. Max semblait sur le point d'être malade. Je pris conscience des dangers qui nous entouraient, dans ce labyrinthe. Je le savais depuis le début mais, en quelques heures, mon cerveau avait été vidé et mon corps presque déchiqueté par le vent ; Cole, lui, avait été attaqué par une Sirène, et voilà qu'Ashe avait disparu.

La situation pouvait changer à tout instant. Ainsi, le vent nous avait troublé l'esprit très vite.

Désormais, tout me semblait plus pesant.

Cole consulta sa montre.

– Il faut donner un coup de pied à Nikki.

– Ah bon ?

C'était déjà l'heure ? Je pensai à tout ce que nous venions de vivre. Cela valait trois jours pleins.

– C'est la fin de la journée. Il faut que tu dormes.

Il me tourna le dos, sans que son expression m'échappe : il avait un air sinistre.

– Nous continuerons de chercher Ashe pendant ton absence, reprit-il. Vas-y, Max.

– Mais…

Ce fut tout ce que j'eus le temps de dire avant que le pied de Max ne m'atteigne et m'expédie.

Au bout de quelques secondes, je me retrouvai par terre au Shop'n Go, une fois de plus. Il faisait noir. J'étais seule, à la Surface.

25

MAINTENANT
La Surface. Le Shop'n Go.

Une demi-heure plus tard, j'étais couchée dans l'arrière-boutique, entre un balai-brosse et un escabeau, la tête posée sur trois tee-shirts roulés en boule.

Il n'était pas question que je contacte Will avant d'avoir retrouvé Jack. Je ne voulais pas lui avouer tout ce qui était arrivé, surtout l'épisode de la Sirène.

J'avais mal. D'avoir cru qu'il était tout près. D'avoir eu l'impression de le serrer contre moi.

Je détestais le labyrinthe. D'accord, nous avions avancé d'un cercle ; pourtant, à chaque fois que j'arrivais à la Surface sans Jack, c'était comme un nouvel échec.

Je remontai à mon menton la couverture de survie que j'avais volée dans le rayon camping. Pour une fois, je trouvais positif que le moindre magasin de Park City ait un rayon camping.

Je fermai les yeux. J'avais hâte de m'endormir.

Je rêve.

Pourtant Jack n'est pas là. Du moins, pas sous la forme qu'il affichait ces derniers mois.

Au lieu de ça, je rêve du jour où, pour la première fois, il m'a dit qu'il m'aimait. Dans la cabane de son oncle, assis devant le feu, nous buvons du chocolat. Le rêve me semble artificiel, comme si j'étais à moitié éveillée et que je forçais mon cerveau engourdi à fouiller ma mémoire.

Je me régale de ce doux souvenir ; mais j'ai une douleur au cœur, signe d'un trouble plus profond.

Le Jack du Tunnel n'est plus là. Je le cherche, je m'efforce de trouver mon chemin pour rentrer chez moi, pour qu'il me retrouve sur mon lit.

Non, il ne vient pas. Je suis seule.

Mes paupières finirent par capituler et je m'éveillai. Jack n'était pas là. J'aurais beau m'efforcer de le faire venir, le vrai Jack ne paraîtrait pas dans mon rêve. Je m'étais inquiétée de ce qu'il pourrait oublier, sans aller jusqu'à concevoir qu'il disparaisse complètement.

Je jetai une bouteille d'ammoniaque contre le mur. Non, je n'étais pas en train de perdre Jack. Je ne le perdrais pas. La bouteille revint vers moi en roulant. Je la ramassai pour la lancer plus fort. Cette fois, elle éclata, et l'ammoniaque jaune gicla.

Le bruit du verre brisé reflétait ce que mon cœur ressentait. J'éprouvai soudain l'envie de casser tout ce que j'avais sous la main. D'ouvrir la porte à coups de pied, de courir entre les rayons du Shop'n Go en renversant les bouteilles et vidant les étals. Pendant une seconde, je me vis même jeter la chaise d'Ezra par la fenêtre.

Je pris ma tête entre mes mains. Si je ne faisais rien pour me calmer, j'allais tout réduire en miettes. C'est alors que j'aperçus une lumière douce qui s'infiltrait sous la porte de l'arrière-boutique.

C'était le matin.

Il fallait que je parle à quelqu'un. Mais, à cause de mon échec, il n'était pas question que ce soit Will. Ni mon père. Je n'allais pas me pointer après m'être évaporée du cabinet du Dr Hill, pour disparaître encore quand Cole m'aurait repérée…

L'odeur d'ammoniaque devint vite insupportable dans la petite salle. Je devais sortir. En vérité, il n'existait qu'une seule personne à qui je pouvais parler : Mme Jenkins. Elle avait peut-être du nouveau à m'apprendre. Elle me laisserait peut-être casser des objets. Elle aurait peut-être envie de les casser avec moi, en maudissant le jour où elle avait appris l'existence même de l'Enfernité.

J'entrouvris la porte de quelques centimètres pour regarder dehors. Le soleil traversait les vitrines ; Ezra, assis à la caisse avec un écouteur sur les oreilles, était penché sur un journal.

Je poussai la porte pour m'approcher de lui. Il faisait des mots croisés. Il leva la tête.

– J'ai besoin de passer un coup de fil, lui dis-je.

Il me tendit son appareil comme s'il était parfaitement normal de voir une fille surgir de l'arrière-boutique au lever du jour. J'appelai Mme Jenkins pour lui demander de venir me chercher.

* * *

Mme Jenkins, posément installée sur son canapé, m'écouta lui résumer les derniers jours. Quand j'eus terminé, elle s'adossa.

– Donc, d'ici peu, la main de Cole apparaîtra et t'emportera ?

– Oui. Et je crois qu'il sera bientôt trop tard. Jack ne… ne s'est pas présenté dans mon rêve, cette nuit.

Ma voix se brisa. Nous restâmes silencieuses puis je repris mon souffle.

– Je n'ai plus beaucoup de temps.

– Tu n'en as jamais eu, voyons. Je voudrais bien savoir quoi te dire.

– C'est tout le problème, n'est-ce pas ? Nous marchons à l'aveuglette. Personne n'a jamais agi ainsi. Personne ne s'est trouvé dans une telle situation.

À ces mots, je me tournai vers l'urne à cendres posée sur la cheminée.

– Adonia… C'est probablement elle qui s'en est le plus approchée. Vous a-t-elle transmis quelques souvenirs ? Des détails utiles ?

Mme Jenkins regarda l'urne, elle aussi, et secoua lentement la tête.

– À mon avis, rien qui puisse te dépanner. Elle n'a même pas tenu six mois après son retour à la Surface. La reine l'a tuée avant que les Tunnels ne viennent vers elle.

– Je le savais, mais comment est-elle allée au Festin, pour commencer ? Si elle n'était pas amoureuse de son Enfernaute, pourquoi a-t-elle accepté de descendre ?

– Oh, je ne dirais pas qu'elle n'aimait pas Ashe. Au début, du moins. Mais elle est restée obnubilée par le véritable amour de sa vie, un soldat qu'elle croyait mort au front…

– Attendez ! coupai-je. Vous avez dit Ashe ?

Elle hocha la tête.

– C'est ainsi que se nommait son Enfernaute.

– Ashe, répétai-je. Ashe est celui qui a trahi Adonia. Qui l'a livrée à la reine.

Elle opina une nouvelle fois, troublée.

– J'ai rencontré un Ashe, expliquai-je d'une voix aussi faible qu'un murmure. Il nous a aidés. C'est un ami de Cole.

Intriguée, elle plissa les yeux.

– Était-il brun aux yeux sombres ?

– Non. Il était... gris. De la tête aux pieds. On aurait dit qu'il était fait de fumée. Selon Cole, il n'avait pas cette allure jusqu'à ce qu'il manque le dernier Festin. Mais Ashe est un prénom assez répandu, non ?

Rien qu'à voir son visage, je sus qu'elle ne croyait pas à une coïncidence.

– Ashe est toujours vivant, reprit-elle. Bien sûr, ça explique tout. L'histoire d'Adonia est si ancienne. C'est étrange de penser que lui, il est... encore là.

Je ne parvenais pas à analyser cette révélation. Mon estomac se mit à gargouiller tandis que j'y pensais, mais je ne savais pas bien pourquoi. Le malaise de Mme Jenkins face à cette révélation ne m'aidait pas vraiment.

Ashe avait emmené Adonia au Festin en tant que Transfuge, comme Cole l'avait fait avec moi. Adonia avait survécu, comme moi. Mais comment ? Qui était son pilier ?

– Donc, vous disiez que son ami soldat était mort avant le Festin ? repris-je.

– Non. C'est là le plus terrible. Il avait été capturé par l'ennemi et tout le monde le croyait mort. Pourtant ce n'était pas le cas. Il était prisonnier de guerre.

Voilà pourquoi Adonia avait survécu. Grâce à un pilier, comme moi. Avait-elle su qu'il était toujours vivant ? Était-ce pour cela qu'elle avait décidé de faire son retour à la Surface ?

Ensuite, son Enfernaute l'avait trahie. Au lieu de la laisser passer ses six derniers mois à la Surface, Ashe l'avait livrée à la reine. Cette histoire n'avait rien à voir avec moi.

Vraiment ?

Et Cole, savait-il ce qu'Ashe avait fait ? Qu'il avait, au fond, tué son Transfuge ?

Cole connaissait-il Adonia ?

– Madame Jenkins, pouvez-vous m'en dire plus sur elle ? Un point qui permettrait de comprendre ce qu'elle avait de spécial ? D'assez rare pour que la reine la tue ?

Elle posa sa tasse de thé.

– Tout ce qui concerne Adonia et les Filles de Perséphone est remisé au sous-sol. À mon avis, nous n'y trouverons pas grand-chose. Mais on peut essayer.

Arrivée au pied de l'escalier derrière elle, je m'arrêtai un instant. La cave était envahie de monceaux de livres, de papiers et de boîtes. Des cartons de déménagement neufs étaient posés sur des caisses en bois d'allure plus ancienne.

Comment s'y retrouver ?

Apparemment, Mme Jenkins savait précisément où tout était rangé. Elle sortit une boîte à images contenant deux petits portraits peints. On aurait dit des camées, comme ceux que j'avais vus dans des films qui se passaient à la fin du XIXe siècle.

– Voici Adonia, dit-elle. Et lui, c'est le soldat, Nathanial. Elle portait ce camée en permanence. Ils étaient tombés amoureux en Angleterre mais il fut porté disparu lors d'une bataille aux colonies. En Inde, je crois. Il était absent depuis des mois quand Adonia a rencontré Ashe. Elle était en miettes.

Elle brandit le camée du soldat pour me le montrer.

– À sa libération, Nathanial a demandé à ses sauveteurs d'expédier son camée à Adonia, ainsi que la médaille qu'il avait reçue, plus quelques objets personnels.

Elle me passa l'objet pour fouiller dans une boîte de vieux papiers, à ses pieds.

Le portrait d'Adonia était splendide. Blonde aux yeux bleus, elle avait une peau couleur porcelaine. J'imaginai la reine actuelle, avec ses cheveux rouges comme du feu, en train de la pourchasser et de l'épuiser au point de ne laisser d'elle qu'une poignée de cendres.

– Si Adonia était devenue reine et avait transmis l'éternité à sa ligne ancestrale, auriez-vous vu le jour ?

Elle leva la tête.

– La reine ne peut rendre éternels que ceux qui sont déjà décédés. Les Enfernautes ne font pas d'enfants. Nous descendons de la sœur d'Adonia.

Elle se remit à chercher. Elle faisait défiler sous ses mains une série de plans quadrillés sur lesquels étaient tracés des points. Certains de ces points étaient assez proches pour dessiner des formes que je reconnus.

– Ce sont les constellations ? demandai-je.

Mme Jenkins confirma sans cesser de fouiller la caisse.

– Oui, Adonia était une astronome passionnée.

Je revis le télescope rangé dans un coin, chez Ashe, et qui avait selon lui une valeur sentimentale. Avait-il appartenu à Adonia ?

Mme Jenkins se redressa en montrant un objet métallique.

– Voilà, annonça-t-elle. La décoration de Nathanial.

Elle me tendit une vieille et lourde médaille en cuivre qui montrait deux épées croisées, encerclées d'une guirlande. La pointe et la poignée des épées dépassaient de la bordure, formant des pics de métal bien nets.

– C'est beau.

– Je ne sais pas comment ça s'appelle, mais je crois que ça vaut assez cher, aujourd'hui.

Sa voix s'éteignit sous le coup de la surprise.

— Qu'est-ce que… ?

Je suivis son regard jusqu'au sol, où une main fantomatique et tatouée était apparue.

— C'est Cole, expliquai-je. Mais j'ai encore plein de questions à vous poser.

— N'y va pas, dit-elle.

À en croire son regard inquiet, le fait que je fasse équipe avec Ashe la troublait.

— Il le faut, répondis-je. Je dois retrouver Jack. De toute façon, Ashe a disparu.

J'étais en train de chuchoter alors que j'étais sûre, ou presque, que Cole ne pouvait nous entendre.

La main tourna comme pour m'ordonner : *Dépêche-toi !*

— Si je n'y vais pas maintenant…

— Je comprends, admit-elle. Je tâcherai de… de voir ce que je trouve ici. Je vais tout fouiller. Je pourrais chercher dans…

Elle haussa les épaules.

— Merci, lui dis-je en m'approchant de la main. Mais à mon avis, si je reviens sans Jack une fois encore, il sera trop tard. (Elle ne me contredit pas et je repris :) Je peux vous demander quelque chose ?

— Oui.

— Pourquoi m'aidez-vous ?

Elle m'adressa un sourire doux.

— Vivre sans amour… ça finit par manquer de charme.

Je souris moi aussi. Je comprenais ce qu'elle ressentait.

— Je reviendrai.

— Tiens, dit-elle en me posant la médaille dans la main. Prends ça. Pourvu que ça te porte bonheur.

Des adieux si rapides nous incitaient à faire des promesses auxquelles nous n'aurions pas songé dans d'autres conditions. À moins que Mme Jenkins ne commençât à m'aimer un peu.

Ou qu'elle vît en moi une future reine qui se souviendrait d'elle, le moment venu.

Il ne fallait pas se fier aux apparences, dans aucun des deux mondes.

Quand je pris la main de Cole, j'eus un instant pour songer au symbolisme de tout cela. Cole me tirait vers l'Enfernité. Encore et toujours. Et moi, je me laissais faire. En fait, je l'implorais de le faire.

* * *

J'arrivai sur le sol, encerclée de murs de vent chargés de débris qui montaient vers le ciel.

– Bien dormi, Nik ? me demanda Cole en s'étirant comme si son aller-retour à la Surface lui avait donné des crampes.

La question m'accabla lourdement, puisque Jack n'avait pas paru dans mes rêves. Je ne tenais pas à ce que Cole le sache. S'il l'apprenait, il déciderait peut-être d'en rester là – et moi, je ne voulais pas en rester là tant que je ne serais pas entrée dans les Tunnels. Tant que ma main ne tiendrait pas celle de Jack. Tant que je ne lui aurais pas donné ma longe pour l'aider à trouver son chemin, à la manière d'Ariane et de Thésée.

Jack n'était pas mort. Non. C'était impossible. Pourtant son absence, la nuit passée, avait marqué mon âme d'un spectre sombre, comme si la sinistre Faucheuse était venue trop tôt réclamer ce que je n'étais pas prête à lui céder. Cette ombre fatidique m'incitait à abandonner mon espérance. Je fermai les yeux en lui ordonnant de s'en aller. Non. Il y avait une autre raison à l'absence de Jack, la nuit précédente, quelque chose qui était au-delà de son contrôle. Mais si Cole et Max apprenaient qu'il n'était pas venu, ils estimeraient probablement que notre longue marche était inutile. Surtout Max. Il était toujours prêt à laisser tomber.

– Ça va ? insista Cole, à qui je n'avais pas répondu.

Je hochai la tête.

– Qu'est-ce que tu tiens là ?

Il montrait ma main, et la médaille de Nathanial que Mme Jenkins m'avait confiée. Ce que j'avais appris chez elle me revint soudain. Ashe. Adonia. La trahison.

– Tu le connais bien, Ashe ? demandai-je à Cole.

Ma question le prit de court.

– Pas mal, oui.

– Tu lui fais confiance ?

Il haussa un sourcil.

– Tout à fait. Où veux-tu en venir ?

Je réfléchis. Je ne savais pas encore ce que je tirerais de ma découverte. Je comprenais mal ce qu'elle impliquait. Voyant que j'hésitais, Cole reprit :

– Écoute, Nik. On discutera de ça en chemin. Pour l'instant, il faut qu'on y aille. Je crois que nous sommes à deux pas du Cercle de Feu.

– Comment le sais-tu ?

Il leva la tête vers le ciel.

– Il y a de la fumée à l'horizon. Faisons apparaître ta longe et allons-y. Raconte-moi une histoire, et une belle.

D'un coup, tous mes autres soucis s'effacèrent et je ne voulus plus qu'une chose : me rapprocher de Jack. Puisque Ashe n'était pas là, peu importait que je lui fasse confiance ou non.

Jack ne s'était pas montré pendant mon rêve et c'était tout ce qui comptait. Je devais faire revenir ma longe, vite ; or il existait un épisode, bref et agréable, dont l'effet serait immédiat.

Je pris les mains de Cole.

– Je t'ai déjà raconté la première fois que Jack m'a embrassée ?

SECONDE ANNÉE DE LYCÉE
La Surface. Le lycée de Park City.

Le couloir était plein d'élèves mais ils se confondaient tous à l'arrière-plan. Jack venait de me questionner ouvertement sur mes sentiments à son égard. Pour moi, plus personne d'autre n'existait.

– Dis-moi, commença-t-il en effleurant le bout de mes doigts avec les siens, tandis que les autres marchaient autour de nous. Peut-il se passer autre chose entre nous ?

Je regardai mes pieds.

– Entre nous, tout peut se passer.

Il ne releva pas. La cloche allait sonner. Je le savais car le couloir était presque vide, et pourtant Jack garda son calme.

Ignorant les papillons qui avaient surgi de mon estomac au point de remplir mon corps tout entier, je pris le risque de le regarder.

Son expression était surprenante. Il souriait d'un air entendu, comme s'il venait d'apercevoir notre avenir commun et que celui-ci était stupéfiant. Il semblait décidé à rester enraciné sur place.

Je lui tapotai la main.

– On devrait…

– Oui, coupa-t-il.

Ses doigts se refermèrent sur les miens et il me mena vers l'autre bout du couloir.

– Euh... On part dans le mauvais sens, là, lui dis-je. J'ai cours de l'autre côté.

Il ne me lâcha pas. Ses doigts serraient fermement ma main comme si nous risquions d'être séparés à tout instant, et il me tira vers le coin du couloir, puis au fond d'une entrée secondaire, enfin vers un recoin obscur où se trouvait un distributeur d'eau.

Le temps d'arriver là, j'en étais venue à me demander ce que j'avais accepté. Ce que j'avais commis et qui menaçait l'amitié la plus précieuse.

Il se plaça face à moi et je m'adossai au mur.

– Attends, dis-je.

– Quoi ?

Ses mains tombèrent et il se raidit comme s'il était pris en flagrant délit. Un souffle tremblant m'échappa.

– C'est juste que... Pour moi, ton amitié est essentielle.

Il sourit et s'approcha d'un pas.

– Pour moi aussi.

Je lui plaquai la main sur la poitrine.

– Mais...

– Mais ? demanda-t-il, curieux.

– Mais...

Je ne trouvais pas les mots. Je ne voyais pas comment exprimer mon inquiétude. Et j'attendais ce moment depuis si longtemps que je n'étais plus sûre de le vouloir.

– Mais...

Ses lèvres s'écartèrent en un petit sourire.

– Becks, on ne va pas rester bloqués sur « mais ».

Je me mordis la lèvre et fis un nouvel essai.

– On pourrait revenir en arrière.

– C'est-à-dire ?

– En arrière de dix minutes. Avant que tu ne commences à parler.

Son sourire tomba et il recula un peu.

– Tu n'as pas envie.

C'était une affirmation et non une question.

Je penchai la tête en arrière pour la caler sur le mur. Comment lui expliquer que c'était au contraire ce que je voulais depuis toujours ? Depuis des mois, je n'avais pas réussi à penser à autre chose.

Je regardai son visage une fois de plus. Ses yeux scintillants s'étaient éteints. Ses épaules, qui auraient porté le monde deux minutes plus tôt, étaient molles. À quoi pensais-je ? Je réfléchissais trop. C'était tout le problème. C'était même mon problème principal.

Sans réfléchir une seconde de plus, j'attrapai son tee-shirt pour le tirer vers moi. Je lui fis un baiser. Léger. Rapide.

Je me recalai sur le mur, mais il me tira pour me ramener vers lui, et ses lèvres se posèrent sur les miennes. Il me serra plus fort, les mains plaquées sur mon dos. Il trouva encore que nous étions trop loin l'un de l'autre, jusqu'au moment où il me poussa jusqu'au mur.

Je le serrais tout autant. Mes doigts se perdirent dans ses cheveux avant de serrer son tee-shirt pour l'attirer. Son baiser devint plus profond. Ses lèvres m'entrouvrirent la bouche.

Je me moquais pas mal que quelques élèves nous aient vus en passant. Que la cloche se soit mise à sonner. Que désormais, plus rien ne soit comme avant, entre nous.

Tout ce qui m'inquiétait, c'était que, malgré mes efforts, je n'aurais pas pu serrer Jack plus fort.

MAINTENANT
L'Enfernité. Le Cercle de Vent.

Quand j'achevai mon récit, Cole était livide. Il ne me regardait pas. Au lieu de cela, il était penché vers ma longe, plus visible que jamais.

Nous l'observâmes tous ensemble, Max, Cole et moi. Et nous ne remarquâmes pas le Vagabond qui se trouvait derrière nous.

– Filons ! s'écria Max.

Nous partîmes en courant.

– Je croyais que tu montais la garde ? lui cria Cole.

– Je n'ai pas détourné la tête pendant plus de dix secondes !

Nous tournâmes à droite, puis à gauche et encore à droite. Soudain, une vague d'air chaud nous atteignit, assez intense pour me faire l'effet d'une gifle. Je ralentis un instant, malgré Cole qui me poussait en avant.

– Continue !

Un virage plus loin, les murs couleur de poussière cédèrent la place au paysage le plus étrange.

Nous avions atteint le Cercle de Feu.

26

MAINTENANT
L'Enfernité. Le Cercle de Feu.

L'ultime cercle avant le noyau central. L'ultime obstacle entre Jack et moi.

Et c'était un feu ardent, dont les flammes formaient un rempart aussi haut que le Grand Canyon.

Mon pied buta contre une touffe d'herbe et je basculai vers le sol. En une fraction de seconde, le Vagabond nous avait rattrapés. Mais il s'arrêta, fasciné par le mur de feu. Ses yeux montèrent le long des flammes qui frôlaient le ciel, dansaient et craquaient vers le milieu du chemin. On aurait dit qu'il nous avait oubliés.

Cole avait la main sur mon bras, prêt à me relever. Voyant la réaction du Vagabond, il s'arrêta pour le regarder.

Les yeux toujours fixés sur le brasier qui l'entourait, le Vagabond se tourna vers le mur le plus proche, fit deux pas en avant et bondit.

Un grésillement atroce me fit grimacer. Puis les flammes l'avalèrent totalement, et nous ne vîmes plus rien.

Il n'était plus là.

La bouche ouverte, haletante, je regardai Cole.

– Que s'est-il passé ? Pourquoi a-t-il fait ça ?

Cole observait les flammes, les yeux écarquillés, hors d'haleine.

– Le feu attire le désespoir.

Alors même qu'il prononçait ces mots, il regardait l'endroit où le Vagabond avait brûlé, incrédule.

Tout près de nous, Max intervint :

– Comme il sortait à peine du Cercle de Vent, le feu a dû le prendre par surprise. Sans qu'il puisse se défendre.

Cole approuva.

– Que ça nous serve de leçon. Nous devons nous tenir prêts à ressentir les effets du feu.

Je regardai Cole, puis Max, puis Cole à nouveau.

– Tu veux dire que… ce Vagabond était assez désespéré pour sauter volontairement dans un mur de flammes ?

Personne ne me répondit.

– Comment le feu peut-il avoir un tel effet ?

Cole se détourna enfin du mur.

– C'est le feu de l'Enfernité. Il est lié aux émotions. Les flammes ont un effet destructeur. Et même les objets résistants reprennent leur forme élémentaire. Ils deviennent fragiles, prêts à se briser. Sous cet angle, le feu est comparable au désespoir. Si on n'y prend garde, le désespoir consume la moindre de nos émotions, ne laissant que des coquilles vides et fragiles. Le feu de l'Enfernité attire la flamme du désespoir qui sommeille en toi.

– Ne restons pas là, conseilla Max.

Je regardai le chemin étroit en m'efforçant d'ignorer les crépitements de la peau en train de griller. Les flammes jaillissaient des murs par à-coups. Il était impossible de prédire à quel moment un éclair surgirait et se tendrait d'un bord à l'autre. Je ne voyais pas comment nous pourrions éviter d'être brûlés, même en veillant à marcher au milieu de la voie.

La petite étincelle d'énergie qui me restait s'évanouit. Nous allions finir grillés, c'était inévitable. Mes épaules s'abaissèrent. L'adrénaline qui m'avait poussée jusque-là disparut. J'étais vidée.

Cole se plaça près de moi comme s'il lisait dans mes pensées. Son visage était sombre.

– Restons au milieu, Nik. On y arrivera. Nous devons juste nous concentrer.

Je fermai les yeux.

– Comment allons-nous faire ?

– Exactement comme on a fait jusqu'ici. On va suivre ta longe.

Ma longe. Mon regard passa de la corde, près de mes pieds, au chemin ardent qui nous faisait face. J'allais servir de guide dans ce dédale, tout en sachant que Jack ne s'était pas montré pendant mes rêves, la nuit précédente. Cole m'aurait-il suivie si je l'avais mis au courant ? Ou aurait-il conclu que c'était une cause perdue ?

J'eus un instant de culpabilité. Jack n'était peut-être pas mort. Mais jamais Cole ne se serait engagé dans le Cercle de Feu pour un « peut-être ».

– Où allons-nous, Nik ? demanda-t-il.

Je regardai son visage. Il me faisait confiance. Il attendait que je lui dise la vérité.

– Par là, indiquai-je en montrant l'un des couloirs de feu. Cole hocha la tête.

– En avant.

Ce fut une lente avancée. Max resta devant, moi au milieu, et Cole ferma la marche. Nous allions à pas prudents. Au moindre écart, nos vêtements auraient roussi.

Au début, j'échappai sans mal aux étincelles qui voletaient vers nous et flottaient dans l'air. Mais cet effort supplémentaire finit par avoir un coût. Après un passage particulièrement étroit, je battis des paupières un peu trop longtemps et je fis un pas de côté.

J'entendis le crépitement avant de le sentir. C'était du côté droit. Cole me plaqua au sol, retira son blouson de cuir, déchira sa chemise et étouffa aussitôt les flammes, sur mon bras. Le tout ne prit qu'une seconde.

Une fois les flammèches éteintes, nous restâmes assis, haletants. Puis la douleur m'atteignit.

Je poussai un cri et tentai de tirer ma manche, mais Cole me saisit le poignet et me le plaqua sur le flanc.

– Tu t'arracherais la peau, dit-il.

Je tendis le cou pour voir les dégâts, malgré l'angle difficile. Le feu avait atteint le dessus de mon épaule et mon cou.

– C'est grave ? demandai-je, les dents serrées.

– Non.

Pourtant, la tension autour de ses yeux le contredisait.

– Tu sens la douleur, hein ?

J'opinai, incapable de produire un son normal.

– Tant mieux. Si c'était une brûlure profonde, tes neurones seraient détruits, donc ton cerveau ne saurait pas que tu as mal.

– Mon cerveau a traité l'info, tu peux me croire, murmurai-je.

– Bon.

Cole m'aida à me relever vers le milieu de la voie pour éviter les flammes qui semblaient maintenant me viser, comme attirées par la brûlure. Il remit son blouson et jeta sa chemise dans le feu.

– Pense à autre chose, m'ordonna Cole. Concentre-toi sur le chemin.

Je me tournai vers lui, et il leva un sourcil en me voyant.

– Qu'y a-t-il ? demandai-je.

Il se mordit la lèvre.

– Tout va bien. J'ai toujours pensé que tu devrais porter les cheveux court.

Ma main vola vers ma tempe. Quelques mèches cassantes et frisées tombèrent dès que je les frôlai. Cole me regardait, inquiet, se demandant comment j'allais réagir. À contrecœur, j'eus un petit rire qui se transforma en larmes. Je me détournai. Je ne pleurais pas pour mes cheveux, tout de même ?

Non. Ce n'était là que le point de rupture.

Je reniflai. Avant de m'effondrer. Ce qui était exactement le contraire de ce que je demandais à mes muscles. Mon cerveau leur ordonnait de marcher, mais je ne pouvais aller plus loin. Cole s'accroupit aussitôt, sa main sur mon épaule.

– Ça repoussera, Nik.

– Je m'en fiche, de mes cheveux.

Je me cachai les yeux pour écraser les larmes. Cole passa un bras autour de moi, évitant soigneusement la brûlure, et laissa ma tête retomber sur son épaule.

– Tu es exténuée, je le sais. Moi aussi. Ne te fatigue pas à te dire que tu dois atteindre l'extrémité du labyrinthe ou à franchir un nouveau cercle. Contente-toi de poser un pied devant l'autre.

– J'essaye, répondis-je d'une voix tremblante. C'est juste que mes jambes… Elles ne… Elles ne marchent plus.

J'en bégayais. Décidément, je ne tournais pas rond. Alors que nous tentions de sauver Jack, Cole devait m'encourager ?

C'était pourtant vrai : j'avais l'impression qu'un pitbull m'avait mordu le bras à pleines dents et refusait de me lâcher. Mes jambes étaient en ciment et Cole n'aurait eu qu'à me souffler dessus pour que je devienne chauve. Mais mon abattement était bien plus profond.

– Cole, c'est ça, le désespoir ?

Il soupira.

– N'y pense pas.

– Je ne peux pas faire autrement.

J'avais riposté d'un ton tranchant et agressif. Ma voix acide le fit grimacer, et je remarquai alors les effets du feu sur son visage. Ses yeux sombres. Ses joues soulignées d'une ombre noire. Sa mine défaite. Max était marqué lui aussi, comme s'il fronçait les sourcils en permanence.

Pourtant, ils ne faiblissaient ni l'un ni l'autre. Moi, j'avais sûrement mauvaise allure, privée de la moitié de mes cheveux, le bras encore fumant.

– Génial, vraiment, dis-je. Comment allons-nous reprendre le dessus au milieu d'un tel désastre ?

La lèvre de Cole trembla d'un millimètre.

– Voyons, Nik. Là, c'est le désespoir qui parle. N'y pense plus.

– Mais…

– Je t'ai déjà raconté comment je suis devenu Enfernaute ? coupa-t-il.

– Non. Tu as toujours refusé d'aborder ce sujet.

– Savais-tu que j'étais un Viking, dans le temps ?

Je décollai ma tête de son épaule et m'essuyai sous les yeux.

– Non plus.

– Tu vas adorer cette histoire.

Il sourit malgré ses traits tirés et me hissa pour me remettre debout, ce qui me sembla impossible jusqu'au moment où je tins sur mes pieds.

– Le scénario est bien ficelé : rebondissements, tension…

– Romance…, ajouta Max.

Cole roula les yeux. Et, la main posée sur mon épaule intacte, il me fit virer vers la bonne direction avant de me pousser doucement dans le dos pour que je reparte.

– Tout a commencé il y a des siècles, un jour où un petit blondinet se promenait gaiement dans les champs, en Norvège.

Je me tournai pour lui lancer un regard interrogateur, auquel il répondit d'un signe qui semblait signifier : *Regarde où tu mets les pieds.*

– Oui, Nik. Ce sale type qui, selon toi, n'a aucune morale, a été un petit garçon.

Il parlait d'un ton léger et obtint l'effet recherché : je posai un pied devant l'autre.

– Comment un Viking s'est-il retrouvé en Enfernité ? demandai-je d'une voix déjà plus forte.

Il resta silencieux un moment. Quand je lui jetai un œil, il roulait entre ses doigts un petit caillou plat, comme quand il jouait avec son médiator. Je devinai qu'il faisait des efforts pour aller de l'avant, comme moi. Max lui lança :

– Dis-lui tout, Cole.

Cole lui jeta la pierre, qui fit un petit bruit en lui frappant le crâne. Max lâcha un rire las et se frotta la tête en précisant :

– Il n'y a pas de quoi rougir.

– Pourquoi rougirais-tu ? demandai-je à Cole.

Max répondit :

– Il est venu ici parce qu'il courait après une fille, révéla-t-il d'une voix d'enfant de dix ans.

Je m'arrêtai.

– Hein ?

Cole continua de marcher sans ralentir d'un pouce. J'insistai :

– Tu étais amoureux ?

– Oui, répondit Max, et au même moment, Cole dit :

– Non.

Je souris.

– De mieux en mieux… Je suis tout ouïe.

C'était vrai. J'étais attentive. La douleur dans mon épaule semblait s'être calmée et mes jambes raides m'obéissaient mieux.

– Continue.

– Il était amoureux grave, résuma Max. Elle portait une minijupe viking…

– La ferme, Max ! trancha Cole, à la fois exaspéré et souriant. C'est moi qui raconte.

– Bon !

– Elle s'appelait Gynna, et elle ne portait pas de minijupe viking. Ça n'existe pas, les minijupes vikings. Chez les Vikings, il fait froid. Bref, j'étais apprenti chez un commerçant de mon village quand elle s'est pointée, un jour. Et c'est là que tout a commencé.

Il se tut une fois de plus, comme s'il avait terminé. Mais j'en voulais davantage.

– Ce n'est pas un bon scénario, ça. C'est à peine une rencontre. Allez, crache le morceau.

– Il n'y a rien à cracher.

Je fis volte-face et Cole me percuta presque. Je lui posai un doigt sur la poitrine.

– Pendant une fraction de seconde, j'ai oublié la cloque qui me torture l'épaule et les flammèches qui me lèchent les pieds.

Si tu ne veux pas finir tes jours dans le Cercle de Feu, tu as intérêt à tout me raconter.

Un sourire lui souleva le coin des lèvres.

– Puisque tu insistes…

Je me remis en marche tandis que Cole reprenait :

– Gynna est arrivée devant la vitrine. Elle semblait perdue. Elle tenait un sac bourré d'argent, de la monnaie du monde entier. Des pièces que je n'avais jamais vues. Maître Olnaf m'a ordonné de la guider vers l'arrière-boutique, où il rangeait ses ouvrages de référence, pour estimer la valeur de chacune. Nous y avons passé une éternité.

– C'est une figure de style ? questionnai-je.

– Si tu entends par là que nous avons en réalité passé des heures à établir l'origine des pièces anciennes, oui, c'est une figure de style. En tout cas, cette femme me trouvait intéressant. Pour la première fois, quelqu'un m'interrogeait sur ma vie, ma famille, mes rêves. Dès qu'elle venait près de moi, mes soucis s'envolaient. Maintenant, bien sûr, je sais pourquoi : elle aspirait mes émotions les plus pesantes. Mais, sur le moment, j'ai été assez naïf pour croire que c'était de l'amitié.

– De l'amour, tu veux dire, interrompit Max.

Je tournai la tête et j'aperçus Cole lui lancer un vilain regard.

– Oui. J'étais amoureux d'elle. Quand elle m'a demandé de la suivre en Enfernité, je n'ai pas hésité. Je n'avais pas de famille. Mes parents étaient morts et mes frères, dispersés aux quatre coins du pays.

– Elle t'a emmené pour se nourrir de toi ?

Jamais je n'aurais osé imaginer que Cole avait survécu à un Festin.

– Non. Elle m'a emmené pour m'emmener. Pour que je devienne un Enfernaute. Mais je n'ai pas tardé à comprendre pourquoi.

– C'est-à-dire ?

– Elle voulait sortir.

Je réfléchis un instant.

– Sortir ? De quoi ? De l'Enfernité ? Elle ne pouvait pas remonter à la Surface, tout simplement ?

– Sortir… de l'immortalité.

– Que veux-tu dire ?

Il soupira.

– Elle ne voulait plus de cette vie. Elle désirait se briser le cœur.

– Eh bien, qui l'en empêchait ? Elle avait sûrement un médiator, comme toi, ou quelque chose de ce genre ?

– Oui, mais briser son cœur de Surface n'aurait pas suffi. Les Enfernautes ont deux cœurs.

Je m'arrêtai soudain pour le regarder fixement.

– Deux cœurs ?

Était-ce pour cela que le Vagabond avait employé cette expression curieuse, *cœur de Surface* ?

– Tu veux dire que vous en avez plus d'un ?

– Oui, en général, deux est supérieur à un. Quand nous devenons des Enfernautes, notre cœur se divise ; un cœur de Surface, que nous emportons avec nous, et un cœur d'Enfernité, qui descend directement dans un caveau de la Haute Cour. Il s'agit des deux moitiés d'un seul et même élément.

– Donc… ce soir-là, chez toi… quand on a essayé de…

– De me tuer en brisant mon cœur ? Je m'en souviens. Non, même si vous aviez cassé mon médiator, ça ne m'aurait pas tué. Vous m'auriez seulement rendu incapable d'aller et venir entre l'Enfernité et la Surface.

– Et tu ne m'as rien dit ?

– Pourquoi je t'aurais expliqué ça ? (Pendant un moment, un sourire triste flotta sur son visage.) Tu essayais de me tuer, c'était évident. Et tu n'as pas hésité. D'ailleurs, j'espérais que tu le regretterais, un jour. Mais j'ai peut-être eu tort de croire en ton humanité.

Je le regardai dans les yeux. J'étais restée persuadée que j'avais eu une chance de le tuer, et que j'avais raté. Et j'apprenais que je n'avais même pas frôlé mon but.

Je me posai une question encore plus rude : est-ce que je recommencerais ? Si j'avais l'occasion de le tuer, passerais-je à l'acte ? S'il avait fallu choisir entre la vie de Jack et celle de Cole, non, je n'aurais pas hésité.

– Je suis navrée, lui dis-je.

Navrée, à la fois d'avoir tant désiré le tuer, et d'être prête à recommencer si cela sauvait Jack. Avec un peu de chance, cette situation ne se présenterait jamais.

Devant nous, Max interpella :

– Faut y aller, là !

Nous reprîmes notre marche. Comme Cole était silencieux, je lui dis :

– Parle-moi encore de Gynna. De ses cœurs.

– Notre cœur de Surface nous permet de passer d'un monde à l'autre. Notre cœur d'Enfernité maintient notre monde tel qu'il est. Si tu admets que les Tunnels sont la source d'énergie de l'Enfernité, alors tu peux imaginer que le caveau des cœurs en est la clé de voûte. Un Enfernaute qui désire sortir de l'immortalité doit se présenter à la Haute Cour avec un nouveau cœur, qui remplacera celui qu'il veut briser. C'est comme quand un ouvrier quitte l'usine : la productivité s'en trouve réduite. Or les Ombres détestent perdre en productivité.

D'un coup, je compris tout.

– Donc, elle s'est servi de ton cœur pour remplacer le sien. Afin de partir. Pour ne pas finir comme une Vagabonde.

– Oui. Tu vois, ce n'est pas vraiment une histoire d'amour. Au moins, il y a un épisode de trahison dans le scénario.

– Je suis désolée, lui dis-je sincèrement. Que lui est-il arrivé ?

– À qui ?

– À Gynna.

– Oh, elle a disparu avant que je comprenne de quoi il retournait. Elle a pris son cœur d'Enfernité et elle est partie.

– Où ? À la Surface ?

Il hocha la tête.

– A-t-elle brisé ses deux cœurs ?

Il me regarda enfin dans les yeux.

– Je n'en sais rien. Je ne l'ai jamais revue. Je suppose qu'elle a vieilli et qu'elle est morte. C'est peut-être elle, le dindon de la farce.

Il avait parlé sans la moindre touche d'humour, d'un ton caustique.

– Elle était folle, ajouta Max. Elle n'a pas su profiter des avantages d'une vie d'Enfernaute.

– Lesquels ? demandai-je.

– Tu es sérieuse ?

Max resta un moment bouche bée, d'un air théâtral. Il se mit à compter sur ses doigts.

– La vie éternelle. La jeunesse éternelle. Une fontaine, au centre de chaque Commune, où l'on oublie tous nos soucis.

Je me souvins de l'une de ces fontaines. Je l'avais vue le jour du sacrifice. Max reprit :

– Plein de temps libre pour cultiver nos talents de musiciens. Une carrière de rock star toute tracée.

– Comment ça ?

– Tout ce qu'il nous faut, c'est une salle et un public attentif...

Mon estomac se contracta tandis que je revoyais leurs soirées de concert.

– Dis plutôt : des spectateurs dont les émotions sont malléables.

– Exactement. Rien ne vaut le moment où un type influent, en costume-cravate, te regarde en pensant qu'il a découvert les nouveaux Beatles.

Max se détourna, l'air mélancolique. Cole marchait près de moi sans rien dire. Il avait la tête basse. Jamais il n'avait défini la vie d'un Enfernaute comme Max venait de le faire.

– C'est pour ça que vous passez tout votre temps en Surface ? Parce que la musique est interdite en Enfernité ?

– Ouais, avoua Max. C'est ce qui nous rend différents. Et ça vaut le coup. Nous avons été des « révélations » (il mima les guillemets) en Surface, pour plusieurs générations. Pas vrai, Cole ?

Cole fit un demi-sourire.

– Si. Pourtant, tu oublies le meilleur de l'immortalité.

– C'est-à-dire ? demandai-je.

– L'absence de cet élément du corps qui pousse à prendre des décisions débiles. Le cœur qui bat. Le socle des émotions.

Il avait dit cela avec autant de dédain que de fascination. Nous nous tûmes. Cole semblait n'avoir plus rien à raconter. Je me tournai vers Max.

– Si c'est ça, pourquoi es-tu venu ici ?

Il se tourna vers moi et se mit à marcher à l'envers. Il écarta les bras.

– Par amour !

Il dut replier les bras quand il frôla les flammes. Cole fut pris d'un rire convulsif.

– Qu'est-ce qu'il y a ?

Cole me regarda.

– C'est moi qui l'ai fait venir. Ça fait une éternité.

– Je voulais dire : l'amour de la musique, précisa Max.

– Ne va pas crier ça sur tous les toits, l'avertit Cole avec humour.

– Pourquoi les Ombres ne supportent-elles pas la musique ? lui demandai-je.

– Parce qu'elle échappe à leur contrôle, expliqua Cole. Elle est chargée d'émotions, donc instable. Or elles se méfient de l'énergie qu'elles ne maîtrisent pas.

– Du moins, c'est la théorie de Cole, coupa Max. En fait, personne n'en sait rien. On sait seulement ce qui se passe quand la règle « musique interdite » est brisée.

Max se retourna pour reprendre sa position d'éclaireur. La marche silencieuse reprit, notre conversation ayant suffisamment dissipé le désespoir pour que nous restions en mouvement.

Mon esprit était centré sur l'histoire de Cole et de Gynna. J'avais envie d'y revenir, mais je lui avais déjà dit que j'étais navrée, et je ne voyais pas quoi ajouter.

La vérité, c'était que je me trouvais dans un état étrange. J'étais désolée pour Cole, malgré tout le mal qu'il m'avait fait. Cela ne me plaisait pas. Longtemps, j'étais restée convaincue et satisfaite de le haïr. Or je venais d'apprendre comment il avait été trahi…

D'ailleurs, la trahison semblait systématique, parmi les Enfernautes. Je fouillai ma poche pour toucher la médaille de Nathanial. Cole était de bonne humeur. C'était le moment de lui parler d'Adonia.

– Cole ?

– Nikki ?

– Tu connais Ashe...

Je me tus le temps de formuler ma question. Je ne tenais pas à lui révéler que je savais qu'Ashe avait fait tuer son Transfuge. Mais je voulais savoir quel rôle Cole avait joué dans tout cela.

– Oui, son nom me dit quelque chose...

– Tu crois qu'il a réussi à échapper à la Sirène ?

– Je n'en sais rien, soupira-t-il. Je l'espère.

– Tu m'as dit que tu lui avais rendu service, dans le temps. Et qu'il te devait quelque chose.

– Oui.

Il n'allait pas de l'avant.

– Eh bien, qu'est-ce que tu as fait pour qu'il te soit redevable ?

Il demeura muet un moment. Je sentais le regard de Max posé sur nous.

– Je l'ai aidé à retrouver ce qu'il avait perdu.

Mon souffle me resta au fond de la gorge. *Ce qu'il avait perdu*. Ou plutôt *celle*. Adonia.

– Qu'avait-il perdu ?

Cole hésita.

– Ça n'a plus d'importance, Nik.

Pour moi, c'était important.

– Ce qu'il avait perdu, c'était une femme ?

Cole me prit par l'épaule et me repoussa.

– Qu'est-ce que tu as dit ?

Il m'examinait, inquiet. Je restai sur ma position.

— Elle s'appelait Adonia, hein ?

À ces mots, Cole ferma les yeux.

— Comment le sais-tu ?

— Je suis passée chez Mme Jenkins. Elle descend d'Adonia. Ses cendres sont dans une urne, sur sa cheminée.

Cole rouvrit les yeux pour m'examiner.

— Ça remonte à longtemps.

— Tu l'as poursuivie ? Et tu as dit à Ashe où la trouver ?

— Les circonstances étaient exceptionnelles.

— Parce que tu étais quelqu'un d'autre, en ce temps-là ? raillai-je sans cacher mon sarcasme. Et tu ne recommenceras jamais ?

— Je n'ai jamais recommencé, non !

Après un tel éclat, le silence fut assourdissant. Cole s'éloigna de moi à reculons pour riposter :

— Je te ferais remarquer que toi, tu n'es pas dans un pot posé sur une cheminée.

— Y étais-tu ?

— Où ça ?

— Étais-tu présent quand la reine a trouvé Adonia ?

Il ferma les yeux une fois de plus.

— Non. Mais je l'ai poursuivie, oui. J'ai indiqué à Ashe où la trouver. C'est lui qui a renseigné la reine.

— Tu savais qu'elle serait tuée.

— Oui, dit-il simplement en relevant les paupières. Écoute, Nik.

Il s'avança pour poser sa main sur mon épaule intacte.

— Je ne t'ai pas fait ça, à toi.

Tout en le regardant, je me retins de prononcer ce qui résonnait dans ma tête. *Pas encore.* Il ne m'avait pas encore livrée à la reine.

27

MAINTENANT
L'Enfernité. Le Cercle de Feu.

Le silence flotta quelques minutes, tandis que nous parcourions les couloirs de feu en évitant de-ci de-là les flammèches solitaires. Je marchai à pas réguliers, jusqu'à ce que nous atteignions une nouvelle voûte. Alors que mes compagnons passèrent sans hésiter, quelque chose m'incita à faire halte. Saisie d'un sentiment de malaise, je levai la tête. Nous étions déjà passés sous plusieurs arches mais celle-ci était différente. Au sommet, les flammes avaient une forme étrange. Elles étaient majoritairement circulaires, aves des tiges qui dépassaient.

En passant dessous, je compris enfin à quoi cela ressemblait : à des fruits. Du raisin, des pommes, des cerises, tout cela sous forme de flammes. Je me souvins soudain que je n'avais rien avalé depuis longtemps, mais je n'avais pas faim. Mme Jenkins, qui m'avait conseillé de ne pas manger, aurait eu tort de s'inquiéter. Jusqu'alors, cela ne m'était même pas venu à l'esprit. Pourtant, quand la voûte disparut derrière nous, je sentis que j'avais un creux dans l'estomac.

Je m'efforçai de songer à autre chose. Je me concentrai sur l'épisode d'Ashe et d'Adonia. Que devais-je en penser, sachant en quoi Cole avait concouru à sa mort ? Il ne m'avait pas fait la même chose. Mais il aurait pu. Cette possibilité flotterait-elle au-dessus de moi jusqu'à la fin de mes jours ?

Ses actes s'étaient soldés par un décès. Mais dans ce milieu, c'était normal. Et Adonia était destinée à finir dans les Tunnels. Étais-je en train de trouver des excuses à Cole, parce que mes sentiments envers lui avaient évolué ? Compte tenu de tout ce que nous avions affronté dans cet univers, j'avais du mal à voir en lui l'adversaire qu'il avait été si longtemps. Son aventure avec Adonia me rappelait simplement le rôle qu'il était censé occuper.

Malgré cela, je ne pouvais m'empêcher de repenser qu'en dépit de ses protestations, il aurait très bien joué les héros dans une autre histoire.

Il ne dit plus rien au sujet d'Adonia ni d'Ashe. D'ailleurs, plus personne ne parla jusqu'au moment où Max s'arrêta net.

– J'ai faim, annonça-t-il.

– Moi aussi, répondit Cole.

Je les regardai l'un après l'autre, troublée. J'avais moi aussi le ventre vide, comme je m'en étais rendu compte après être passée sous la voûte de faux fruits. Pourtant, la faim n'était pas assez forte pour que je m'immobilise.

– Vous voulez dire… vraiment faim ? Envie de manger ?

– Mangeeeer, gronda Cole d'une voix traînante.

– Je croyais que vous n'en aviez pas besoin ici.

Cole secoua la tête en m'adressant un sourire tranquillisant, comme si j'étais un bébé.

– Bien sûr que si. Et ça commence à être long.

Max se frotta l'estomac.

– Des frites, gémit-il.

Je regardai derrière nous. Nous étions sur place depuis trop longtemps, alors que dès le début, Cole et Max avaient insisté pour que nous ne traînions pas.

– Allons-y, les gars, ordonnai-je. On se dépêche, rappelez-vous.

Ils me regardèrent comme si je parlais chinois. Quand je tirai Cole par la main, il ne bougea pas.

La voûte de fruits avait-elle sur eux un effet plus puissant que sur moi ? Avais-je eu tort de passer dessous ? Il me semblait pourtant que j'avais suivi ma longe sans relâche. Mais, absorbée par l'histoire d'Ashe et Adonia, je n'avais peut-être pas tout vu.

– Restez ici, leur dis-je.

C'était superflu : ils semblaient bien décidés à ne plus faire un pas. Je courus vers la voûte pour regarder si j'avais pris le bon chemin ou s'il y en avait un autre, et c'est alors que je les vis.

Des Vagabonds. En masse. Ils marchaient à la queue leu leu pour échapper aux flammes.

– Flûte…, marmonnai-je.

Je repartis vers Cole et Max. Ils se disputaient, chacun accusant l'autre d'avoir oublié d'emporter un pique-nique.

– On décampe, les gars ! Des Vagabonds approchent.

Ils ne levèrent pas le nez. Ils n'avaient même pas remarqué que je m'étais absentée.

– Les garçons ! Remuez-vous !

Cole me regarda, ennuyé.

– Manger est notre objectif prioritaire, pas vrai, Nik ?

Exaspérée, je posai une main sur le dos de chacun et je les poussai. Ils firent deux pas, au maximum. Un étrange phénomène s'exerçait sur eux, et non sur moi.

– Zut, zut, zut…

Je me retournai en espérant trouver un moyen de les faire bouger. Il n'y avait rien au sol, que de la terre. J'avais dans mes poches un téléphone portable et la médaille de Nathanial. Je n'avais pas pensé à emporter une pomme pour les appâter.

– Zut !

Même si les Vagabonds n'allaient pas vite, ils finiraient par nous tomber dessus.

– Cole ! Max ! Allez !

Ils en étaient venus à m'ignorer complètement. En me penchant, je m'aperçus que j'avais négligé l'un de mes atouts.

Ma projection.

Cole m'avait dit plusieurs fois qu'elle était assez puissante pour devenir tangible. Si je me concentrais, elle prendrait peut-être une autre forme qui nous servirait d'outil. Je fermai les yeux en me concentrant pour trouver un sujet. Il ne fallait pas imaginer un objet trop compliqué. Je n'avais pas beaucoup de temps.

Rassemblant toute ma force, je choisis une image simple : celle d'un bâton. Une petite vague d'énergie s'échappa de mon corps et, quand j'ouvris les yeux, je vis un bâton, devant moi, près de ma longe. Je me penchai pour passer une main autour et la refermer. Il était réel !

Je le tendis vers les flammes qui formaient le mur, à ma droite, et j'attendis que la pointe rougisse. Lorsque je le retirai, la pointe rayonnait, carbonisée. Une minuscule flamme y dansait.

Au même instant, le premier Vagabond apparut au tournant.

Je me plaçai face à Max et Cole.

– Navrée, les garçons.

Je tapotai le dos de Max avec la pointe brûlante. Il poussa un cri et partit en courant. Quant à Cole, il eut beau le regarder avec un petit sourire moqueur, il démarra en trombe quand je lui fis la même chose.

Nous courûmes ainsi pendant de longues minutes, sans que j'aie besoin de les stimuler trop souvent. Ils fonçaient. Si vite que j'avais du mal à les suivre et que je les perdais de vue à chaque tournant.

– Attendez ! ordonnai-je.

Mais ils ne m'entendaient pas, à moins qu'ils ne m'aient ignorée. Je lâchai le bâton, qui disparut en un clin d'œil. Ma longe montrait une autre voie que celle empruntée par Max et Cole.

Je ne devais surtout pas les perdre. À pleine vitesse, je glissai dans les tournants et les angles serrés du chemin, apercevant le dos du blouson de cuir de Cole.

– Attendez-moi !

Enfin, je négociai un virage particulièrement rude et m'arrêtai net. Là, au centre d'une grande salle cernée par les murs de feu, une table en bois était garnie d'une grande coupe de fruits. Penchés sur le récipient, Cole et Max se bâfraient de pommes et de bananes.

– Non ! hurlai-je.

Il était trop tard. Ils avaient déjà avalé. Cole se redressa pour me regarder, un centième de seconde, apparemment conscient de ce qu'il venait de faire.

– Nik.

Ce fut tout ce qu'il parvint à articuler avant de s'effondrer. Max l'imita quelques instants plus tard.

J'entendis des bruits derrière moi. Les Vagabonds.

L'unique issue se trouvait à l'opposé de la salle. Seule, je ne pouvais pas leur faire face. Je bondis vers l'autre bout de la pièce, sautant par-dessus Cole, afin de me cacher dans la voie de sortie, derrière le mur de feu.

Je récitai une courte prière. *Passez sans vous arrêter. Prenez une autre direction.*

L'attente me sembla interminable. Je finis par me convaincre que le délai était suffisant. Que les Vagabonds avaient choisi un autre chemin, s'éloignant ainsi de la salle.

À cet instant parurent à l'entrée le pied, puis le visage, du Vagabond qui menait la marche. Il regarda Cole et Max, couchés au sol, comme si c'était de la viande fraîche.

Les uns après les autres, les Vagabonds s'amassèrent et je pus estimer combien ils étaient.

Vingt. Au moins.

Ils fourmillaient autour des corps sans vie des garçons.

Je m'accroupis derrière le mur.

Que dois-je faire ? Que dois-je faire ?

Il était hors de question que je les affronte seule. Max et Ashe avaient peiné à en maîtriser un, alors qu'ils étaient nettement plus forts que moi. Je regardai ma longe. La méthode du tison ardent marcherait-elle, avec eux ?

Non, une fois encore. Ils étaient trop nombreux.

Un combat ne mènerait à rien. Je devais les éloigner de Cole et de Max, puis les distancer.

Il fallait que je les distraie. Comment faire ?

Je me remémorai tout ce que je savais des Vagabonds. Ils avaient perdu leur cœur de Surface, mais je n'allais tout de même pas leur annoncer que j'en avais une vingtaine en magasin. Je devais trouver une idée qui n'exigerait pas trop de réflexion de leur part.

Alors me revint l'une des déclarations de Cole. Les Vagabonds se nourrissaient des Enfernautes, certes, mais pour eux, rien n'était meilleur que l'énergie fraîche d'un humain.

Ma longe manifestait mon énergie. La première fois que j'étais arrivée en Enfernité, ma force s'était même répandue autour de moi. Je n'avais qu'à recommencer.

J'entrai dans la salle, fermai les yeux… et me concentrai sur tout ce que nous aimions, Jack et moi.

Le moindre souvenir, le plus petit début de sourire, le plus léger battement de cils, chaque étreinte et chaque baiser. Je mélangeai le tout dans ma tête. Les mots qu'il m'avait adressés, son premier passage subreptice dans ma chambre, sa façon de me serrer contre lui en me disant qu'il m'aimait, dans le chalet de son oncle. Absolument tout.

Quand je rouvris les yeux, un nuage de souvenirs m'entourait : des portraits de Jack et moi, des scènes où il se tenait sous l'arbre, au cimetière, où il m'attendait devant son casier, au lycée, où il me repérait dans la foule des spectateurs, au stade de football.

Partout, son image tournoyait autour de moi. Le canyon de la Fournaise ne s'était pas formé, contrairement à ce qui s'était produit la première fois, probablement parce que je me contrôlais mieux, ou parce que j'avais moins d'énergie. Pourtant c'était suffisant. À travers le nuage, je vis que chaque Vagabond était tourné vers moi, et il ne fallut qu'un instant pour qu'ils avancent.

Je me retournai et partis en courant.

Je courus, courus et courus encore, malgré mes jambes douloureuses. Je carburais à l'adrénaline mais j'étais désorientée. Quand je me retournai pour regarder si j'avais de l'avance, je percutai une impasse de flammes.

La douleur me déchira la poitrine. Je reculai, et j'entendis le même crépitement que la première fois. J'avais réagi assez vite pour être brûlée moins profondément, mais je dus tout de même tamponner mon tee-shirt pour étouffer les flammèches qui y étaient tombées. Étais-je allée trop loin ? Cole et Max étaient-ils morts ? Pourrais-je les retrouver ? À chaque virage, je m'étais éloignée d'eux un peu plus. Au moins, les Vagabonds me poursuivaient au lieu de les dévorer.

Je repartis en sens inverse et m'engageai dans un autre couloir. Alors je vis quelque chose qui dominait le feu, à ma gauche : un mur noir s'élevait très haut dans le ciel. Il n'était pas fait de flammes, de vent ni d'eau, mais de pierre sombre.

Je tournai à gauche le plus souvent possible et, en quelques secondes, je sortis du labyrinthe pour me retrouver dans l'herbe, devant une gigantesque muraille noire. Je jetai un œil sur ma longe ; elle était tournée vers le mur. Je regardai à droite et à gauche, pour savoir dans quelle direction courir. Dans les deux sens, à moins de cinquante mètres, des silhouettes ténébreuses tourbillonnaient dans les airs.

Des Ombres.

Je baissai la tête. Un mur épais devant moi, des Ombres à droite et à gauche, et, derrière, un labyrinthe de feu grouillant de Vagabonds.

Je n'avais nulle part où aller.

Je m'effondrai dans l'herbe.

– Je suis désolée, Jack.

28

MAINTENANT
L'Enfernité. Le Cercle de Feu.

Il était hors de question que je coure vers les Ombres. Je me retournai pour faire face à ceux qui allaient sortir du labyrinthe.

Je n'attendis pas longtemps. La meute des Vagabonds surgit du Cercle de Feu. Il n'y avait pas d'échappatoire. Je fermai les yeux et aussitôt, ils me tombèrent dessus.

Sans savoir lequel se nourrissait de moi, je sentis mon corps se vider de son énergie, comme si un vide puissant aspirait ce qui me tenait en vie. Un creux comme celui que j'avais ressenti la première fois qu'un Vagabond m'avait attaquée se diffusa dans tout mon corps. Un nuage sombre apparut derrière mes paupières. Je n'allais pas tarder à perdre connaissance. Ils étaient trop nombreux.

Ils grognaient et ronronnaient de satisfaction, comme s'ils étaient autour d'un buffet. L'un d'eux, frénétique, se mit à me ronger l'épaule. Un autre, le bout des doigts. Quand ils m'auraient épuisée, comptaient-ils m'achever ?

Des cris de panique me frôlèrent l'oreille. Cole et Max... ou quelqu'un d'autre ?

Je ne pus le dire. Un instant plus tard, la douleur disparut. Les monstres m'avaient peut-être vidée de toutes mes sensations. Mes neurones n'atteignaient plus mon cerveau. Il ne me restait que ma conscience, et une dernière pensée.

Tout avait pris fin très vite. J'étais sortie du labyrinthe. J'avais atteint le noyau central. Près de Jack, donc. Tout près. Sur le point de retourner vers mon frère. Et mon père.

Mais, en une fraction de seconde, j'avais échoué.

Je restai étourdie dans l'obscurité pendant un long moment. Ou peut-être quelques secondes. Quand j'ouvris les yeux, m'attendant à me trouver dans une sorte de vie après la mort, j'aperçus la même muraille noire. Les mêmes flammes provenant du labyrinthe.

Les Vagabonds n'étaient plus penchés sur moi.

Mon nez fut frappé par une odeur puissante de chair décomposée et brûlée. Je toussai, incapable de retenir un haut-le-cœur.

Puis je vis une silhouette floue qui tenait un objet enflammé à l'extrémité. Comme une torche. Le personnage l'agitait vers le sol pour mettre le feu à des objets, puis le dirigeait vers le haut. Je plissai les yeux et battis des paupières à plusieurs reprises. Quand je les rouvris, l'image devint plus nette. Ce visage me disait quelque chose…

Ashe ! C'était donc lui ? Je n'y croyais pas. Il avait échappé à la Sirène. Il avait sûrement retrouvé Cole et Max et, d'une manière ou d'une autre, les avait ravivés. Il tenait une torche d'une main et, de l'autre, son épée rouge de sang. Un second garçon tenait une torche. Max. Il était en face de lui. Ils encerclaient des corps de Vagabonds sur lesquels ils posaient la pointe de leur torche, avant de l'agiter vers un objet sombre qui tournoyait, au loin.

À cet instant, je compris qu'on me tapotait les joues, et mes sensations se réveillèrent. Surtout la douleur dans ma poitrine.

– Nik ?

Je vis le visage de Cole, presque hors de ma vue. J'ouvris la bouche pour parler, sans trouver l'énergie d'articuler le moindre mot.

– Salut, dit-il. J'ai bien cru que je t'avais perdue. (Il jeta un regard vers Max et Ashe.) Les Ombres approchent. Je vais te renvoyer à la Surface.

À la Surface ?

Je secouai la tête aussi fort que je le pus. C'est-à-dire faiblement.

– Chut... Il n'y a pas d'autre solution. Max et Ashe les tiendront à distance un moment, avec le feu. Mais tu n'as plus d'énergie. Et la nuit arrive. Tu dois être là-haut pour revoir Jack.

J'essayai de dire quelques mots, mais ma bouche n'y parvint pas. Quand je tentai de saisir la main de Cole, mes bras me semblèrent lourds comme du plomb.

– Ça ira, Nik. Nous tâcherons de passer la nuit hors de portée des Ombres. Nous n'avons qu'à retourner dans le labyrinthe. Les Ombres détestent le feu. Elles ne nous suivront pas. Puis, au matin, nous te ferons revenir et nous nous regrouperons.

Jack ne s'était pas montré lors de mon dernier rêve. S'il n'apparaissait plus, peu importait que je dorme ou non. Sa réserve de temps était épuisée. Depuis un moment. Cole ne pouvait pas me renvoyer. Là où j'étais, dans le noyau central, je savais que le temps passait moins vite. Les grottes du Festin, où cent ans ne valaient que six mois à la Surface, n'étaient pas loin.

À présent que nous étions là, nous n'allions tout de même pas nous soumettre au temps de la Surface. Ni retourner dans le labyrinthe.

Sinon je perdrais Jack.

Je rassemblai mes dernières gouttes d'énergie pour écarter les lèvres et produire un son.

– Nourris-moi.

J'avais parlé tout bas, sans même m'entendre.

Mais Cole avait vu mes lèvres bouger.

– Quoi ?

À voir son expression troublée, je compris qu'il m'avait entendue.

– Nourris-moi, répétai-je.

Je repris mon souffle et je passai la pointe de la langue sur la voûte de mon palais pour articuler les mots suivants.

– Jack ne vient plus… dans mes rêves. Pas le temps.

Quand il comprit, Cole se décomposa.

– Pourquoi ne m'as-tu rien dit ?

Le noir envahissait mon champ de vision. Je me battais pour rester consciente.

– Pas laisser tomber.

Cole jeta un regard désespéré vers Ashe et Max, qui allumaient des feux autour de nous. Ils n'allaient pas brûler sans fin. Le regard de Cole revint vers moi.

– À moins de nous réfugier dans le labyrinthe, nous allons finir encerclés par les Ombres.

Je ne pus que hocher la tête. Il la souleva pour s'en approcher.

– On y restera peut-être. Si nous ne parvenons pas à nous cacher, ce sera notre dernier combat.

Je fis signe que je comprenais.

Ce que je demandais à Cole n'était pas anodin. Nous étions sur le point d'affronter les Ombres et je voulais qu'il me nourrisse, quitte à s'affaiblir. Je lui demandais de rester là et de se battre, au lieu de se mettre plus ou moins en sécurité dans le labyrinthe.

Il serra la bouche, son visage montrant sa détermination, puis il se pencha et posa ses lèvres sur les miennes. Un flot d'énergie semblable à celui que j'avais ressenti en l'embrassant, dans le repaire des Sirènes, me traversa, ou plus précisément le quitta pour m'envahir.

Il fit glisser ses lèvres, me tirant encore plus près, soulevant la moitié de mon corps avec ses bras.

Une image me traversa l'esprit. J'étais sur une scène, au-dessus de fans qui sautaient et dansaient, les bras levés. Seul l'un des visages était net. Le mien. Au fond de la salle, je me déhanchais au son de la musique, sans être aussi déchaînée que les danseurs qui m'entouraient. Cole me regardait, ne me quittant du regard que pour se pencher sur les cordes de sa guitare.

L'euphorie éclipsait tout le reste. Je ressentais les mêmes émotions que Cole ce soir-là, qui provenaient en partie de ma présence. Il avait eu un flash.

Quand Max se mit à crier, Cole recula, et je repris conscience de l'Enfernité.

– Cole ! Il faut retourner dans le labyrinthe…

Il perdit sa voix quand, en nous voyant, il comprit ce qui venait de se passer.

– Nous n'y retournerons pas, annonça Cole.

Son visage avait pâli, ses joues semblaient plus creuses. Savait-il quel souvenir il venait de partager avec moi ?

Je me sentais puissante. Je me libérai de ses bras pour me lever et je me penchai vers Cole pour l'aider à se remettre sur pied lui aussi.

– On va résister, ajoutai-je.

Ashe ouvrit grand les yeux avant de se reprendre et de fouiller sa poche.

– On réussira mieux avec ça.

Il en tira un carré de papier. Mon message. Mon fétiche qui disait *À toi pour toujours*. Incrédule, je demandai :

– Où l'as-tu trouvé ?

– Dans le labyrinthe. Le vent l'avait emporté par-dessus quelques couloirs.

– Incroyable ! (J'attrapai la feuille pour la serrer bien fort.) Enfin le destin nous sourit ! Nous n'échouerons pas.

Cole me fit un sourire fatigué. Quant à Ashe et Max, ils me regardèrent comme si j'étais devenue folle.

– Quoi que tu fasses, agis vite, me recommanda Ashe.

Sa torche ne brûlait presque plus et quelques Ombres lui coupaient le chemin du mur de feu. La torche de Max s'était déjà éteinte, et nous étions tous les trois serrés derrière celle d'Ashe, qui ressemblait plutôt à une bougie.

– Pouvons-nous les combattre ? demandai-je à Cole.

– Il est impossible d'avoir prise sur les Ombres, répondit-il. Elles sont composées d'une substance très spéciale.

Nous nous adossâmes au mur de pierre noire. Ma longe était tournée vers la droite, et les Ombres avaient formé un demi-cercle autour de nous. Toutes les voies étaient bloquées. Ashe secoua vivement sa torche, sans empêcher les Ombres d'approcher peu à peu. Quand le dernier brin de flamme disparut, il la jeta par terre en jurant et tira son épée de son fourreau, sur son dos.

– De quel côté voulez-vous aller ? demanda-t-il à Cole par-dessus son épaule.

– À droite.

Ashe considéra les Ombres, à notre droite... puis il passa à l'assaut. Il agita sauvagement son épée pour les trancher comme si elles n'étaient que des masses de fumée. Aucune n'en fut assez affaiblie pour nous laisser le passage.

Ashe jeta son arme sur le sol, et les deux Ombres les plus proches bondirent vers lui. Sans que je comprenne si c'était un réflexe ou une décision, Ashe serra le poing et les cogna là où se serait trouvé leur visage, si elles avaient eu une tête.

Et il toucha quelque chose.

Les deux Ombres reculèrent sous les coups. Elles tombèrent par terre l'une sur l'autre. Pendant une fraction de seconde, tout le monde resta inerte. Apparemment, le fait qu'Ashe puisse les battre ne surprenait pas que nous. Puis ses poings se remirent à voler.

– Allez-y ! nous cria-t-il en ouvrant un passage dans la masse des Ombres, du côté droit.

Sans chercher à comprendre, nous bondîmes le long du mur, sur la large bande d'herbe qui le séparait du Cercle de Feu. Ma longe devint plus sombre, comme pour nous encourager à aller de l'avant.

– Filez !

Devant nous, quelque chose scintillait à l'horizon. On aurait dit un étang.

Je me préparai à prendre à droite, pensant qu'il valait mieux passer entre l'étang et le mur de pierre ; pourtant, à cet instant, ma longe rétrécit et la pointe vira vers la gauche, c'est-à-dire le plan d'eau.

Le bon chemin était peut-être par là, entre l'étang et le Cercle de Feu. Toutefois, quand je partis dans ce sens, la longe revira en sens inverse.

– Elle s'est tournée vers l'eau ! indiquai-je à Cole, qui courait près de moi.

Il secoua la tête.

– Impossible. Les Tunnels ne sont pas dans un lac.

À mesure que nous approchions, mon espoir se dissipait. L'étang butait d'un côté contre le mur noir et, de l'autre, contre le Cercle de Feu.

Impossible de le contourner. J'étais consciente des effets de l'eau sur les gens, dans ces lieux. Il n'était pas question de traverser à la nage. Cole lui-même n'en était pas capable. L'eau nous aurait rendus fous au point de nous noyer.

Nous nous arrêtâmes à quelques pas du bord, qui clapotait. Max nous rejoignit un moment après. Nous regardâmes derrière nous. Ashe courait vers nous, suivi de plusieurs Ombres. Je ne pus les dénombrer car elles s'assemblaient et se séparaient, tout en nous poursuivant.

Il y avait pourtant une voie pour échapper au Cercle de Feu, tout près de nous. Pourquoi ma longe ne l'indiquait-elle pas ? Je m'en approchai en tirant Cole par la manche. Nous pourrions peut-être nous abriter quelques instants dans le labyrinthe, avant de ressortir de l'autre côté de l'étang. Nous fîmes deux pas vers le feu.

Cole la vit avant moi. Tandis que je le dévisageais pour estimer sa capacité à tenir dix secondes dans le labyrinthe, ses yeux s'écarquillèrent soudain et il s'arrêta net. Je me tournai vers ce qu'il regardait.

Sortant du labyrinthe, chaussée de bottes noires à talons et d'une robe blanche scintillante, se tenait une femme aux cheveux rouge feu et à la peau pâle, aux lèvres couleur rubis.

J'ordonnai à mes jambes de s'arrêter, mais elles continuèrent au ralenti. Je glissai par terre devant elle, à ses pieds. Elle me regarda si intensément que je reculai maladroitement, m'efforçant de laisser une bonne distance entre elle et moi.

C'était la reine.

Quand elle sourit, ses dents parurent plus blanches que les nuages d'été de Park City.

Cole me tira par le bras. Les Ombres qui nous poursuivaient s'étaient immobilisées. J'entendais mon sang battre dans mes oreilles.

Ashe et Max se penchèrent comme s'ils s'apprêtaient à passer à l'action, mais Max se reprit et baissa la tête devant la reine, en signe de révérence. Ashe le regarda avant de l'imiter. À bout de souffle, Cole haletait, anxieux. Nous restâmes immobiles un moment, l'étang à notre droite, le mur de pierre derrière nous, les Ombres à gauche et la reine de l'Enfernité devant.

Je ne pouvais pas détacher mon regard de son visage, tout en songeant au calme avec lequel elle avait anéanti cet homme, sur la place : il avait été transformé en un nuage rouge. D'un petit mouvement du menton, elle pourrait faire de moi un autre nuage rouge.

Cole me serra le bras. Je tremblais sans parvenir à me maîtriser.

– J'ai entendu dire que quelqu'un tentait d'entrer, dit-elle d'une voix amplifiée, comme si elle parlait dans un micro. Je suis venue m'en assurer.

Cole me fit reculer pour se placer devant moi. Ce fut une erreur : la reine le suivit d'un regard aussi perçant que celui d'un faucon.

– Qui cherches-tu à protéger ? Montre-la-moi.

Je m'inclinai pour apparaître. Elle me dévisagea.

– Tiens… L'être humain de la place d'Ouros. Dis-moi, être humain, qu'es-tu venue faire ici ?

Je ne répondis pas. J'en étais incapable. Ma voix était paralysée par la présence de la reine. Je ne savais pas quoi dire. Il était hors de question de lui parler de Jack, perdu dans les Tunnels. Qui sait ce qu'elle lui aurait fait ?

Je compris soudain qu'elle ignorait que j'avais survécu au Festin. Rien ne pouvait le révéler.

Sauf ma longe.

Je la regardai subrepticement. Elle était toujours tournée vers le milieu de l'étang. Cole était assez proche de moi pour l'absorber partiellement et la cacher à la reine.

– Réponds, femme. On répond toujours à mes questions.

Il ne fallait surtout pas qu'elle voie la longe. Je me remis derrière Cole pour réduire la distance entre nous. La longe disparut complètement. Je montrai mon visage en forçant ma bouche à produire des mots.

– Je voulais devenir une Enfernaute… Majesté. Pour être avec lui. (Je penchai la tête vers Cole.) Mais il m'a refusée. Alors je suis venue seule, en passant par le Shop'n Go. Hélas, il m'a rattrapée. Après m'avoir promis de tout faire pour que je l'aime, il m'a trahie. Je me suis enfuie dans le labyrinthe, où je cours depuis ce moment-là.

Le regard de la reine passa de mon visage à celui de Cole, puis vers Max et Ashe. Ses yeux restèrent posés sur Ashe un peu plus longtemps, mais elle ne tarda pas à se retourner.

– Si c'est ça, pourquoi te protège-t-il ?

Cole s'exprima.

– Majesté, elle ne mérite pas de mourir pour une sottise pareille. Je m'apprêtais à la vider de ses souvenirs avant de la jeter à la Surface.

Je le regardai un instant. Bien trouvé.

La reine fronça les sourcils avant de se détendre.

– Ombres, emportez-les. Ils nourriront les Enfernautes d'Ouros.

– Attendez ! protesta Cole. Vous devez nous croire !

– Qu'est-ce que cela change, que je vous croie ou non ? Votre destin reste le même !

– Mais je l'aime ! reprit Cole.

La reine s'immobilisa. Je retins mon souffle. Elle fit un pas vers lui. Puis un autre.

– L'amour ne compte pas, ici.

Elle leva le bras, comme pour inciter les Ombres à venir vers nous, et je remarquai un point sombre sur son poignet. Un tatouage. Un symbole, apparemment. Elle se tint ainsi assez longtemps pour que je l'examine.

C'étaient deux épées croisées. Entourées d'une volute circulaire.

Les épées tatouées. Le réquisitoire contre l'amour. J'eus un soupçon mais, avant que j'aie le temps d'agir, Ashe fonça sur la reine, brandissant son épée. Il l'abaissa, avec un geste de joueur de base-ball qui manipule sa batte, et l'enfonça profondément dans la poitrine de la reine. Il toucha quelque chose, mais ce n'était pas elle. La lame s'était enfoncée dans le tronc d'un arbre venu de nulle part, entre Ashe et la reine.

Il tenta de tirer son arme du bois, en vain.

Quand, d'un claquement de doigts, la reine fit disparaître l'arbre, l'épée tomba par terre.

Pourquoi l'avait-il attaquée ? Oui, il avait réussi à maîtriser les Ombres, mais avait-il vraiment cru qu'il l'abattrait, elle aussi ? Elle ramassa l'épée du bout des doigts, comme si elle était trop délicate pour saisir la poignée, et la jeta dans l'étang.

Curieusement, il n'y eut pas d'éclaboussures. L'eau semblait vitreuse. Trop calme. L'épée ne fit aucune vague. Personne d'autre ne le remarqua.

La reine s'avança d'un pas vers Ashe.

– Je te garde pour la fin, grand courageux.

Dès qu'elle se retourna, les Ombres s'approchèrent de nous.

– Attendez ! l'implorai-je.

Elle s'arrêta, un sourcil levé.

– Quoi ?

Je réfléchis le plus vite possible.

– En vérité, je suis porteuse d'un message. Pour vous, Majesté.

Elle leva le poing, geste auquel les Ombres réagirent en s'immobilisant.

– Un message ? De qui ?

Sa voix était si sceptique que je n'aurais pas de seconde chance. J'espérais avoir vu juste à propos de son tatouage. Je sentis la médaille cachée dans ma poche. Non, je ne me trompais pas.

– De celui qui était votre pilier.

– Et qui est-ce donc ?

J'inspirai longuement en priant pour remporter mon pari.

– Nathanial.

29

MAINTENANT
L'Enfernité. Le Cercle de Feu.

Il n'y eut plus un bruit. Même le crépitement des flammes du Cercle de Feu sembla plus faible. Frappé, Cole se tourna vers moi. Il ne comprenait pas ce que je faisais. Moi non plus, d'ailleurs.

Je repensai à ma conversation avec Mme Jenkins, à tout ce que je savais sur la reine et la cour.

– Quand vous avez rejoint la Haute Cour, vous étiez persuadée de pouvoir offrir une vie éternelle à tous vos ancêtres. C'est ce qui se dit, n'est-ce pas ? Y êtes-vous arrivée ?

Elle me regardait, les yeux écarquillés, et je crus qu'elle allait m'ignorer. Pourtant, lentement, elle secoua la tête. Mais, alors même qu'elle annonçait avoir échoué, elle ne paraissait pas convaincue. J'insistai :

– Vous n'avez pas perdu l'espoir d'y parvenir un jour, hein ? Vous n'étiez pas amoureuse de votre Enfernaute. Vous n'avez pas choisi cette vie. Tout ce que vous désiriez, vous l'avez perdu. Le seul homme que vous ayez aimé. Hélas, la magie de la Haute Cour ne permet pas de réveiller les morts.

Je découvrais la vérité à mesure que je la disais.

Le visage de la reine se décomposa et soudain, son image se mit à trembler, lui donnant tour à tour l'apparence d'une noble reine rousse et celle d'une petite femme plus mince, aux cheveux blonds et aux yeux bleus.

Je me risquai à avancer d'un pas.

– Je sais qui vous êtes, Adonia.

Ashe tressaillit, puis il trépigna comme s'il hésitait entre courir vers elle ou s'enfuir à toutes jambes.

– Adonia…, souffla-t-il. C'est impossible.

Elle se tourna vers lui, le regard méchant.

– Pourquoi ? Parce que la reine m'a tuée ? Après que tu m'as fait pourchasser comme une chienne ?

Son regard revint vers moi.

– Nathanial n'était pas mort. Il n'était pas tombé au front. Blessé et perdu, il a été retrouvé dans un hôpital de misère, deux jours après mon départ en compagnie d'Ashe. Deux jours ! (Elle serra les lèvres et considéra Ashe.) Il répétait mon nom. Il a tenu ainsi pendant six mois, tandis que j'étais au Festin avec toi. Il n'a jamais perdu espoir. Il savait que j'étais vivante. Pendant le siècle que j'ai passé à tes côtés, je ne voyais que son visage.

Elle se détourna, la bouche ouverte, tremblant de la tête aux pieds comme si la douleur était plus forte qu'elle. Je savais ce que c'était.

– Alors vous êtes retournée à la Surface pour le revoir, repris-je.

Elle hocha la tête, les yeux toujours perdus.

– Nous nous sommes retrouvés pour partager une journée, puis il a succombé à ses blessures. (Elle regarda le sol et battit des cils.) Il est mort dans mes bras. Comme s'il avait attendu de me revoir pour me faire ses adieux.

Il n'y eut plus un bruit. Tout semblait silencieux, par respect pour la douleur de la reine. Lorsqu'elle releva la tête, les yeux brûlants, elle regarda Ashe.

– J'étais en deuil de mon amour. Je m'efforçais de me racheter auprès de ma famille. J'aurais même affronté les Tunnels, seulement cela ne te suffisait pas. Tu voulais me voir réduite en miettes !

– Mais…

Ashe regarda Cole, désespéré. Cole était aussi désemparé que lui.

– Si tu es là, dit-il, c'est bien parce que tu as tué la reine. Tu as pris sa place. Sans jamais me le dire.

Elle parut prise de court.

– Tu m'avais trahie. Alors je t'ai trahi. Je ne voulais surtout pas que tu en retires quelque chose.

Tandis qu'ils s'expliquaient, je regardai l'eau derrière moi et, tout doucement, je m'éloignai de quelques pas. Ma longe réapparut, toujours tournée vers l'étang. J'étais maintenant persuadée qu'il ne s'agissait pas d'un étang normal.

– Je t'aimais, dit Ashe. Tout ce que j'ai fait, c'était parce que tu m'avais brisé le cœur.

– C'est toi qui m'as brisée, siffla Adonia.

J'avais déjà entendu ce genre de conversation. Cole et moi avions discuté ainsi plusieurs fois. Pourtant, nous étions là, alliés et non ennemis. Plus près que jamais de notre but : sauver Jack.

Je lui pris la main, et il serra la mienne. Je reculai à peine, vers l'étang. Il m'interrogea du regard.

– T'inquiète, articulai-je.

Nous en étions donc là ? À nous faire confiance implicitement ? Si j'avais sauté dans l'inconnu, m'aurait-il suivie ?

La reine s'était approchée d'Ashe, qu'elle suivait pas à pas tandis qu'il s'éloignait de l'étang. Malgré tout ce qu'ils avaient affronté, ils ne pouvaient toujours pas résister à leur attirance, en tant que Transfuge et Enfernaute.

Ashe parlait d'une voix apaisante.

– Donia. Rejoins-moi. Tu ne peux pas ressusciter Nathanial. Je suis là, moi, et pas lui. Restons ensemble.

Je restai sur place. Ashe avait gaffé. Quand elle l'entendit prononcer le nom de Nathanial, Adonia se tourna d'un coup vers moi.

– Au fait, elle m'a dit qu'elle avait un message. Pour moi. De la part de Nathanial.

Les doigts de Cole me serrèrent plus fort. Je me maudis d'avoir fait une telle révélation. Je repris mon souffle.

– Je suis ici au nom de l'amour. Vous comprenez, n'est-ce pas ?

Je n'aurais rien pu dire de plus sincère. Son regard s'enflamma.

– Si je suis privée d'amour, alors toi aussi. À présent, livre-moi le message avant que je fasse apparaître un autre arbre, à la place de ton ami, cette fois.

Adonia se défit de son image de rousse et redevint elle-même. Son visage était hystérique. Je le savais, elle n'accepterait rien, sinon l'espoir de rejoindre Nathanial. C'était un vœu que je ne pouvais exaucer. Ses yeux bleus me transperçaient, et pourtant elle était aussi angélique que sur son camée.

Le camée. Le camée ! Je connaissais le visage de Nathanial, puisque j'avais vu son portrait sur le camée. Je devais gagner du temps.

– Tu n'as aucun message, m'accusa-t-elle.

Je tirai la médaille de ma poche.

– J'ai ceci.

Surprise, elle l'observa quelques secondes avant de me l'arracher pour l'examiner. J'en profitai pour fermer les yeux et oublier tout ce qui m'entourait. La reine, Ashe, Max, Cole, les Ombres. Je ne permis qu'à une image de se former dans mon cerveau : celle du camée de Nathanial. Mentalement, je transformai ce portrait en un être de chair et de sang. J'inspirai profondément pour lui insuffler la vie. Je le parai d'un uniforme, je le mis debout et je lui fis ouvrir les yeux.

Je le plaçai le plus loin possible.

– Regardez ! s'exclama Max.

Il tendait le doigt vers quelque chose, derrière la reine. Tout le monde se retourna. Là, à quelques dizaines de mètres, se tenait un soldat en uniforme vert militaire.

La reine avança de deux pas, hésitante, puis elle partit en courant. Les Ombres la suivirent de près. Ashe lui-même s'en alla avec elle.

Je me tournai vers Cole ; il observait le soldat, stupéfait.

– Nous n'avons pas de temps à perdre. Il faut sauter, dis-je.

– Où ça ?

– Dans l'étang. As-tu remarqué que l'épée n'a provoqué aucune éclaboussure ? Ce n'est pas un étang, à mon avis.

Cole réfléchit un court instant puis se tourna vers Max :

– Rentre chez toi, mon pote.

– Je ne te laisserai pas tomber.

– Quand ils se retourneront, fais en sorte qu'ils te voient entrer dans le labyrinthe comme si tu nous suivais. Ils croiront que nous y sommes tous. Ensuite, tu remonteras te cacher en Surface. Je te retrouverai.

Max n'était pas convaincu. La reine ne tarderait pas à se trouver assez près du soldat pour constater que son visage était mal défini. Nous n'avions que quelques secondes.

– Vas-y ! ordonna Cole. Jamais elle ne pensera que nous avons choisi d'aller dans l'étang.

– D'accord...

Cole et moi nous tournâmes vers l'eau.

– Prêt ? lui demandai-je.

– J'ignore complètement dans quoi nous allons plonger.

– Je sais. Mais je n'ai plus rien à perdre.

– Moi, si !

Il avait protesté d'une voix bourrue et plus que jamais chargée d'émotions. Je le regardai dans les yeux. Pour lui, il existait quelque chose d'aussi précieux que la vie. Je le savais. Je l'avais vu dans ses souvenirs.

– Il faut que tu saches..., avoua-t-il. Si je te perdais... Tu ne vois donc pas que, pour moi, ce serait la fin de tout ?

Je savais ce qu'il voulait dire. Parce que j'éprouvais la même chose envers Jack. J'étais en train de demander à Cole de risquer sa vie, une fois encore, pour sauver celui que j'aimais. Alors que ce n'était pas lui.

Je desserrai ses doigts autour de mon bras, et pris sa main.

– J'y vais. Mais je comprends que tu préfères rester ici.

Il porta ma main à ses lèvres.

– Jamais. Allons-y. S'il arrive quelque chose, nous serons frappés tous les deux.

Nous prîmes de l'élan avant de sauter.

J'avais vu juste. Il n'y eut aucune éclaboussure. Nous traversâmes la surface, en chute libre.

30

La chute fut longue. La chute ou le flottement. J'avais un doute. En revanche, je n'avais aucun doute sur un point : sous la couche de surface, il n'y avait plus de lumière. Ni de son, sauf les battements de mon cœur. Ni de sensations, sauf la main rugueuse de Cole qui serrait la mienne. Au bout d'un moment, il n'y eut plus ni haut ni bas.

Nous tombions depuis plusieurs minutes. Plusieurs heures. Peut-être n'arrêterions-nous jamais.

– Cole…

J'avais à peine articulé quand le mur me tamponna le dos. Je n'avais pas d'air pour crier. Mes poumons se cognèrent contre mes côtes. C'était comme si ma tête avait percuté un bloc de ciment. J'eus l'impression que mon cerveau, transformé en purée, me sortait par les oreilles.

Il faisait toujours noir. Je n'avais donc rien vu. Il faisait froid et, quand j'ouvris la bouche, elle se remplit d'eau.

– Nik !

La voix de Cole s'éleva derrière moi. Je me demandai quand il m'avait lâchée, et pourtant je compris qu'il me tirait vers le haut. Je ne sentais plus ma main.

– C'est de l'eau ! Nous sommes au fond de l'eau, Nik !

Je n'étais peut-être pas morte. Pourtant, je ne pouvais pas respirer. Quelque chose m'écrasait les poumons. Je tentai de tousser, sans y parvenir. J'agitai les bras. Je voulus m'agripper à quelque chose : le sol, un mur, le visage de Cole, n'importe, pourvu que cela me permette de reprendre de l'air. J'entendais des clapotis autour de nous.

– C'est bon, Nik. Calme-toi.

Il ne comprenait pas. Je ne pouvais plus respirer !

– Pose tes pieds. Tends les jambes. Ce n'est pas très profond.

Pourquoi refusait-il de voir que la profondeur de l'eau était le cadet de mes soucis ? Il me fallait de l'air. De l'air. *De l'air !*

Mon pied frotta une surface glissante. Le sol. De gros cailloux. Je m'y appuyai pour retrouver mon équilibre. Soudain, l'étau invisible qui m'écrasait les poumons se relâcha. Je toussai. Crachai. Aussi fort qu'un cheval malade.

– Ça va ?

Cole n'avait pas crié une seule fois. À vrai dire, il chuchotait.

– Je ne pouvais plus respirer.

– Chut. Tout va bien.

– Facile à dire…

Il rit tout bas en me regardant avaler des litres et des litres d'air. Je battis des cils pour faire couler les larmes. Il faisait encore trop noir pour que je voie quelque chose. Pourtant, mes yeux avaient eu le temps de s'adapter.

– Où sommes-nous ?

– Bonne question.

– Comment as-tu fait pour… (je toussai) … remonter si vite ?

– J'ai plongé.

– Hein ?

– Je ne sais pas comment j'ai deviné. Il me semble que j'ai entendu des clapotis, quelque chose comme ça, juste avant d'atteindre la surface. Alors je me suis retourné pour plonger. Mais toi, tu es tombée sur le dos, comme une crêpe.

– Tu aurais pu me prévenir.

– C'est vrai, j'ai eu tout le temps qu'il fallait, railla-t-il.

Tout en parlant, il me tirait vers l'avant, et je m'aperçus que l'eau, ou ce qui en faisait office, était de moins en moins profonde.

– Quand on sera à terre, on regardera si tout va bien. Si tu as mal quelque part.

Je répondis d'un mouvement de tête, alors qu'il ne me voyait pas. Je ne pouvais pas détacher mon esprit de la noirceur qui régnait. Mes yeux auraient dû s'y faire, à ceci près qu'il n'y avait rien à voir. Absolument aucune lumière. L'air était lourd et confiné. J'en vins à me demander si la lumière aurait pu survivre dans un tel lieu.

L'eau n'arrivait pas plus haut que mes pieds.

– Nous en sommes sortis, dit Cole.

Je frissonnai. Nous nous tenions encore la main. Si nous nous lâchions, je n'étais pas sûre de le retrouver. Mon autre bras était tendu devant moi. J'imaginai que Cole faisait la même chose. Nous fîmes quelques pas sur le sol, qui glissa sous mes chaussures comme du sable mouillé sur une plage. Mais pas du sable fin.

– Arrête-toi là ! m'ordonna Cole.

– Qu'y a-t-il ?

– Je sens un mur.

– Tes bras sont plus longs que les miens.

Je me penchai pour sentir le mur en question, raide et rugueux.

– Bon, Nik. Une fois de plus, c'est toi qui décides. Où allons-nous ?

Je n'eus pas besoin de fermer les yeux ni de me concentrer. L'attraction que Jack exerçait sur moi – du moins, j'espérais qu'il s'agissait de Jack – faisait battre ma poitrine. C'était une douleur sourde qui ne s'effaçait pas. Et là, elle s'était affirmée. Même si j'étais affaiblie, j'étais toujours connectée.

– Par ici, indiquai-je en tirant Cole vers la droite.

Nous longeâmes le mur, une main plaquée dessus, et le bruit de l'eau devint de plus en plus distant. Sans savoir où nous allions, nous nous éloignions du plan d'eau.

– Comment vont tes poumons ? me demanda Cole.

À coup sûr, je n'étais plus qu'une collection de bosses et de bleus. Mais, au moment de lui répondre, je notai que sa voix avait changé. Comme si, au lieu de rebondir dans un espace confiné, elle résonnait. Cela me rendit nerveuse. Dans un grand espace sombre, il y avait plein de cachettes. Plein de façons de me convaincre que nous n'étions pas seuls.

– Tu entends l'écho ? demandai-je.

– Oui. Nous sommes dans une grotte plus vaste.

– Éloigne-toi du mur.

– Pourquoi ?

– Parce que !

Sans pouvoir l'expliquer, j'étais convaincue qu'il ne fallait pas toucher le mur. La traction qui s'exerçait sur ma poitrine m'en écartait et m'attirait vers le centre de ce site mystérieux. Pourtant, même sans elle, j'aurais su que nous ne devions pas toucher le mur.

– Nik, ce serait plus facile de marcher en se guidant...

– Fais-moi confiance, Cole. D'accord ?

Il ne répondit pas mais j'imaginai qu'il faisait oui de la tête. Une fois détachés du mur, nos pas devinrent plus hasardeux. Je posais prudemment un pied devant l'autre, en augmentant lentement la pression. Le sol irrégulier était couvert de cailloux pointus. Sous nos voix, on entendait un son permanent, à l'arrière-plan. Une sorte de chuintement, comme si, au loin, des gens feuilletaient des journaux. Cela me perturbait.

– Il nous faudrait de la lumière, dis-je.

– Tu n'as qu'à projeter de l'éclairage, de la même façon que tu as fait apparaître ce gars, là, Nathanial.

Je fermai les yeux pour imaginer une bougie.

– Nik, je plaisantais. Ne me dis pas que tu essayes.

– Chut.

– Faire venir Nathanial t'a probablement vidée de tes pouvoirs. En plus, comme nous sommes dans les Tunnels, tu serais vite à bout de forces.

En effet, j'en sentais déjà l'effet. Pourtant, je me concentrai le mieux possible sur une minuscule flamme. Et, au moment où je pensais que je n'y parviendrais pas, une pointe de lumière apparut. Elle brûlait vivement dans le noir.

Nous regardâmes autour de nous… et restâmes figés sur place.

Au premier regard, il nous sembla que les murs bougeaient. Mais il ne s'agissait pas des murs eux-mêmes. C'était ce qui se trouvait derrière. À travers l'argile et la poussière, on voyait des centaines, des milliers de mains. Toutes agglutinées. Les doigts entrecroisés. Étirés. Comme pour saisir… le vide.

Ma flammèche, debout dans l'air, illuminait le visage de Cole.

– Bon sang…

Il se retourna. D'autres mains. Par centaines, par milliers là aussi.

Instinctivement, nous reculâmes vers le milieu du tunnel pour tourner en rond, dos à dos. À perte de vue, jusqu'au fond, il y avait des mains. J'en examinai une. Elle s'ouvrait et se refermait pour attraper je ne sais quoi. Celle d'en dessous était plus maigre, d'une pâleur grisâtre. Les os de l'index affleuraient, au ras de la peau. Cette main-là, apparemment malade, était molle.

De nombreuses mains étaient molles.

D'autres étaient fraîches et roses, en particulier celles qui donnaient l'impression que les murs bougeaient. Elles se tendaient pour saisir ; leurs doigts s'entremêlaient avec d'autres ; certaines serraient les mains molles comme si leur but unique était de tenir quelque chose.

Cole releva la tête et je le sentis frissonner près de moi.

Oh non. Je suivis son regard jusqu'au plafond. Il était plein de mains. Tendues vers le bas, vers nous. Elles semblaient encore plus vivantes, comme si la pesanteur les alimentait en énergie. Je m'accroupis. Les plus proches étaient hors de portée, mais je ne pus me retenir.

Cole me serra le bras.

– Tout va bien, Nik. Ce ne sont que des mains.

On aurait dit qu'il tentait de s'en convaincre lui aussi.

– Ben voyons… Par milliers. Qui traversent des murs. Qui bougent. Mais oui, tout est normal. Pour les Tunnels de l'enfer.

J'eus un rire nerveux. Je venais de craquer. Mon cerveau était officiellement en panne. Ma petite flamme rétrécit et se transforma en poussière. Les Tunnels avaient déjà avalé mon énergie.

– Rien n'a changé, Nik. Tu as toujours ta longe, pas vrai ? Est-ce que tu en perçois encore la force ?

Je fermai les yeux, le temps de me concentrer sur ce qui me tirait la poitrine. Je confirmai d'un signe.

– Bon. Tu vas nous mener jusqu'à Jack. Je reste derrière toi.

Je ne savais pas ce qui était le pire : voir ces mains tout autour de nous, ou marcher en sachant qu'elles étaient là. Et je ne pouvais plus ignorer que le bruit était un frottement de peau multiplié par mille.

Concentre-toi sur la longe. Sur la connexion. Trouve Jack.

J'aurais bien voulu que la connexion nous fasse faire demi-tour, mais elle nous menait vers une obscurité encore plus profonde.

Nous reprîmes la marche. Lentement. Nos pieds se frôlaient. Le son incessant de la peau sur la peau, de ces milliers de mains qui se frottaient, me donnait la chair de poule. Cole avait dû s'en rendre compte car il parlait sans cesse.

– Quand tu verras Jack, qu'est-ce que tu lui diras en premier ?

– Je n'en sais rien. Pour l'instant, je ne pense qu'à le retrouver. Je n'ai pas réfléchi à la suite.

– Et s'il a changé ?

– Je m'en fiche, affirmai-je. Qu'est-ce que tu veux dire par là ?

– Eh bien, disons… s'il a vieilli ? Il est ici depuis des années. Il a peut-être quatre-vingt-dix ans.

Sa voix trahissait un certain plaisir à cette idée.

– Peu importe.

– Ah bon ? Remonter tout le réseau des Tunnels avec Jack pour, au final, l'emmener en maison de retraite, ça ne te gênerait pas ? Tu lui ferais manger sa purée à la petite cuillère, mais au moins, tu serais avec lui, c'est ça ?

Je grimaçai.

– Crois-moi si tu veux, ça m'est égal. Au moins, il serait là.

– C'est spécial…, ironisa Cole.

Ses mots se perdirent dans mon esprit. Tout pesait lourd. Je tombai en trébuchant et il me fallut un long moment pour me relever.

– Ça va, Nik ?

– Je suis fatiguée, répondis-je d'une voix qui le démontrait.

– C'est à cause des Tunnels. Tâche de te concentrer sur autre chose.

Sa voix trahissait son inquiétude, malgré ses efforts pour le cacher.

– Quoi, par exemple ?

– Je t'ai déjà raconté ce qu'on ressent à bord d'un navire de Vikings ?

Je grimaçai.

– Non.

– Tu l'ignores peut-être, mais les marins vikings s'orientaient grâce aux oiseaux, plus précisément aux corbeaux. Quand ils les relâchaient, ils partaient toujours vers le point de départ du navire. Mais ils finissaient par prendre une autre direction, et les Vikings viraient pour les suivre.

– Ah. Passionnant, bredouillai-je.

Je tentais de ne pas ralentir, alors même que mon instinct me commandait de m'arrêter, m'asseoir sur place et me rouler sur moi-même.

– C'est dingue, non ?

Je savais que Cole voulait me changer les idées, et je lui en étais reconnaissante. Étonnée, je constatai que je l'aimais bien en cet instant, et je compris que, à chaque étape de ce voyage apparemment sans espoir, Cole m'avait étonnée. Je me demandai quelle influence tout cela aurait sur lui, et s'il continuerait à se nourrir d'êtres humains après avoir été si chevaleresque envers moi.

– Cole, que t'arrivera-t-il quand nous sortirons d'ici ?

– Que veux-tu dire ?

– Eh bien…

En effet, qu'est-ce que je voulais dire ?

– Les choses vont-elles changer ? Pour toi ? Jack sera revenu. Moi, je serai chez moi, avec ma famille. La vie reprendra son cours, à peu près.

– Tu te fais du souci pour moi, Nik ?

Je souris dans le noir.

– Bien sûr. La reine pourrait te rechercher, n'est-ce pas ?

– C'est possible, admit-il. Mais en quelques siècles, j'ai appris à me cacher et à changer d'identité. Et puis, elle n'est pas aussi puissante, à la Surface.

– Mais qu'est-ce que tu feras ?

Cole resta silencieux un moment. J'aurais voulu voir son expression, mais la seule énergie qui me restait alimentait ma longe. Je n'avais rien de plus. Pas de quoi créer de la lumière.

Il reprit la parole, d'un ton triste.

– Ne t'en fais pas pour moi. J'ai des projets.

– Quels projets ? Que veux-tu faire de ta vie ?

– Ce que j'ai toujours voulu. Trouver celle qui compte… (je perçus une pointe de sarcasme dans sa voix)… et conquérir le monde.

Sans me laisser le temps de lui demander comment il comptait y parvenir, il changea de sujet :

– Sais-tu que les Vikings n'ont jamais porté de casque à cornes ?

De toute évidence, notre conversation le mettait mal à l'aise. Je décidai de ne pas insister, d'autant que discuter me demandait trop d'énergie.

– Non, répondis-je.

– Je t'assure. C'est un mythe, rien de plus.

– Eh bien, tu sais ce que je pense des mythes…

Ma voix s'arrêta net.

– Nik ?

– Chut !

Ma poitrine était comprimée. Plus que jamais. À me priver de ma respiration. De ma connexion avec Jack. Il était là. Tout près.

– Je sens sa présence, Cole.

Il y eut alors un petit miracle. En tournant le coin, nous vîmes quelque chose. Dans le plafond du tunnel, une fente débouchait sur la surface, et un fin rayon de lumière courait sur les murs.

– Il est là.

Cole se plaça près de moi.

– Quelle main est la sienne ?

– Je ne sais pas.

Je me mis à attraper ces mains qui me faisaient si peur quelques minutes plus tôt. J'en retournai une et je la lâchai dès que je sus que ce n'était pas la bonne. Les unes après les autres, je tirai vers moi les plus grandes, puisque Jack avait de grandes mains. Sur l'une d'elles, il n'y avait pas de cals. Sur une autre, les articulations ne ressemblaient à rien.

Je longeai le mur. Cole grogna.

– Tu vas y passer des heures, si tu fais comme ça. Sers-toi de ta longe !

Les paupières serrées, j'ordonnai à celle-ci de me guider. Je repris mon souffle et attrapai la main qui se trouvait devant moi.

Elle se serra autour de la mienne.

Je rouvris les yeux. Les jointures étaient larges et… la main serrait fort. J'écartai les doigts pour la mettre à plat et poser la mienne par-dessus, paume contre paume.

Les doigts, en se rabattant, couvrirent l'extrémité des miens.

Les doigts de Jack.

Je les aurais reconnus entre mille.

– Jack…

Je les embrassai et glissai sur la paume le papier qui disait *À toi pour toujours* avant de replier les doigts par-dessus. Je leur fis un nouveau baiser et, le bout de son pouce au ras de mes lèvres, je repris :

– Je suis là. Je vais te ramener chez toi. Ensuite, je ne te laisserai plus jamais partir.

Je plaquai sa main sur ma joue pendant un moment.

– Euh… Nik ?

La voix de Cole était différente. Plus grave. Rocailleuse. Brisée. Il avait articulé à peine deux mots, mais il ne m'en fallut pas plus pour que je comprenne qu'il n'était plus sûr de rien. Il était content pour moi, et pourtant son cœur se brisait.

Je n'en serais pas arrivée là sans lui. Je n'aurais pas tenu la main de Jack. Je me retournai.

– Cole. Sache que je n'oublierai jamais ce que tu as fait pour moi. Jamais. Tu m'entends ?

Il hocha la tête, mais je vis qu'il tombait en miettes, comme si le fait d'avoir rejoint Jack mettait fin à tous ses désirs. Car c'était la vérité. Je pris son visage entre mes mains pour tirer ses lèvres vers les miennes, le temps d'un baiser léger.

Tout alla très vite. La décharge d'énergie fut aussi rapide qu'un hoquet. Le souvenir ainsi transmis n'était qu'une image fixe. Jack et moi, sur le balcon de chez Cole. Les Tunnels derrière moi. Même si ce n'était qu'un instant figé, je sentis la douleur qu'il avait éprouvée, lui, ce soir-là – le soir où nous avions tenté de le tuer.

Je reculai. Son visage exprimait le sens que ce baiser avait pour lui : l'absolu. Alors que cela n'avait pas duré plus d'une seconde, Cole dut s'asseoir. Je ne pus retenir une vague de compassion envers lui.

– Repose-toi. Je vais creuser.

Je repris la main de Jack. Je n'avais pas le temps de chercher un semblant de pelle. Du bout des doigts, je grattai la terre autour de son poignet. Tandis que je l'enlevais, les mains voisines semblèrent s'éloigner, comme pour me faire de la place. C'était bien parti.

Sa main était dans la mienne. J'allais lui transmettre une pelote de fil, comme Ariane à Thésée. Je serais son guide. Sa lampe à huile dans ce monde obscur. Sa chandelle. Comme il l'avait été pour moi.

Je creusai plus fort. J'avais l'impression que mes ongles se décollaient.

– Ça marche ! annonçai-je à Cole par-dessus mon épaule.

– Laisse-moi prendre le relais.

– Tu te sens assez fort ?

– Ça va beaucoup mieux.

Sans quitter des yeux la main de Jack, je reculai. Voilà pourquoi je ne vis rien arriver, jusqu'à ce qu'il soit trop tard.

Cole replia la jambe en arrière, ferme et inflexible. Ses yeux montraient une détermination inébranlable jusqu'à ce qu'il croise mon regard.

Alors, le temps flotta un moment. Pendant une seconde, pas plus, tout sembla se figer. Son pied, à demi levé. Ses yeux, écarquillés. Peut-être aussi une pointe d'hésitation ?

Peut-être. Cela n'avait pas d'importance. Cet instant en suspension prit fin. Le pied de Cole me frappa et je décollai. Je tendis le bras vers la main de Jack et je parvins à la frôler, au moment même où le mur disparaissait derrière moi, enrobé de brume.

– Cole. Je t'en prie.

Personne n'était là pour m'entendre. Je répétai ma supplique, encore et encore, espérant que Cole reviendrait sur son geste. Les mots firent bientôt partie de moi, au même titre que mon souffle. Quand l'obscurité se dissipa, je me trouvai par terre, au Shop'n Go, aux pieds d'Ezra.

– Cole. Je t'en prie.

Le bonhomme se pencha.

– Il n'est pas ici.

Je me mis sur le flanc, roulée en boule.

– Je l'ai perdu.

– Qui ça ? Cole ?

Je secouai la tête.

– Jack.

31

MAINTENANT
La Surface. Le Shop'n Go.

Que s'était-il passé ? Que s'était-il donc passé ?

Ezra était toujours là, au-dessus de moi. Il n'essayait plus de me faire parler.

– Will ne va pas tarder, dit-il.

– Merci de l'avoir appelé.

Je n'étais pas vraiment surprise qu'il l'ait prévenu. Jamais Ezra ne s'était comporté comme mon ennemi. Je le regardai de là où j'étais, par terre.

– Pourquoi m'a-t-il expédiée ?

– Qui ça ?

– Cole. Pourquoi m'a-t-il expédiée alors que nous étions si près du but ?

Ezra secoua la tête.

– Je n'en sais rien, moi. Ça dépasse mes compétences.

Il attrapa un sachet de crackers, l'ouvrit et me le tendit.

J'en sortis un dont je croquai l'extrémité. C'était la première fois que je mangeais depuis des semaines, du moins je le ressentais. L'avertissement de Mme Jenkins me revint : *Ne mange rien en Enfernité*. Je n'avais pas brisé cette règle et pourtant, j'avais échoué.

– Pourquoi vous leur rendez service ? demandai-je à Ezra. Vous êtes un être humain. Vous espérez un cadeau de leur part, ou quoi ?

Il m'adressa un petit sourire ironique.

– Je fais ça parce que ça paye. C'est un métier. Un métier qui me permet de gagner un peu plus que les autres commerçants. Tout ce que j'ai à faire, c'est me taire.

Je soupirai, les yeux fermés. C'était bon d'entendre quelqu'un dire qu'il agissait pour une raison aussi banale que l'argent. Et non la vie éternelle.

Ezra me posa la main sur l'épaule. Je regardai le sol en ciment que j'avais si souvent traversé. Au pire, je pourrais toujours le retraverser.

– Avez-vous… quelque chose qui vient de Cole ? Ou d'un autre ?

– Non. Ils sont prudents. Et puis, ils me tueraient.

La sonnette d'entrée se déclencha et j'entendis marcher vers nous.

– Nikki !

Will apparut et se pencha pour me prendre dans ses bras. J'enfouis ma tête dans sa poitrine.

– Je l'avais, Will. Je lui tenais la main. Et je l'ai perdu.

Tandis que Will m'emmenait jusqu'à sa voiture, les larmes me vinrent. Vite et fort. Je me demandai combien de fois encore j'allais échouer à ramener Jack avant qu'il ne soit trop tard.

Will me proposa de me déposer chez moi, mais je n'étais pas sûre de pouvoir déjà affronter mon père. J'avais disparu vingt-quatre heures plus tôt, dans les toilettes du Dr Hill. J'espérais que l'hypothèse retenue était que j'avais sauté par la fenêtre ou quelque chose de ce genre.

Tout en roulant vers le parc de la ville, je racontai toute l'histoire à Will. Comment nous étions allés si loin… arrivés si près du but…

Et comment, enfin, Cole m'avait expédiée.

Will s'adossa à son siège.

– Il a peut-être senti une menace.

– Si c'était le cas, il aurait commencé par me mettre au courant. (Je secouai la tête.) Et puis nous étions seuls. S'il y avait eu des Ombres, je les aurais vues. Ressenties, au moins.

– Ça pourrait être autre chose que des Ombres. Je veux dire, il est allé si loin avec toi. Pourquoi aurait-il pris de tels risques pour, en fin de compte, t'expédier ? Ça n'a aucun sens. Pourquoi t'aurait-il accompagnée, si c'est ça ?

– Je n'en sais rien.

Will me prit la main.

– Non, je suis certain qu'il a voulu te protéger. Tu ne tarderas pas à revoir cette main. Je le parie.

Pourtant il ne paraissait pas convaincu. Il ne tenait peut-être pas à regarder mon échec en face.

– Tu as sûrement raison, admis-je.

Quand on a perdu un être aimé, il est impossible d'abandonner l'espoir. Cette idée me rappela quelque chose.

– Tu me prêtes ton téléphone ?

Will me le passa et j'appelai mon père. Quand il comprit qui était en ligne, il récita quelques phrases d'un ton si parfait que je fus convaincue qu'il les avait récitées plusieurs fois devant un miroir.

– Nikki. Peu importe où tu étais. Peu importe pourquoi tu es partie. Reviens, c'est tout. On verra le reste plus tard.

* * *

À mon arrivée, je m'attendais à être interrogée par mon père mais il n'en fut rien. Il ne brandit pas la moindre menace d'une thérapie d'urgence. Ne fit aucune allusion à la façon dont je m'étais enfuie du cabinet du Dr Hill. Ne dit rien sur mon apparence, alors que les cheveux qui me restaient étaient cachés sous une casquette de base-ball empruntée à Will, et que ma veste était zippée jusqu'au cou pour cacher mes brûlures.

Tout ce que je perçus, ce fut l'odeur de plats préparés achetés au Café Trang. Des légumes sautés au wok et du poulet croustillant sur un fond de riz vapeur, le tout dans des boîtes blanches, sur la table de la cuisine.

Papa et Tommy avaient commencé sans moi. C'était peut-être pour cela que mon père ne m'avait pas interrogée. Tommy tenait, entre son assiette et sa bouche, une cuillère copieusement garnie de poulet et de riz. Armé d'une paire de baguettes, mon père jonglait avec le poulet aux cacahouètes. Il avait tenté de m'apprendre à manger à l'asiatique quand j'avais douze ans mais je n'avais jamais dépassé le stade des baguettes attachées avec un élastique et stabilisées par le papier d'emballage roulé en boule.

Dès qu'il me vit, son visage se détendit et il battit des paupières pour essuyer l'humidité qui lui envahissait les yeux.

– Nikki.

Il prononça mon prénom calmement, les deux syllabes chargées d'amour.

– Viens, sers-toi. (Il montra une assiette vite, sur la table.) Tu as faim ?

– Oui.

342

Je m'assis et il garnit mon assiette d'une cuillerée de poulet. Je l'examinai, cherchant un indice sur ce qu'il était en train de penser, mais je ne vis rien.

– Papa, on ne va pas parler de ce qui s'est passé dans le cabinet du Dr Hill ?

– Non, soupira-t-il. Pas ce soir.

– Mais…

– Restons-en là, Nikki. (Il se pencha pour me regarder dans les yeux.) Le Dr Hill veut t'envoyer en maison de repos. Surtout après ce qui s'est produit hier. Mais bon, tu m'avais demandé un délai de quarante-huit heures. (Il étudia mon visage.) Je ne sais pas trop quelle sera la prochaine étape. Je m'étais dit que, si tu ne revenais pas ce soir, j'étudierais l'hospitalisation. Mais tu es revenue. (Il baissa les yeux.) Je n'ai pas bien réagi, la dernière fois. Je n'aurais pas dû mettre du Valium dans la bouteille d'eau. Selon le Dr Hill, cela a brisé ta confiance en moi, et il ne faudrait pas s'étonner que tu ne reviennes pas. Mais tu es revenue. Alors, pendant quelques jours, je te propose de faire le point sur nos erreurs. Serrons-nous les coudes. Ensuite, on fera un nouveau bilan.

Les mots qu'il avait employés me firent sourire. On aurait cru qu'il animait une table ronde devant ses principaux conseillers. Je reçus pourtant le message : mon père m'offrait sa grâce, au-delà de ce que je méritais.

– Merci, Papa.

– Autre chose, Nik : si tu veux me mentir, ce n'est pas la peine d'imaginer des histoires à dormir debout sur je ne sais quelle réalité parallèle. J'aimerais mieux que tu ne dises rien.

– Entendu.

Cette nuit-là, je dormis.

Il n'y eut pas un signe de Jack.

Le lendemain, je remis la casquette et j'annonçai à mon père que je sortais prendre un café mais, au lieu de cela, je roulai jusque chez Cole. Je frappai à la porte. Je cognai. La lumière était éteinte et il n'y avait aucun bruit à l'intérieur.

Je m'assis sur le seuil, adossée au mur. J'y restai trois heures. Personne ne vint. Ni Gavin ni Oliver. Ni même Max. Il n'était donc pas remonté à la Surface, après sa disparition dans le labyrinthe ?

Je ne pouvais rester là plus longtemps. Je ne devais pas jouer avec l'anxiété de mon père.

Quand je rentrai à la maison, lui apportant un café, il ne put cacher son soulagement. Je lui tendis la tasse avant de monter dans ma chambre. Les yeux rivés sur le sol. J'attendais la main de Cole.

Vingt-quatre heures. Jamais Cole ne m'avait laissée si longtemps sans me faire redescendre. Je revoyais sans cesse les événements. Jack était presque libéré. Nous étions seuls dans les Tunnels. Seuls, ou pas ? Il s'était forcément passé quelque chose. Un élément m'échappait.

Ou je refusais de le voir. Cole m'avait-il trahie ? Détestait-il tant Jack que, sur le point de le sauver, il ne l'avait pas supporté ?

Se tenait-il loin de moi, à présent, rouge de honte ?

M'observait-il depuis l'Enfernité ?

– Cole, dis-je tout fort, comme une folle qui marmonne seule dans sa chambre. Si tu me regardes, je comprends que tu aies craqué. Reviens, c'est tout. Viens me chercher et je ferai comme si de rien n'était. Nous sommes si proches.

Je descendis du lit pour m'accroupir sur le tapis, observer les fils au point de me croire aveugle.

Vingt minutes plus tard, j'attendais toujours.

En vain.

Pendant une nuit encore, je dormis. Ce fut un sommeil obscur. Sans le moindre son ni la moindre image.

Un sommeil solitaire.

Comment en étais-je arrivée là ?

Comment avais-je pu frôler mon but... serrer ses doigts entre les miens... et échouer ? Tout ce qui me restait à faire, c'était me planter près de mon lit et contempler le sol.

Comment l'avais-je encore perdu ? La digue qui protégeait mon cœur s'était effondrée, laissant mes émotions couler par vagues. Parfois, j'avais l'impression d'être retournée dans les Tunnels, ayant tout oublié à l'exception du contact de ses doigts. Puis je me rappelais son visage, son baiser... et tout déferlait en moi, une fois de plus.

Pourtant, il y avait trop de trous. Trop de plaies ouvertes par les Vagabonds. Trop de cassures laissées par les Tunnels. Je ne pouvais plus rester entière, cette fois. Si Cole ne revenait pas me chercher, une tonne de colle ne suffirait pas à me réparer.

Je secouai la tête avant de la cogner deux fois sur le mur. Je ne l'avais pas perdu. Il n'était pas parti. Cole allait arriver. Sa main allait apparaître, j'allais la saisir, et il me tirerait vers les Tunnels pour tout m'expliquer.

Il attendait seulement le bon moment.

Je fermai les yeux, le visage entre les genoux. Le temps passait lentement, à moins qu'il ne s'envole, et tout ce que je pouvais faire, moi, c'était me recroqueviller dans mon lit.

Me balancer à droite et à gauche.

Mon père frappa à la porte.

– Nikki ? Je vais travailler.

Pause.

– Ça va bien ?

Je répondis d'une voix que je voulais légère.

– Ouais. Je lis. Bonne journée !

Il n'y crut probablement pas, mais il s'en alla. Le fait que je sois à la maison suffisait peut-être à le soulager.

Parfois, je me regardais de loin, comme si, sortie de mon corps, j'assistais à un spectacle. La fille étendue sur le lit avait les yeux grands ouverts. Les cheveux ébouriffés. Elle semblait aussi un peu folle. La face droite de sa tête était même rasée.

Pourtant, si j'avais assez d'esprit pour comprendre que j'étais folle, je n'étais donc pas folle ?

Houlà… Il était temps que je sorte. Mais pour aller où ?

Will m'avait laissé quelques messages auxquels je n'avais pas répondu. Il pensait peut-être que j'étais déjà retournée dans les Tunnels. Je ne pouvais me résoudre à lui dire la vérité. Que j'étais restée en Surface. Et que je commençais à croire que Cole ne reviendrait jamais.

Soudain, je me souvins de Mme Jenkins. Elle avait dit qu'elle fouillerait dans les vieux bouquins de son sous-sol. Si je lui racontais ce qui s'était passé, elle saurait peut-être me dire pourquoi Cole m'avait expédiée. Ce qui lui avait fait peur. Et comment je devais agir.

Il existait forcément quelqu'un qui pouvait me dire quoi faire. J'aurais fait n'importe quoi, pourvu qu'on me l'ordonne.

– Lève-toi, murmurai-je, les lèvres collées sur les genoux.

Je végétais depuis trop longtemps. Je devais agir pour Jack. Je l'imaginai en train de me parler : « Debout, Becks. Debout tout de suite. »

Enfin, tandis que je tendais les muscles pour quitter le lit, mes dents se plantèrent dans mon genou. Assez fort et assez longtemps pour que le sang coule. Une petite goutte se forma et grossit tant qu'elle roula sur ma jambe. Je la suivis du regard ; la pesanteur la fit rouler sur mon tibia, ma cheville, jusqu'à mon pied. Quand elle fut sur le point de tacher mon couvre-lit, je sautai par terre.

Moisir dans ma chambre pendant des semaines, c'était admissible, mais faire des taches de sang sur mes draps, non. Le raisonnement me parut ridicule, même à moi. En attendant, je m'étais levée. Et en route vers la douche.

Deux bonnes tasses de café plus tard, je me rendis chez Mme Jenkins.

Quand je frappai, personne ne vint ouvrir. Je reculai pour regarder les fenêtres. Il n'y avait pas de lumière.

Elle passait tout son temps chez elle, pourtant ?

Je contournai la maison vers le garage. Là, juste devant, je vis une vieille Honda Civic. Celle qui était toujours garée là.

Quelqu'un était peut-être venu la chercher ? Je ne pensais pas qu'elle avait des amis.

Je reprenais le chemin de la façade quand je vis une silhouette, à travers la fenêtre translucide. Une silhouette humaine… celle de Mme Jenkins, apparemment, assise sur le canapé.

Pourquoi ne me répondait-elle pas ?

Penchée sur la fenêtre pour mieux voir, je frappai une fois de plus. Mais la personne qui était là ne bougea pas.

– Madame Jenkins ! C'est Nikki !

Là encore, pas un geste.

Je retournai à la porte pour y cogner et, étonnamment, elle bascula en grinçant comme si elle n'était pas fermée.

Je la poussai complètement.

– Madame Jenkins ? C'est Nikki. Ça va ?

Il n'y eut pas de réponse. Je regardai alentour. La maison semblait… différente. Calme. Je secouai la tête. *Arrête de délirer, Becks.*

– Madame Jenkins ? J'entre.

Comme la fois précédente, je traversai le vestibule pour gagner le salon. Mme Jenkins, assise sur le canapé, me tournait le dos. Je l'avais reconnue à ses cheveux argentés, coiffés en queue-de-cheval un peu molle.

Des papiers étaient dispersés devant elle, sur la table basse. Elle avait peut-être trouvé quelque chose, à la cave. Quelque chose qui m'aiderait.

– Ohé !

Ma voix semblait forte. Trop forte. Puis, d'un coup, ce fut mon souffle qui me sembla bruyant. Sur la pointe des pieds, je m'approchai du canapé ; et, tandis que je le contournais, le monde entier se figea.

C'était bien Mme Jenkins. Mais elle ne ressemblait plus à rien. Sa peau pendait autour de son corps squelettique. Ses yeux desséchés étaient enfoncés et sa tête était comme une masse de papier mâché grisâtre, modelée en forme de crâne, couverte d'une perruque. Ses doigts serraient la poignée d'une tasse à thé, dont la soucoupe était en équilibre sur ses genoux.

– Madame Jenkins ? appela une petite voix.

Je mis un moment à comprendre que c'était la mienne. Jamais je n'aurais osé parler consciemment à ce que je regardais là.

Sans bien savoir pourquoi, je décidai de saisir la tasse qu'elle tenait. À cet instant, son corps se dégonfla encore plus, comme si l'air qui restait s'était enfui.

Mme Jenkins était morte. Plus morte que n'importe quel mort.

Un corps ne rétrécit pas comme ça, spontanément. Elle était en bonne santé, deux jours plus tôt. C'était bien à ce moment-là que je l'avais vue, oui ? Quand elle m'avait donné la médaille de Nathanial ? Quelqu'un lui avait fait ça. Quelqu'un de puissant. Quelqu'un qui n'était peut-être pas loin.

D'instinct, je me redressai. Je heurtai le bout du canapé, faisant tomber sur le carrelage l'une des figurines qui étaient posées dessus. Il fallait que je sorte de là. Quoi qu'il soit arrivé, cela ne pouvait venir d'un être humain.

Un immortel, peut-être. Mais un humain, sûrement pas.

Je posai la tasse en l'essuyant pour ne pas laisser de traces, mais je compris vite que c'était absurde. Mes empreintes n'étaient pas fichées à la police. Et je n'avais rien fait de mal.

Le bruit d'une voiture m'immobilisa. Le moteur s'éteignit et la portière claqua.

– Zut ! soufflai-je.

Je regardai les livres et les papiers, sur la table basse. Je n'aurais peut-être jamais d'autre occasion de m'en emparer. Sans réfléchir, j'en ramassai le plus possible puis, les bras chargés, je quittai le salon vers la porte d'entrée, que j'ouvris d'un coup… et je percutai un homme habillé de son habituelle chemise beige. Les papiers tombèrent dans tous les sens.

C'était le détective Jackson.

Nos regards se croisèrent et je songeai un moment à partir en courant. Mais je n'avais rien fait de mal, je me le répétai encore et encore : je n'avais rien fait de mal.

349

Jackson me prit par les épaules. Je n'avais pas compris que je m'étais exprimée à haute voix.

– Nikki, ça va ?

– Appelez les secours.

33

Jackson regarda par-dessus mon épaule.

– Restez ici, ordonna-t-il.

J'acceptai d'un hochement de tête et, tandis que je me laissais mollement tomber au sol, il fonça. J'amassai les feuilles en un tas bien net, parfaitement aligné, comme si cela pouvait donner un sens à la situation. Je plaquai le bloc sur ma poitrine.

La rue était calme. Vide. Je me sentais exposée, ainsi assise devant la porte, sans bien savoir de quoi il fallait avoir peur.

Mme Jenkins. Morte. Pas seulement morte. Vidée. Épuisée. Y avait-il un autre mot ? Non. Je n'avais jamais rien vu de tel. Mais j'en avais entendu parler.

Cela ressemblait à la mort d'Adonia, telle que tout le monde la racontait : elle s'était vidée de son énergie, si vite qu'il n'était resté qu'une coquille vide. Mme Jenkins avait-elle connu le même sort ? Qui donc pouvait commettre une chose pareille ?

– Je n'ai rien fait de mal, répétai-je.

Pourtant, je me sentais responsable, malgré moi.

– Cole, dis-je tout haut, que se passe-t-il ?

Personne ne me répondit.

Jackson revint s'asseoir près de moi.

– Vous avez appelé les secours ?

– J'ai appelé la police, soupira-t-il. Dans l'état où elle est, une ambulance ne pourrait rien pour elle.

Nous restâmes assis sans rien dire pendant quelques minutes.

– Qu'est-ce que vous tenez là ? demanda-t-il en voyant les papiers et les livres que je serrais contre moi.

Tout ce que j'avais ramassé semblait ancien : un parchemin sec et rugueux sur les bords, un livre dont le dos était fendu sur toute sa longueur et dont le titre avait été arraché. Je réfléchis à toute vitesse.

– Des trucs que je venais lui montrer. Elle aimait bien les vieilleries.

Les sirènes tintèrent au loin. Ce fut peut-être pour cette raison qu'il ne m'interrogea pas davantage. Le commissariat n'était pas loin, en aval sur le canyon, et les murs de la montagne propageaient le son.

– Je vais avoir des ennuis ? lui demandai-je.

– C'est vous qui l'avez tuée ?

Je relevai la tête d'un coup.

– Non !

Il me posa une main sur l'épaule et je constatai qu'il souriait.

– Je le sais. Je vous ai suivie de chez vous. Outre le fait que, selon moi, vous n'avez pas les tripes pour tuer, vous n'en avez pas eu le temps. Elle est éteinte depuis un moment, on dirait. Non, je crois que vous n'avez rien à voir avec... ce qui s'est passé.

– Que s'est-il passé, justement ?

– Je n'en sais rien.

Les sirènes sonnèrent plus fort et, quelques instants plus tard, la première patrouille arriva. Jackson me regarda.

– On va faire front ensemble.

– Je croyais que vous me détestiez.

– Nikki, j'enquête sur la disparition d'un jeune homme, et il se trouve que vous êtes la dernière à l'avoir vu. Ce n'est qu'une enquête. Pas une vendetta.

Je répondis à leurs questions. Je leur expliquai comment je l'avais trouvée. Que la porte était ouverte. Jackson m'épaula en confirmant le tout, en particulier sur la chronologie, qui montrait que je n'avais pas eu le temps de m'impliquer dans les faits ni de duper quiconque. Pour une fois, la présence du détective me portait bonheur.

Les policiers avancèrent quelques théories. Mme Jenkins était une femme posée. Réservée. Elle était certainement morte depuis des semaines, vu son état de décomposition.

Je savais, moi, qu'elle n'était même pas morte depuis deux jours. Puisque je l'avais vue deux jours plus tôt.

Sur ce point, personne n'était au courant. Pas même le détective.

Je ne dis rien à mon père. Si la police voulait en savoir plus, il apprendrait tout en temps voulu. Mais je n'y croyais pas trop. Ils tenaient déjà leur élucidation des faits.

Je restais donc seule avec mes pensées quant à ce qui était réellement arrivé. Où était la vérité ?

Quelqu'un avait épuisé Mme Jenkins, à tel point que son corps ressemblait à une momie datant de plusieurs siècles. Qui avait la puissance nécessaire pour commettre une chose pareille ? La reine, probablement. Mais les autres Enfernautes

en étaient-ils capables ? De détruire quelqu'un si complètement ?

Les Ombres ?

Était-elle morte avec le faux espoir de recevoir la vie éternelle de la part d'une future souveraine ?

Je n'arrivais plus à y penser. Mon corps se refermait. Je
posai sur mon bureau les livres et les feuilles récupérés chez
Mme Jenkins, avant de m'effondrer sur mon lit, de me pelo-
tonner et de tirer mon couvre-lit sous mon menton. Mon
cerveau était à bout de forces. Alors même que mon père et
le Dr Hill me laissaient tranquille, j'avais, pour la première
fois de ma vie, l'impression de devenir folle.

Je ramenai mes genoux vers ma poitrine, la tête enfoncée
dans l'oreiller, et je fermai les yeux. Je m'endormis probablement, car la voix de Jack me parvint.

MAINTENANT
Dans mon rêve.

Je l'entends sans le voir.
– Salut.
À l'oreille, la voix vient de la droite, là où il était quand il
partageait mon lit.
Je retiens mon souffle. Il me semble si réel. Je ne comprends
pas pourquoi je ne le vois pas. Est-il toujours vivant ? Est-ce
que je rêve que je suis avec lui dans les Tunnels ?
– Tu ne me réponds pas ? reprend-il.
Comment lui avouer que, à deux pas de lui, j'ai échoué ?
Il vaut mieux ne rien dire du tout. Si c'est bien lui, et non
un rêve classique, je ne veux pas le désespérer. Même si mon
propre espoir est anéanti.

– *Tu m'as manqué, dit Jack. Énormément. J'ignore comment je suis arrivé ici.*

– *Je sais.*

A-t-il donc oublié qu'il m'a remplacé ?

– *C'est à cause de moi, dis-je.*

– *Ça n'a pas l'air de t'étonner.*

Je fais la grimace.

– *Quoi donc ?*

– *Que je sois près de toi.*

– *Tu te places toujours de ce côté.*

– *Ah bon ?*

– *Bien sûr.*

– *Et qu'est-ce que je raconte ?*

Il semble curieux d'en savoir plus.

– *Des trucs.*

– *Par exemple ?*

– *À chaque fois, tu dis que je te manque.*

Il rit doucement.

– *Évidemment. Quoi d'autre ?*

– *Tu parles du jour où Julia t'a confié que je t'aimais bien.*

– *Et ?*

Les mots me coulent entre les lèvres.

– *Tu me dis que tu m'aimes. Que tu ne me quitteras jamais.*

– *Becks, tu veux bien te tourner vers moi, au moins ? demande-t-il.*

J'ouvre les yeux et je découvre que je suis face au mur qui borde mon lit. C'est bizarre car d'habitude, quand je rêve, je me place toujours le nez au plafond, au milieu, pour mieux voir Jack.

C'est pour cela qu'il fait noir.

Qu'est-ce que... ?

MAINTENANT
La Surface. Ma chambre.

Je me tournai vers lui. Et je suffoquai.

Jack n'était pas revenu dans un rêve. Il était là. Vivant. Couvert de ce qui ressemblait à une épaisse couche de suie. Son visage était traversé de vilaines balafres noires qui descendaient jusqu'à ses bras et ses jambes. Ses vêtements étaient en loques, couverts de suie et de sang.

Les yeux à peine ouverts, il avait les joues enflées et sombres. Ses pieds pendaient au bord de mon lit, et pendant une petite seconde, je crus qu'il était trop grand pour être mon Jack.

Je bougeai pour lui caresser le visage mais je retins ma main juste au-dessus de lui, là où je l'aurais touché s'il avait été réel.

– Que t'est-il arrivé ?

Mon souffle était dur et saccadé.

– Tu as mal ? Tu es mort ?

Il sourit.

– Mort ? Jamais je ne me suis senti aussi vivant.

Il leva les doigts pour me montrer un petit papier. Notre petit papier. *À toi pour toujours.*

Sans réfléchir, je tendis le bras. Et je le saisis.

Je restai immobile. La feuille était entre mes doigts. Je l'avais prise. C'était la vraie. Elle était tangible, je la tenais. Je la lâchai pour prendre la main de Jack. Sa vraie main.

Je le regardai dans les yeux.

– Qu'est-ce que… ?

Je vis la fenêtre, au coin de ma chambre. Elle était entrouverte. Comme si quelqu'un venait d'entrer par là. Je tentai de parler mais mon souffle trop rapide m'en empêcha.

– Pose ta tête entre tes genoux.

Il me poussa la nuque et fit glisser ses doigts le long de ma colonne vertébrale. Il resta silencieux tandis que ma respiration ralentissait.

– Là... Ça va ?

Je me redressai peu à peu. Il était hors de question que je perde conscience. Ou que je lui permette de sortir de mon champ de vision.

– Non, ça ne va pas. C'est vraiment toi ?

Il fit un signe de tête.

– Comment tu as fait ?

– Je ne sais pas trop. J'ai été enterré vif. Puis j'ai senti ta main. Tu m'as passé mon message. Et tu m'as embrassé le bout des doigts. (Il sourit car tandis qu'il parlait, je l'embrassais déjà au bout des doigts.) J'ai tenu bon. J'attendais ton retour. À un moment, le papier s'est tendu, comme s'il était tiré par un fil, quelque chose de ce genre. J'ai pensé que c'était parce que tu t'en allais. Mais je ne l'ai pas lâché. Il m'a tiré, tant et si bien que je l'ai suivi. Ce qui m'a semblé prendre des jours et des jours, c'était de creuser. J'ai gratté et cogné jusqu'au moment où j'ai franchi le mur. Je n'y voyais rien, mais le message me tirait toujours. J'étais fatigué. Affaibli. Mais je n'ai jamais lâché prise, et d'un coup, je me suis retrouvé dans les airs. Du moins, c'est l'impression que j'ai eue. Je ne voyais rien.

Cela ressemblait à une plaisanterie : il avait été tiré de l'Enfernité au lieu d'y être jeté.

Il battit des paupières plusieurs fois et jeta un coup d'œil sur le côté.

– J'y vois encore un peu flou. Je voudrais regarder ton visage.

Je lui pris la main pour la poser sur ma joue.

– Tu le peux.

Il se pencha tout près de moi et, quand il ne fut plus qu'à quelques centimètres, je sentis un flot d'énergie circuler entre moi et lui. Jack devait être presque vide. Je le savais car après le Festin, j'étais moi-même revenue anéantie et je lui avais volé de l'énergie.

– Excuse-moi, dit Jack.

Il tenta de reculer, mais je l'en empêchai.

– Embrasse-moi.

– Mais…

– Ne discute pas.

Comme il ne bougeait pas, je le pris à bras-le-corps. Nos lèvres se cognèrent. Cela dura jusqu'à ce que notre premier flot d'émotions se calme, puis nous échangeâmes d'autres baisers.

Je me retrouvai bientôt à le tirer vers moi, à lui creuser les épaules avec les doigts. Le dos. À enrouler ses cheveux sur mes doigts. Pour qu'il reste là, bien réel. Il me rendait mes baisers avec la même ardeur. Jamais un rêve n'aurait rendu ce moment aussi charnel.

Il nous fallut longtemps pour nous rappeler où nous étions. Nous nous endormîmes, les doigts et les jambes entrelacés.

33

La Surface. Ma chambre.

Au matin, je le regardai dormir. J'observai ses paupières tremblotantes. Ses lèvres vibraient comme s'il rêvait qu'il m'embrassait.

Son visage était moins gonflé mais, sur son corps, de nombreuses blessures saignaient encore. J'avais tant voulu le serrer dans mes bras que je ne m'étais même pas occupée de ses blessures.

Je me détachai à peine de lui pour sortir du lit sans bruit quand, d'un mouvement rapide, il m'attrapa par le poignet.

– Tu ne t'en vas pas, dit-il.

– Mais tes coupures…

Il me tira vers lui et, d'un contact de ses lèvres, me coupa si vite la parole que j'en perdis le souffle, littéralement.

Le soleil était haut dans le ciel quand nous arrêtâmes. Enfin, j'insistai pour qu'il mange et que nous nettoyions ses plaies. Il y avait, non loin, des gens qui tenaient à lui autant que moi, à qui il fallait annoncer qu'il était revenu. Sa mère. Will. Julia. Ma famille, même.

Mon père était parti travailler et Tommy était à la pêche avec un copain. La maison était donc à nous. Je laissai Jack se reposer, le temps de glisser une pizza surgelée dans le four à micro-ondes.

La machine tournait depuis trente secondes quand j'entendis du tapage dans ma chambre. Je courus dans le couloir. Jack était appuyé contre le mur.

– Je crois que je ne suis pas encore prêt à tenir debout…

En passant son bras sur mon épaule, je notai une fois de plus qu'il avait beaucoup changé. Il n'était pas seulement plus grand. Il était aussi plus gros. Son bras me cachait presque entièrement. Je secouai la tête. J'avais peut-être mal mémorisé ses proportions.

Il reprit son équilibre et, quand la pizza fut chaude, il la mangea. Tout entière. Toujours debout. Assise sur le comptoir de la cuisine, je le regardais. C'était si bon de le voir manger. C'était tellement normal.

Pourtant, la différence de taille me frappa encore quand je le vis plier en deux une portion de pizza. Ses mains paraissaient plus grandes. Tout en lui semblait avoir grandi, depuis les muscles de ses bras jusqu'à sa largeur d'épaules.

– Tu es plus costaud qu'avant, lui dis-je.

Il leva un sourcil, la bouche entrouverte. Il m'avait souvent fait cette simagrée, en réponse à quelque chose de drôle. La seule différence, maintenant, c'était que ses yeux n'étaient pas posés sur mon visage. Il me voyait toujours mal.

– Je t'assure, insistai-je. Regarde-toi.

– Je ne me suis pas regardé depuis longtemps.

– Eh bien tu devrais. (Je levai la main.) Non, pas tout de suite. Tu es encore en vrac.

Il se toucha le visage.

– Tout est à sa place, au moins ?

Je souris.

– Oui. Mais à te voir, on jurerait que tu as nagé dans de la cendre. À te sentir, aussi.

Il lâcha la part de pizza au-dessus de la boîte en carton, sans la finir, et vint se placer devant moi. Les mains posées sur mes jambes, il se pencha.

– Tu as toujours dit que tu adorais le parfum du feu de camp.

Je devais bel et bien lever la tête pour croiser son regard. Je ne me faisais pas d'idées.

– Tu es aussi plus grand, il me semble.

Il battit des cils en reculant maladroitement. Je sautai par terre pour poser son bras sur mon épaule.

– Oh là… Tu te sens bien ?

Il hocha la tête sans répondre.

– Viens te rallonger.

Je le guidai vers ma chambre, où il s'effondra sur le lit. Au bout de quelques instants, il ferma les yeux et son souffle ralentit. Je me levai ; il me saisit le bras.

– Ne pars pas.

– T'inquiète, assurai-je en souriant. Je vais chercher un gant de toilette. Je vais tâcher de te nettoyer la figure.

Son étreinte se desserra.

– D'accord. Mais ne traîne pas.

Quand il me lâcha, ses doigts laissèrent des traces blanches sur ma peau. Sa force m'étonnait. Je l'avais imaginé coincé dans les Tunnels pendant des années, persuadée qu'il maigrissait. Mais là, au-delà du fait qu'il avait failli s'évanouir, il semblait plus fort que jamais.

Et plus grand.

Je ne comprenais pas pourquoi. Il ne s'était rien passé à la Surface. Il était revenu ainsi. Qu'était-il donc arrivé dans les Tunnels ?

Je secouai la tête en songeant à toutes les questions sans réponse qui se présenteraient à nous. Au moins, nous aurions le temps d'y réfléchir. Je pris un gant de toilette, une serviette et une savonnette, plus une bassine d'eau chaude, et je retournai dans la chambre. Il avait toujours les yeux fermés. Je m'assis au bord du lit, trempai le gant dans l'eau et commençai à lui tamponner le front. Ses traits réapparurent après quelques frottements.

– Coucou, lui dis-je.

Il sourit.

– Coucou.

– Je me pince encore pour y croire : tu es revenu ! Hier, j'étais certaine que rien ne pourrait tourner rond. Mais si, tu es là.

– Que s'est-il passé, hier ?

Je secouai la tête, hésitant à lui parler de la mort atroce de Mme Jenkins.

– Rien qui vaille la peine d'en parler tout de suite. Mais il y a une urgence.

– Laquelle ?

– Ta mère. Elle a chargé un détective de te retrouver. Tu dois aller la voir. Pour lui dire que tout va bien.

– On ira ensemble.

Je songeai à ma dernière rencontre avec sa mère. Le jour de la remise des diplômes. Cela me semblait remonter à une éternité, mais pour elle, le souvenir était sûrement vif.

– Tu devrais plutôt y aller tout seul. Je crois qu'elle aimera mieux te voir… sans moi.

– Je ne te laisserai pas.

– Ça vaut mieux, je t'assure.

D'un geste trop rapide pour être vu, il me prit la main.

– Je. Ne. Te. Laisserai. Pas.

Je grimaçai.

– C'est bon. Dis… serre-moi moins fort, s'il te plaît.

Je décollai ses doigts de ma main pour que mon sang se remette à circuler.

– Excuse-moi, Becks.

Je lui souris.

– Je te l'ai déjà dit. Tu es devenu plus costaud.

J'appelai Will pour lui demander de retenir sa mère à la maison. Je ne lui dis rien de plus, sinon que je ne tarderais pas à arriver.

Une fois devant chez eux, Jack marcha vers la porte tandis que je m'adossais à ma voiture.

– Viens, Becks.

Il me tendait la main. Je secouai la tête.

– Tes proches méritent de partager ce bon moment avec toi tout seul. Fais-moi confiance. Je reste ici.

Il hésita, mais il finit par frapper. La porte s'ouvrit d'un coup et, un instant plus tard, Will serrait son jeune frère contre lui. Jack avait toujours été plus grand, mais désormais, il dépassait Will d'au moins quinze centimètres.

Mme Caputo les rejoignit et étreignit son enfant perdu, le visage ruisselant de larmes.

Will leva la main vers moi, et je lui rendis son signe. À eux trois, ils formaient un cercle, les bras entrelacés. Ce fut une scène d'une tendresse profonde. J'ignorais ce que Jack raconterait à sa mère. C'était à lui de décider.

Je longeai la rue et tournai à l'intersection. Ils méritaient de vivre cet instant sans moi.

Tout en flânant dans le quartier, je songeai aux événements des deux derniers jours. Comment était-ce arrivé ? Pourquoi cela avait-il tourné ainsi ?

La veille encore, j'aurais juré que mon univers tombait en miettes. Et maintenant… Certes, Mme Jenkins était morte. Mais je n'avais rien à voir avec ça. C'était peut-être à cause de son lien avec les Filles de Perséphone. Là encore, je n'y étais pour rien. Je n'étais pas une menace pour la reine. J'étais humaine, et je n'étais pas près de retourner en Enfernité.

Quant à Cole… Qu'était-il devenu ? Avait-il planifié tout cela ?

Dans ce cas, où était-il ? Connaissait-il le dénouement de l'histoire ? Non. S'il l'avait su, il serait revenu dans ma chambre pour se féliciter de ses sacrifices et exiger je ne sais quelle compensation.

C'était certain, non ?

Et si la cause de son absence était sinistre ? La dernière fois que je l'avais vu, il était dans les Tunnels. Un milieu peu accueillant. Il lui était peut-être arrivé malheur, après mon départ ?

Cela faisait trop de questions. Seule l'une des réponses m'intéressait, pour le moment. Jack était revenu. Jamais je ne le laisserais repartir.

Quand j'achevai ma balade, au coin de la rue des Caputo, Jack me rejoignit en bondissant. Il portait ses lunettes de soleil sur le bout du nez. Son vieux tee-shirt des Géants était plaqué sur son torse. Il passa ses bras autour de moi pour me soulever d'un coup.

– Tu m'avais promis de rester là.

Mes pieds battaient dans les airs. Je plaquai mon visage sur son cou. Il avait les cheveux humides.

– Tu as pris une douche.

Il m'embrassa dans le cou.

– Je voulais me débarrasser de cette odeur de cendre.

– Qu'as-tu raconté à ta mère ?

Il me posa, le front plissé.

– Que j'avais passé un certain temps loin d'ici. C'était dur à expliquer, d'ailleurs je n'ai même pas essayé. Je ne vois pas ce qui pourrait la… satisfaire.

Je repoussai sa frange.

– Je vois très bien ce que tu veux dire.

– On va où, maintenant ?

Nous nous approchâmes de ma voiture.

– Nous avons encore une visite importante à faire.

Julia était assise sur un tabouret de bar, devant la boutique de bougies Scentsy, au milieu du hall du centre commercial. Quand elle vit Jack, son visage se fendit d'un immense sourire, et elle éclata aussitôt en sanglots.

Je reculai pour laisser Jack seul avec elle, mais elle me prit la main pour me tirer vers eux. Nous nous retrouvâmes serrés tous les trois. En larmes.

34

MAINTENANT
La Surface. Ma chambre.

Ce soir-là, après avoir rendu visite à mon père puis dîné en famille, chez lui, Jack me rejoignit discrètement dans ma chambre, même s'il n'avait pas besoin d'être très discret. Sa mère se doutait certainement qu'il agirait ainsi.

Nous étions allongés sur mon lit, face à face, comme chaque nuit. À un détail près : nous pouvions nous toucher. Nous tenir la main. Nous serrer l'un contre l'autre. Je n'en avais jamais assez.

– Comment as-tu trouvé ton chemin pour remonter ? lui demandai-je. Une fois sorti des Tunnels ? Où as-tu débouché ?

– C'est très flou… J'étais à peine conscient. J'ai eu l'impression d'être expédié hors des Tunnels avec un arc, et je me suis retrouvé par terre, au Shop'n Go.

Il secoua la tête comme si cela lui semblait ridicule.

– C'est le point faible, dis-je. Entre l'Enfernité et la Surface.

Il me caressa les cheveux.

– Il faisait nuit. Je n'arrivais pas à ouvrir les yeux. Je pouvais à peine marcher. Je ne savais pas où aller. Tout ce dont j'étais sûr, c'était que je voulais te trouver.

Je souris.

– Tu m'as trouvée.

Il me fit un baiser sur le front.

– Je t'ai trouvée.

Je me blottis contre lui. Il avait retrouvé son odeur, et j'inspirai profondément. Je regardai son visage une fois encore, pour en suivre les traits. Je caressai son arcade sourcilière. La tige d'acier qu'il portait jadis avait disparu, ne laissant qu'un trou. Elle avait sûrement glissé.

Il remonta les cheveux qui pendaient devant mes yeux.

– Comment as-tu fait, Becks, pour me retrouver ?

Je fis la grimace.

– C'est une longue histoire. Cole m'a aidée. Il m'a transportée là-bas. Il m'a assistée tout le long du chemin.

J'eus envie de lui parler de la longe qui reliait mon cœur au sien, mais je gardai cet épisode pour plus tard.

– Cole t'a aidée ?

J'opinai, tout en grimaçant au souvenir de la fin étrange de notre voyage.

– Qu'y a-t-il ? demanda Jack.

– Peu importe. Tu es là.

– Je suis là.

– C'est tout ce qui compte.

Il souleva mon visage pour me faire face et m'attira sans effort pour que je m'allonge sur lui. Nous nous embrassions encore. Même si nous étions à bout de forces.

Nous passâmes la nuit à nous embrasser, à somnoler et à nous embrasser toujours plus. Je n'aurais rien pu imaginer de meilleur.

* * *

Je m'éveillai en sursaut, le souffle court. Je m'essuyai le front. Je ruisselais de sueur. Qu'est-ce qui m'avait réveillée ?

C'était un cauchemar, me dis-je. *Rien qu'un cauchemar.*

Pourtant, quelque chose ne tournait pas rond. Je regardai Jack, tout près. Il dormait paisiblement, ronflant à peine. Je soupirai. Du moment qu'il était là, il pouvait arriver n'importe quoi.

Je regardai dans la pièce pour comprendre ce qui n'allait pas. Je ne remarquai rien d'anormal. Tout était comme d'habitude.

Je tentai de me rallonger mais, en une fraction de seconde, je bondis pour parcourir la chambre. Je respirais par à-coups. Je me plaquai les mains sur les joues, pour maîtriser mon souffle, sans réussir. Étais-je toujours en plein rêve ?

J'entendis un grattement à la fenêtre. Quelqu'un cherchait à l'ouvrir. Je n'eus pas le temps de réveiller Jack : Cole était entré. D'un bond. Sans bruit, souplement, comme un chat.

Nos regards se fondirent, tandis que ma main restait plaquée sur ma poitrine.

Je fus d'abord soulagée de le voir, puis ma colère monta.

– Qu'est-ce qui t'a pris, là-bas ? Tu m'as expédiée ! (Je repris mon souffle, le temps de me calmer et, en une volte-face complète, je me jetai contre lui.) Où étais-tu ?

Cole me serra contre lui, mais ses bras étaient raides, son dos, rigide. Je le lâchai pour le dévisager.

– Qu'est-ce qui ne va pas ?

– Rien, répondit-il en souriant. Je vais bien. Je t'expliquerai ça.

Sa voix s'éteignit tandis qu'il inspectait ma chambre.

– D'abord, je veux que tu me dises si cette pièce te semble étrange. Si tu y ressens quelque chose d'inhabituel.

Je françai les sourcils et secouai la tête.

– Qu'est-ce que tu racontes ?

Il me prit par les épaules.

– C'est important, Nick. Regarde bien partout et dis-moi si des objets ont bougé. Ou s'il y en a de nouveaux que tu ne reconnais pas.

Il avait un regard enflammé.

– Tu me fais peur.

– Tout ira bien dès que tu auras trouvé.

Angoissée, j'examinai les lieux pour comprendre de quoi il parlait, fouillant le moindre recoin pour y voir un objet intrus. L'obscurité ne me facilitait pas la tâche mais, malgré cela, tout me paraissait normal. Toutefois, quand mes yeux se posèrent sur mon bureau, je me figeai. Là, près de mon ordinateur, se trouvait un petit objet doré, de la taille d'une montre de gousset. Je ne l'avais jamais vu.

Cole suivit mon regard.

Il leva la main pour me dissuader de bouger.

– Que se passe-t-il ? chuchotai-je.

– Je t'expliquerai, assura-t-il sans baisser la main.

Il marchait à pas de côté, vers le bureau.

– Une... petite... minute...

Il saisit la chose comme si c'était une souris prête à s'échapper. Dès qu'il l'eut en main, il se détendit. Il ouvrit l'objet, en vérifia le contenu, puis il m'adressa un sourire pour le moins triomphant.

– Cole, je t'en conjure, explique-toi ! Qu'est-ce qui ne va pas ? Tout a bien marché. Jack est sauvé.

Il sursauta.

– Hein ?

Il était donc surpris ?

– Regarde donc !

Je montrai mon lit, où Jack dormait profondément, enroulé dans les couvertures. Il était exténué, et je savais que notre conversation ne le réveillerait pas.

Cole grimaça.

– Comment a-t-il… ?

– Grâce au fétiche. Le message. Je l'avais glissé dans sa main.

– Je t'avais dit de le garder.

Je secouai la tête, confuse.

– Pourtant, si je t'avais obéi, Jack ne serait pas là.

– Comment a-t-il fait ?

– Le papier lui a permis de remonter. Je sais, ça paraît idiot, mais…

L'expression de Cole me suffit à comprendre que pour lui, c'était une mauvaise nouvelle.

– Attends un peu, repris-je. Je pensais que tu étais au courant. Tu ne le savais donc pas ? Qu'est-ce qui t'est arrivé dans les Tunnels ?

– Nik, jamais je n'ai eu la moindre intention de sauver Jack.

– Je sais. Mais tu m'as aidée quand même. Tu as été mon héros.

Il secoua la tête.

– Je te l'ai déjà dit : les héros, ça n'existe pas.

Comment pouvait-il affirmer cela ? Il y avait donc tant de haine, en lui, pour qu'il freine ses sentiments positifs ? Je fis un pas vers lui.

– Peu importe ce que tu penses de toi-même. Pour moi, tu es un héros.

– Alors tu es aveugle.

Je frissonnai. Il était si insensible. Si distant. Je croyais que l'époque où je devais le convaincre de sa valeur était révolue. Je m'approchai encore pour serrer son visage entre mes mains.

– Explique-moi ce qui se passe.

Il soupira et pencha la tête en avant.

– Pas tout de suite, il est trop tôt. Je vis un moment unique…
le dernier… où tu me vois d'un bon œil. J'ai accompli des
missions que je croyais impossibles. J'ai tout fait pour que
tu m'aimes, et malgré cela tu ne m'aimes pas comme je le
voulais. Tu m'aimes comme on aime un ami.

J'opinai, toujours confondue.

– Oui, après tout ce que tu as fait, tu es mon ami.

Il se pencha vers mes lèvres. Étonnée, je reculai et vérifiai,
d'un regard rapide, que Jack dormait toujours.

– Cole, ne fais pas ça…

Il serra les dents.

– Pas plus qu'un ami.

– Tu le sais très bien, repris-je en regardant Jack encore une
fois. C'est comme ça depuis toujours.

– Oui. Voilà pourquoi j'ai agi comme je l'ai fait.

Il me lâcha et recula.

– Parle plus clairement, je t'en prie.

Il porta ma main à sa bouche pour l'embrasser briè-
vement, avant de la poser sur ma poitrine.

– Sens-tu s'il y a quelque chose ?

J'attendis. Rien. Je ne sentis rien.

Là où mon cœur aurait dû se trouver, il n'y avait rien. Je
parcourus la pièce d'un regard affolé, comme pour chercher
un objet égaré.

Cole retourna vers la fenêtre et, arrivé au point le plus
éloigné, il croisa les bras.

– L'Enfernité lit à travers toi, ça ne t'étonne pas ? Même si
ça prend trois jours complets, mon univers peut transformer
un cœur de Surface en un objet qui résume parfaitement l'être

concerné, jusqu'au fond de son âme. Et quand on reçoit ce cœur, on s'aperçoit qu'il a la forme d'un objet parfait, idéal, à tel point que rien d'autre n'aurait convenu. C'est un phénomène extraordinaire, du début à la fin. Tout repose sur la puissance de l'Enfernité mais, à mes yeux, ça a toujours un petit côté magique.

Ma poitrine était lourde, sans que je comprenne pourquoi.

– Pour quelle raison me racontes-tu tout cela ? demandai-je tout bas.

Il attrapa la boîte en métal doré qu'il avait trouvée sur mon bureau.

– Tu viens d'achever la première étape du processus qui fera de toi une Enfernaute. Ton cœur de Surface est une boussole. Ton cœur d'Enfernité est dans le caveau.

Je ne pouvais plus faire un geste. J'étais paralysée.

Mon cœur. *Mon cœur !* Il n'était plus là. Sous ma main, je ne percevais aucun battement. Voilà ce qui avait changé. Je restai bouche bée, suffoquée.

– C'est toi qui m'as fait ça ?

– À vrai dire, tu l'as fait toi-même. C'est toi qui as décidé de te nourrir d'un Enfernaute. Quand tu étais en Enfernité. Par trois fois, Nik. De ton plein gré. Sans exception. En fait, c'était le point le plus dur de cette aventure. Pour créer un Enfernaute, il faut suivre des règles très strictes. C'est le mortel lui-même qui doit demander d'être nourri par un Enfernaute. Il m'était impossible de te le proposer, ou de t'expliquer que c'était faisable. Oui, je l'avoue, il m'est arrivé plusieurs fois, lors de notre excursion, de douter d'avoir un jour cette chance : te montrer quelle énergie je pouvais te procurer en te nourrissant. Était-il démesuré d'espérer obtenir de toi un baiser ? Tu m'as fait du boucheà-bouche pour me ranimer ; hélas, je n'étais pas conscient à cet instant. J'ai alors décidé de trouver une autre occasion de me noyer ou d'être assommé, même si cela n'était pas évident.

« Et puis, un jour, je t'ai vue avec ta Sirène. Aperçue, plutôt, mais assez longtemps pour te regarder l'embrasser. Là, je me suis dit : *Tiens, tiens, pourquoi pas...* Je suis retournée vers la mienne – oui, Nik, depuis longtemps j'avais compris que ce n'était pas toi – et j'ai attendu que tu nous rejoignes. Et voilà. Ton baiser magique m'a arraché à ses bras.

– Je t'ai sauvé la vie, affirmai-je, incrédule.

– Oui. Parce que je m'étais mis en danger. Tu vois, au moment où tu as appris ce qu'un de mes baisers pouvait t'apporter, j'ai enfin repris espoir. Tôt ou tard, je tomberais forcément sur deux autres occasions où tu flancherais au point de me supplier de t'embrasser.

Je fouillai mon cerveau pour me rappeler ces instants.

Cole sourit.

– La deuxième fois, c'était quand les Vagabonds t'ont attaquée. Et la troisième, dans les Tunnels.

Cela n'avait aucun sens. Rien n'avait plus aucun sens. Cole n'était-il pas descendu en Enfernité pour m'aider ? Je songeai à l'ultimatum que je lui avais présenté, le menaçant d'avaler l'un de ses cheveux pour y aller seule.

– Au départ, j'ai dû insister pour que tu viennes avec moi.

– Si je t'avais présenté le scénario de « descendons ensemble chercher Jack en Enfernité », tu n'aurais pas marché. Tu m'aurais constamment soupçonné d'avoir des arrière-pensées. Or, j'avais besoin de ta confiance. Une confiance sans bornes, implicite.

– Mais Max m'a mise en garde et recommandé de rester loin de toi ! Pourquoi a-t-il dit cela, puisqu'il était de mèche avec toi ?

– Si Max avait collaboré trop vite avec toi, là aussi, tu te serais méfiée.

Je secouai la tête. Cole m'avait manipulée. Il me connaissait si bien qu'il en avait profité. Voilà pourquoi Ashe avait accepté d'accompagner Cole, et Max ne s'était jamais fâché au point de nous abandonner : ils étaient complices.

Je jetai un coup d'œil vers Jack et je repris tout bas :

– Mme Jenkins m'avait recommandé de ne rien manger.

– Oui. Mme Jenkins était mon joker. Je n'avais pas la moindre idée de ce qu'elle savait ou ignorait. Elle était assez informée pour te conseiller de ne pas manger en Enfernité, sans saisir le sens du mot « manger ».

– Elle est morte.

Cole resta de marbre.

– Je sais.

– C'est toi qui l'as tuée ?

– Non, répondit-il avec un sourire retenu.

Je poussai un petit soupir de soulagement.

– C'est Max. Assisté des autres membres du groupe.

Ma mâchoire tomba.

– Mais… Pourquoi ?

– Elle en savait trop à ton sujet. On ne pouvait pas lui faire confiance.

La main sur le ventre, je me laissai tomber. Cole me regarda sans faire un geste. Je me saisis le crâne.

– Non. Ce n'est pas vrai. Dis-moi que je rêve.

– C'est un rêve qui se réalise, ricana Cole.

Il redevint sérieux pour ajouter :

– Tu ne risques rien, Nik. Personne n'est au courant, sauf mon groupe et moi. La reine ignore que tu as survécu au Festin. Elle ne sait même pas qu'il y a une menace. Nous avons assuré tes arrières.

– Tu as fait de moi un être comme vous ! sifflai-je.

– Je sais. Désolé.

Près de la fenêtre, les genoux pliés, il était prêt à sauter. Il fit mine de s'en aller.

– Attends !

– Quoi donc ?

– Rends-moi mon cœur. Je t'en supplie. Peu importe que je le casse, puisque le second est dans un caveau en Enfernité. Alors, rends-le-moi.

Le regard de Cole passa de son poing fermé à mon visage. Il glissa la boussole dans sa poche.

– Désolé, Nik. Je suis vraiment navré. Pour un Enfernaute, détenir le cœur d'un autre a ses avantages. Je le garde. Voilà, nous sommes quittes.

– Comment ça ?

Son visage se radoucit.

– Tu détiens le mien depuis toujours.

Il passa une jambe par-dessus le garde-corps.

– Je t'ai fait confiance, lui dis-je, à la fois en colère et lasse.

– Je sais, admit-il simplement.

Il sauta et me montra sa tête un dernier instant.

– Il me reste l'éternité pour obtenir ton pardon.

Quand Jack ouvrit les yeux, au matin, j'étais adossée au mur et je le regardais. Il observa le lit vide, près de lui, posa la main sur l'oreiller et se retourna.

Quand il me vit, il serra les sourcils.

– Becks. Ça va comme tu veux ?

Je hochai la tête.

Il s'étira.

– Quelle heure est-il ?

– Huit heures et demie.

Il me regarda encore.

– Qu'est-ce qui ne va pas ?

Je m'efforçai de sourire.

– Rien.

– Tu crois que je vais avaler ça ? Dis-moi ce qui cloche.

Je ne pouvais pas éviter ce moment. Tôt ou tard, Jack découvrirait mes intentions. Mieux valait tout lui dire sans tarder. Peut-être même pourrait-il m'aider.

Je me levai pour m'asseoir sur le lit, près de lui. Je serrai sa main entre les miennes.

– L'Enfernité, tu connais ?

Il sourit avant de pouffer de rire.

– Euh, oui, ça me dit vaguement quelque chose.

– Bien. Je vais la détruire.

Son sourire s'évanouit.

– Je compte tout réduire en miettes. Tu me suis ?

Il porta ma main à ses lèvres et posa un baiser au creux de mon pouce.

– Toujours. Pour toujours.

REMERCIEMENTS

Merci à mon agent, Michael Bourret, qui mérite une médaille pour son gros travail et sa patience envers moi.

Merci au reste de l'équipe de DGLM, en particulier Lauren Abramo, qui m'a épaulée sur tous les continents.

Merci à ma fabuleuse éditrice, Kristin Daly Rens, qui a travaillé sans relâche une ébauche après l'autre et l'autre encore, me poussant toujours un peu plus loin pour que le livre brille et donne vie au monde de l'Enfernité. À présent, vous connaissez mieux que moi cet univers ! J'espère que vous avez apprécié cette dose généreuse de Cole.

Merci au reste de l'équipe de HarperCollins, en particulier Sara Sargent, Caroline Sun, Emilie Polster, et d'innombrables participants « obscurs » à la mise en pages et à la cartographie, et à tous les gens cachés dans les coulisses.

Merci aux SIX : Bree Despain, Emily Wing Smith, Kimberly Webb Reid, Valynne Maetani Nagamatsu, et Sara Bolton, alias meilleure critique dont un groupe peut rêver. Sans vous et vos séances hebdomadaires d'écriture, l'Enfernité ne serait qu'un monde fade et sans intérêt.

Merci à tous les amis qui m'ont soutenue lors de ce voyage fou. Si je vous nommais, j'oublierais l'un d'entre vous, vous le savez.

Merci à mon père et à ma mère. Malgré les événements, vous avez lu mes pages comme si vous n'aviez rien d'autre à faire.

Merci à ma famille : la famille d'Erin et Dave Gubler, les Jackson, les Johnson, les autres Johnson, les Ellington et les Ott. À vous tous, vous représentez au moins la moitié de mes ventes.

Merci à mes garçons, Carter et Beckham. Vous avez été très patients, même si vous êtes persuadés que je passe ma vie dans mon bureau.

Merci à Sam. Sans un mot.

**Retrouvez tous les livres
de la collection Macadam sur**
www.editionsmilan-macadam.com

Achevé d'imprimer en Italie par Canale
Dépôt légal : 2ᵉ trimestre 2013